AIを操る7つのチカラ

# ChatGPT時代の文系AI人材になる

野口竜司

How AI & the Humanities Work Together in the Generative AI Era

東洋経済新報社

# はじめに

**「ＡＩはＥｘｃｅｌくらい誰もが使うツールになる」**という認識のもと、前著『文系ＡＩ人材になる』（東洋経済新報社）を執筆しました。**「ＡＩはどう作られているか？」「ＡＩをどう作るか？」よりも、「ＡＩをどう使いこなすのか」**という課題に焦点を当てた本として刊行されました。

ありがたいことに、前著は、私の想像をはるかに超えて本当に多くの方にお読みいただきました。読者のみなさまからの声や、社会における前著への反響から、「ＡＩをどう使いこなすのか」への関心の高まりを感じておりました。

そうした中で、「ＣｈａｔＧＰＴ」の登場により世界に激震が走り、世の中のＡＩへの関心の度合いは以前のものとは比べものにならないほど高まり、過去最高の域にまで達したと言えるでしょう。冒頭で述べた、**「ＡＩはＥｘｃｅｌくらい誰もが使うツールになる」**と

**いう認識が現実のものとなりました。**

ＣｈａｔＧＰＴ以前のＡＩとは異なり、ＣｈａｔＧＰＴ以降のＡＩは**コトバで操ることができ誰もが扱えるもの**となりました。そして何より**さまざまな知的タスクの実行において驚くべき精度**を達成し続けています。

企業や組織では、大きく変容したＣｈａｔＧＰＴ以降のＡＩを取り入れ活用しようとする動きが盛んになっていますし、「個人」の単位においても、「これらのＡＩをいかに活用するのか？」というテーマが一気に重要なイシュー（課題）として強く意識されてきたのではないかと思います。

技術が大きく変わるときは、社会も大きく変わります。ＣｈａｔＧＰＴを起点に大きく発展したＡＩは、企業や組織の活動のあり方を変える存在になるでしょう。そして、私たち個人の仕事や生活も大きく変化することを覚悟しなければいけません。

この予想される大変化に対して、私たちはどのような備えをすべきでしょうか？

たくさんの備えが考えられますが、欠かせない備えの１つが「ＡＩを操るチカラを身につけておくこと」ではないかと思っています。

ＣｈａｔＧＰＴ時代のＡＩは人間を超えるさまざまな知的タスクをいとも簡単にこなしてしまいます。そのような驚異的な存在になりえるＡＩから距離を置き避けるのではなく、ＡＩをよく知り自ら取り込んでいくようなスタンスや行動、そして「知識・スキル習得」が今まさに求められているのではないでしょうか。

この本では、**ＣｈａｔＧＰＴ時代に必要となる知識・スキルを体系立てて、「ＡＩを操る7つのチカラ」**として整理をしております。

①ＡＩ活用マインド
②ＡＩキホン理解力
③ＡＩ仕組み理解力
④ＡＩ事例収集力
⑤ＡＩ企画力
⑥ＡＩプロンプト力
⑦ＡＩマネジメント力

この「ＡＩを操る７つのチカラ」は、特定の専門職の方でなく、すべてのビジネスパーソンや学生の皆さまにぜひご習得いただきたいと思っています。

この本を通して多くの方に、本格的なＡＩ時代をしっかりと生き抜くヒントを提供できればと思います。

「のぐりゅう」こと

野口　竜司

２０２３年９月

目次 ―― ChatGPT時代の文系AI人材になる

## 第1章 文系のためのシン・AIキャリア

## 第2章 GPT時代のAIの「キホン」を丸暗記

# 第7章 最新のAI事例をトコトン知る

序章

# GPT時代が到来！ ヤバい知的生産革命

# 世界中を驚かせた「ＣｈａｔＧＰＴ」

## ＣｈａｔＧＰＴ登場で突然の「第４次ＡＩブーム」

２０２２年11月、新型ＡＩ「ＣｈａｔＧＰＴ」が登場し、世界は一変しました。従来のＡＩを超越するその性能は、人々を即座に魅了し、大きな熱狂を引き起こしました。世界中の企業はこのＡＩの動きに注目を寄せ、自社の事業やサービスに活用しようとする取り組みが始まりました。そして、私たちの日常でもＡＩについて語られることが多くなりました。これらの状況から、「ＣｈａｔＧＰＴ」が生み出した社会的な影響力の大きさがわかります。

以前、ディープラーニングの技術が第３次ＡＩブームをもたらしたことはよく知られていますが、そのときでもＡＩが日常的に話題にのぼることはあまりありませんでした。しかし、「ＣｈａｔＧＰＴ」の出現以降、企業だけでなく学校や家庭でもＡＩについて話されることが増えたのは、皆さんも感じていることでしょう。

専門家の間でもさまざまな意見がありますが、「第４次ＡＩブーム」が到来したと言っ

図表0-1　第４次AIブームの到来？

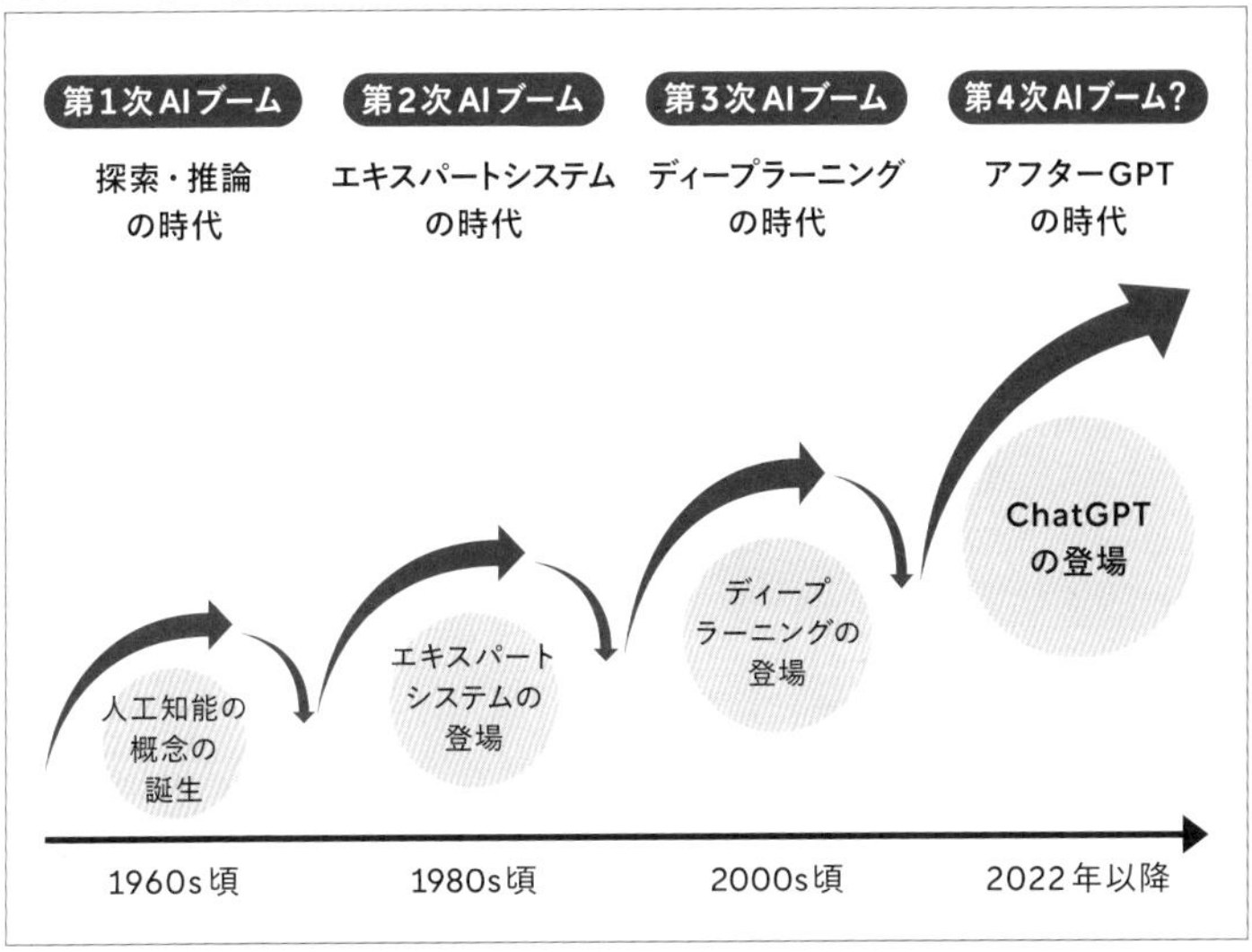


ても過言ではないでしょう（図表０-１）。

さらに、これは一時的なブームを超え、ＡＩが社会や日常生活にしっかりと根づいていく大きな動きを示しています。「本格的なＡＩ社会」の開幕を告げるビッグバンが、今、我々の目の前で起こっているのです。

## ChatGPTが突破した「ヤバい知的レベル」

**ChatGPTがあっという間に世界にその名を轟かせたのは、その「ヤバい知的レベル」が主な理由です。**この驚くべきＡＩは、普通なら教育を受けた人間にしかできないとされるさまざまな「知的生産」を、広い範囲でかつ驚異的な精度で手軽にこなします。

たとえば、ホワイトカラーの仕事でよく見られる、判断力が必要な知的タスクを、ＣｈａｔＧＰＴは楽々とこなします。また、教師のように人々に知識を教えたり、質問に対して適切な回答を生成することも得意です。さらには、弁護士、会計士、医師など、専門的な知識が必須な職業のタスクも見事に処理します。

ＣｈａｔＧＰＴが誤情報を提供することに対する懸念もあるものの、「ＡＩへの指令（プロンプト）」の工夫やウェブ検索の活用により、これを最小限に抑えることができます。

私自身もＣｈａｔＧＰＴを多くのタスクに活用していますが、「苦手なこと」を見つけるほうが困難なほど、**ＣｈａｔＧＰＴは「ヤバい知的レベル」をすでにもっており、そのレベルは今後さらに上昇することが予想されます。**

ＡＩが人類全体の知能を凌駕する**「シンギュラリティ」の時代**が近づいているとされていますが、**ＣｈａｔＧＰＴの登場により、その実現は現実的で近いものとなりました。**今のＡＩがすでに非常に高いレベルの能力をもっていることを考えると、この進展は驚異的です。

## ChatGPTだけじゃない!?「AI群雄割拠時代」へ

### Googleが見せた底力。国産AIの登場も

ChatGPTが世界を驚かせ、新たな潮流を作り出しましたが、現在ではChatGPTに匹敵するAIが増えてきており、その能力も遜色ありません。**ChatGPT一強の時代から、新たな「AI群雄割拠時代」へと移り変わりつつあるのです**（図表0-2）。

たとえば、Googleが開発した大規模言語AI、「Google Bard」は日本語にも対応し、ChatGPTと同じくらいのタスク実行能力を有しています。その迅速なレスポンスは特に称賛を受けています。

また、ChatGPTと同様の大規模な言語AIの基盤をオープンソース化し、無料で提供する企業も出現しています。大企業ではFacebookやInstagramの運営会社Metaがこれにあたりますが、多くの大学やさまざまな規模の企業も言語AIのオープンソース化を推進しています。

そして、**大規模な言語AIは海外生産だけでなく、国内生産のAIも出現してきていま**

図表0-2　ChatGPTだけじゃない大規模な言語AIたち

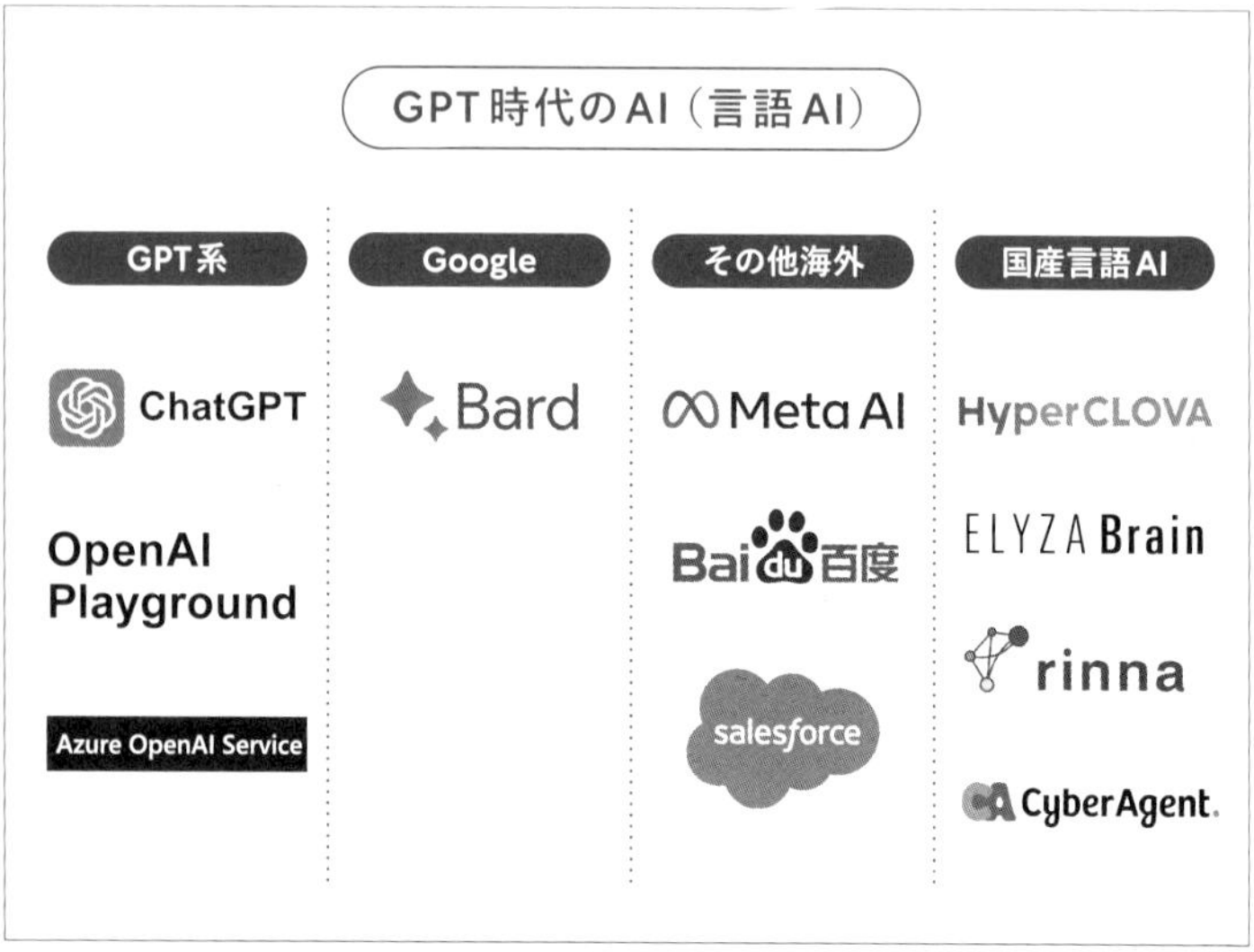


す。大きさで言えば、ChatGPTやGoogle Bardのような海外大手AIが一歩リードしていますが、国産AIは適度な規模でありつつも、個別学習やカスタマイズの柔軟性に優れています。特に特定のタスクについては、ChatGPTと同等の品質を達成することが確認され始めているのです。

## ChatGPTをメインに「GPT時代のAI」を解説

今後、私たちはただChatGPTを用いるだけでなく、同様の能力をもつAIをそれぞれの用途に合わせて選択するようになるでしょう。数年後には、まったく新しいAIが主流となっている可能性もあります。

図表0-3　ChatGPTとOpenAI Playgroundの違い

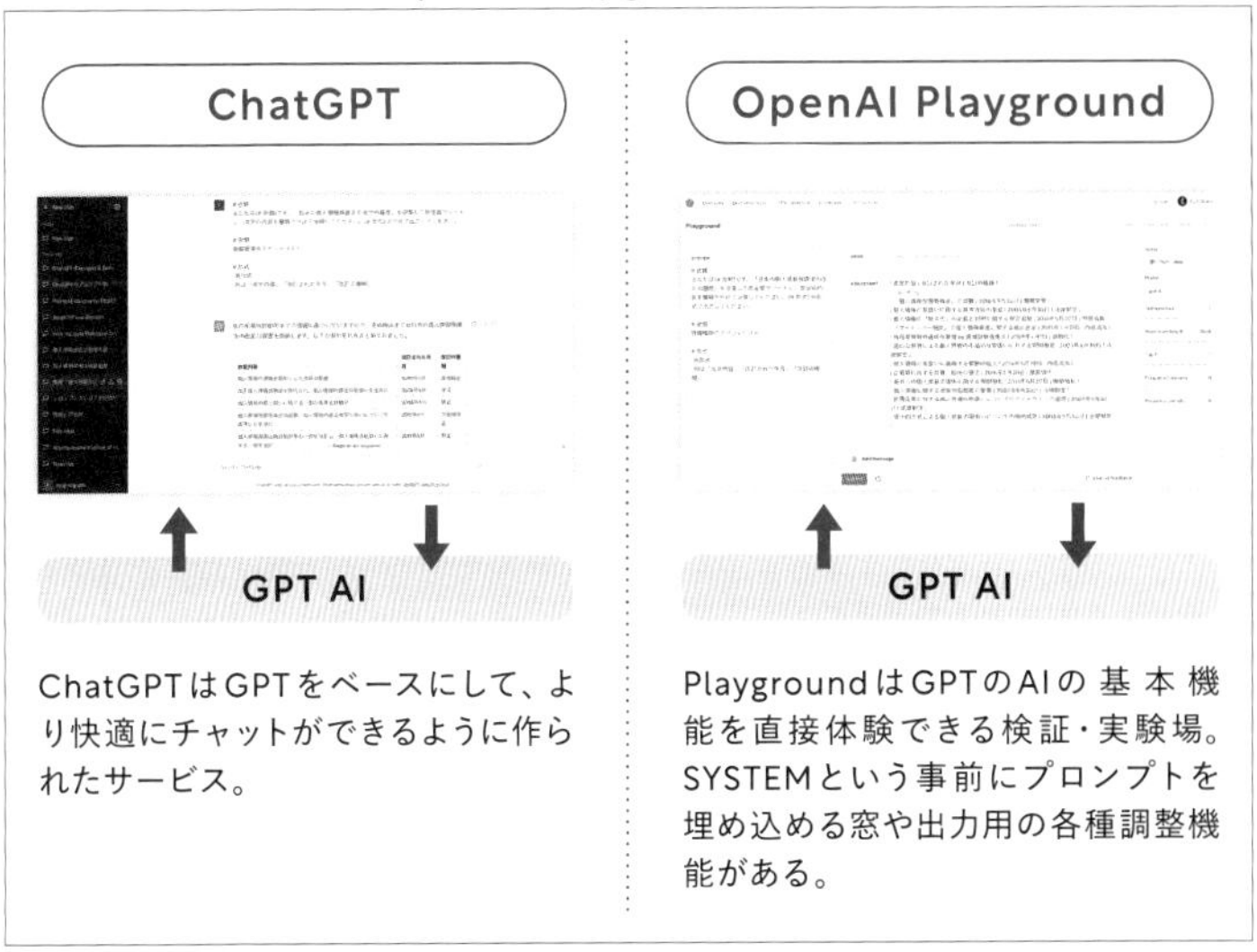


この書籍では、ＡＩの急速な進化を考慮に入れつつも、「ＣｈａｔＧＰＴ」を中心に扱います。ＣｈａｔＧＰＴは現在のＡＩブームを象徴する存在であり、一部始終に立ち会った重要なプレイヤーでもあるからです。

ＣｈａｔＧＰＴとは正確には、ＯｐｅｎＡＩによって開発された大規模ＡＩ「ＧＰＴ」(Generative Pre-trained Transformer) を基盤としたチャット型サービスの名称です。そのため、本書では、ＣｈａｔＧＰＴを含む関連ＡＩ群を「ＧＰＴ時代のＡＩ」と表現し、解説を行なっていきます。

なお、具体的なスキルの解説部分では、主にＯｐｅｎＡＩのＣｈａｔＧＰＴサービス（ＧＰＴのＡＩを搭載したチャットサービス）と、同じく同社のＯｐｅｎＡＩ Ｐｌａｙｇｒｏｕｎｄ

（ＧＰＴのＡＩを搭載した実験・検証環境、本書でＰｌａｙｇｒｏｕｎｄと称します）の２つを用いて解説を行ないます。ＣｈａｔＧＰＴとＰｌａｙｇｒｏｕｎｄは同じＧＰＴのＡＩを搭載しているため、多少の出力差は出るものの、基本的には近い挙動をします（図表０-３）。ＣｈａｔＧＰＴサービスやその基盤となるＧＰＴを総称して本書では「ＧＰＴ」と称して主に解説を行なっていきます。

他のプラットフォームのＡＩでも、ある程度同じような操作が可能であることを念頭に置き、それらも理解して学習を進めていただければと思います。

## ＧＰＴがこなせる「知的タスク」はどんなもの？

### 言語ＡＩが「できないはずの知的タスク」を軽々と

ＡＩの専門家である私ですら、ＧＰＴが生み出す知的生産に毎日驚かされています。そ

図表0-4　知的生産タスク

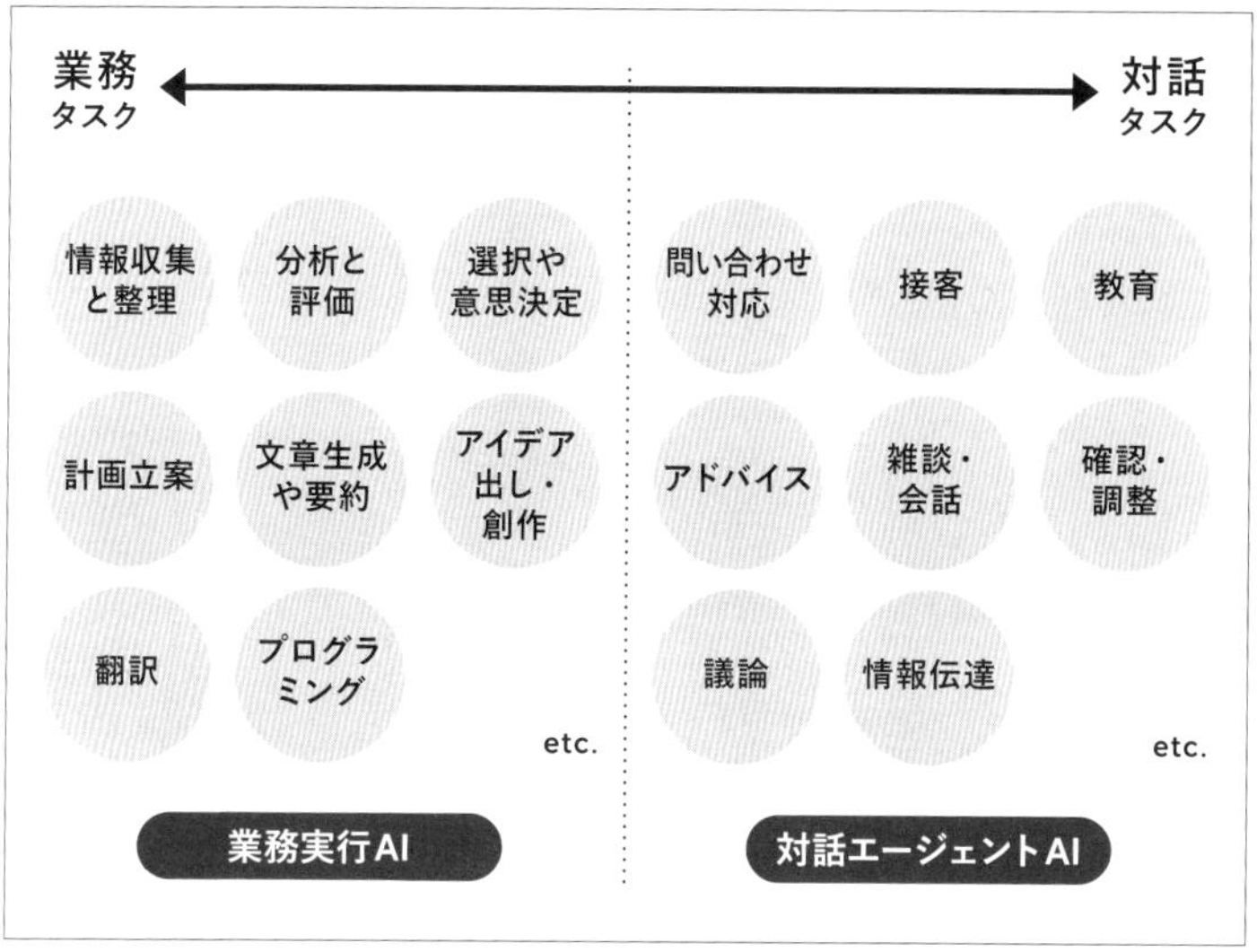


れは、**一昔前にはＡＩに手がけることができないと思われていたさまざまな知的生産タスクを、ＧＰＴがあっさりとこなすからです。**

**人間の知的生産タスクは、大きく分けて「業務タスク」と「対話タスク」の2つに分けられます。**「業務タスク」は、情報収集と整理、分析と評価、選択や意思決定、計画立案、文章生成や要約、アイデア出し・創作、翻訳、プログラミングなど、一人で行なう作業が主となります。一方、「対話タスク」は、問い合わせ対応、接客、教育、アドバイス、雑談・会話、確認・調整、議論、情報伝達など、人とのコミュニケーションを通じて行なう作業となります（図表0-4）。

驚くべきことに、これらの知的タスクをＧＰＴはあっという間に解決してしまいます。

ＧＰＴなどの言語ＡＩが「できないはずの知的生産」を軽々とこなしてしまう時代に入ったのだと、私たちはまず認識をしなければいけません。なお、私は、**業務タスクを行なうＡＩを「業務実行ＡＩ」、対話タスクを行なうＡＩを「対話エージェントＡＩ」と呼んでいます。**これらのＡＩの進歩が、私たちの働き方や生活そのものを大きく変えていくことになります。

## 知的生産のための「ＧＰＴプロンプト実例」

知的生産をこなす「ＧＰＴのプロンプト実例」をご紹介します。具体的な業務タスク、対話タスクについて、それぞれ整理した表（図表0-5、図表0-6）をご覧ください。対話タスクについては、対話エージェントＡＩとして自律的に動かすにはもっと詳細にプロンプトを書く必要がありますが、今回は簡易版としてのプロンプトを記載しています（エージェントＡＩにシナリオ実行してもらうためのプロンプトは後述します）。

「情報収集と整理」タスクでは、ＧＰＴの出力例もあわせて示します（図表0-7）。このプロンプトは「依頼」「役割」「形式」の3つを明記するスタイルで記述をした例になります。第5章でもくわしくプロンプトの書き方を解説いたします。

図表0-5　**プロンプト例（業務タスクの事例）**

| タスク | 役割名称 | プロンプトの例 |
|---|---|---|
| 情報収集と整理 | データリサーチャー | あなたは{データリサーチャー}です。「最新のAI技術トレンド」についての情報を収集し、重要度で整理してください。{表形式}で出力してください。 |
| 分析と評価 | データアナリスト | あなたは{データアナリスト}です。「アメリカの失業率と経済成長率の関係」について分析し、その評価を述べてください。 |
| 選択や意思決定 | 意思決定スペシャリスト | あなたは{意思決定スペシャリスト}です。「ソフトウェア開発プロジェクトの優先順位」を決める際の基準と推奨する選択肢を提案してください。 |
| 計画立案 | プロジェクトマネージャー | あなたは{プロジェクトマネージャー}です。「新製品の市場投入計画」を立案してください。 |
| 文章生成や要約 | コンテンツライター | あなたは{コンテンツライター}です。「AIが社会にもたらす影響」についての長文を短い要約にまとめてください。 |
| アイデア出し・創作 | クリエイティブディレクター | あなたは{クリエイティブディレクター}です。「未来のスマートシティ」についての新たなアイデアを出してください。 |
| 翻訳 | 翻訳者 | あなたは{翻訳者}です。「フランスの新聞記事」を日本語に翻訳してください。 |
| プログラミング | ソフトウェアエンジニア | あなたは{ソフトウェアエンジニア}です。「Pythonでウェブスクレイピングツール」を開発するための基本的なコードを提案してください。 |

図表0-6　**プロンプト例（対話タスクの事例）**

| タスク | 役割名称 | プロンプトの例 |
|---|---|---|
| 問い合わせ対応 | カスタマーサポート | あなたは{カスタマーサポート}です。「製品の使い方についての問い合わせ」に対する回答を提供してください。 |
| 接客 | セールスアシスタント | あなたは{セールスアシスタント}です。「新製品の推奨ポイント」を顧客に対して説明してください。 |
| 教育 | 教育者 | あなたは{教育者}です。「量子物理学の基本概念」を初学者に対して簡単に説明してください。 |
| アドバイス | ライフコーチ | あなたは{ライフコーチ}です。「キャリアの進め方」についてアドバイスを提供してください。 |
| 雑談・会話 | 会話パートナー | あなたは{会話パートナー}です。「最近読んだ本について」の感想を聞き、それに対して自分の意見を述べてください。 |
| 確認・調整 | プロジェクトコーディネーター | あなたは{プロジェクトコーディネーター}です。「チームメンバーのスケジュール調整」を行い、会議の日程を確認してください。 |
| 議論 | ディベートパートナー | あなたは{ディベートパートナー}です。「人工知能の倫理について」の議論に参加し、あなたの立場を明確に表現してください。 |
| 情報伝達 | ニュースリポーター | あなたは{ニュースリポーター}です。「最新の科学技術ニュース」を伝達してください。 |

図表0-7　**プロンプト例（「情報収集と整理」タスクの事例）**

\# 依頼
あなたは{# 役割}です。「日本の個人情報保護法の改定の履歴」を収集して改定暦でソートし、改定の内容を種類で分けて分類してください。{# 形式}の形式で出力してください。

\# 役割
情報整理のスペシャリスト

\# 形式
- 表形式
- 列は「改定内容」「改訂された年月」「改訂の種類」

\# 依頼
あなたは{# 役割}です。「日本の個人情報保護法の改定の履歴」を収集して改定暦でソートし、改定の内容を種類で分けて分類してください。{# 形式}の形式で出力してください。

\# 役割
情報整理のスペシャリスト

\# 形式
-表形式
-列は「改定内容」「改訂された年月」「改訂の種類」

私の知識は2021年までの情報に基づいていますので、その時点までの日本の個人情報保護法の改定の履歴を提供します。以下の表にそれをまとめてみました。

| 改定内容 | 改訂された年月 | 改訂の種類 |
|---|---|---|
| 個人情報の保護を目的とした法律の整備 | 2003年5月 | 新規制定 |
| 改正個人情報保護法が施行され、個人情報の適正な取扱いを定めた | 2005年4月 | 改正 |
| 個人情報の取り扱いに関する一部の基準を詳細化 | 2008年4月 | 改正 |
| 個人情報保護委員会の設置、個人情報の適正な取り扱いについての基準などを改訂 | 2015年9月 | 大規模改正 |
| 個人情報保護法施行規則等の一部を改正し、個人情報の取扱いに関する一部を改訂 | 2017年5月 | 改正 |

2022年以降の改定については、正確な情報を提供するためには最新の情報源を調査する必要があります。あくまで参考までとお考えください。

ぜひご自身でもプロンプト例をもとにして、
ＧＰＴへのプロンプト入力をお試しください。

# GPT時代のAIは「ヒトの気持ち」をどこまで読める？

## GPT vs Google Bard

現代のAI技術はGPTなどの進化により、人が行なっているさまざまな知的な業務や対話を行なうことができるようになってきました。しかし、**AIは本当に「ヒトの気持ち」を理解できるのでしょうか？** 会話の中に潜む本当の意図や意味を読み取れるのでしょうか？ この問題を検証するために、GPTとGoogle Bardの2つのAIを比較検討してみました。

まず、入力したプロンプトは次のような内容です（図表0-8）。

**プロンプト①**

Aさんはもう結婚して5年経つ、料理上手の夫であるBさんにこう言いました。

Aさん：「そういえば、駅前にできたお惣菜屋さん、すごく人気らしいよ」

Bさん：「へー、そうなんだ」

図表0-8　**プロンプト①**

プロンプト：

Aさんはもう結婚して5年経つ、料理上手の夫であるBさんにこう言いました。

Aさん：「そういえば、駅前にできたお惣菜屋さん、すごく人気らしいよ」

Bさん：「へー、そうなんだ」

Aさん：「家庭料理を中心に、健康にも良いレシピで、さらにコスパがいいみたい。毎日そこでもよいかもねー！」

それだけ言うとBさんは不機嫌になってしまいました。なぜですか。

Aさん：「家庭料理を中心に、健康にも良いレシピで、さらにコスパがいいみたい。毎日そこでもよいかもねー！」

それだけ言うと、Bさんは不機嫌になってしまいました。なぜですか。

GPTはPlaygroundで動くGPT-4のバージョン、Google Bardはベータ段階のバージョンで、同じプロンプトを入力して比較テストを実施しました（図表0-9-1、図表0-9-2）。

**GPTの回答①**

- Bさんは自分の料理が必要とされていない、または評価されていないと感じた
- Bさんの料理への努力や技術を無視するかのように聞こえた

図表0-9-1　GPTとGoogle Bardの比較テストその1〈GPT-4〉

Bさんが不機嫌になった理由は、彼が料理上手であるという事実から考えてみると、理解しやすいかもしれません。Bさんはおそらく、自分が作った料理をAさんが楽しみにしていると感じていたでしょう。しかし、Aさんが新しく開店したお惣菜屋の料理を家で毎日食べることを提案したことで、Bさんは自分の料理が必要とされていない、または評価されていないと感じたのかもしれません。

Aさんの提案は無邪気なものかもしれませんが、それは同時にBさんの料理への努力や技術を無視するかのように聞こえたかもしれません。そのため、Bさんは不機嫌になったのでしょう。

図表0-9-2　GPTとGoogle Bardの比較テストその1〈Google Bard〉

Bさんが不機嫌になった理由は、いくつか考えられます。

- Aさんの発言は、Bさんの料理を否定しているように聞こえた可能性があります。
- Bさんは、料理をするのが好きで、それを家族に食べてもらいたいと思っている可能性があります。
- Bさんは、お金を節約するために料理をしている可能性があります。
- Bさんは、Aさんが自分の料理を評価していないと思っている可能性があります。

Bさんが不機嫌になった理由は、Aさんにしかわかりません。しかし、AさんがBさんの気持ちを理解して、話をしてみることが大切です。

図表0-10　**プロンプト②**

> プロンプト：
>
> Aさんはどう話をするべきでしたか？

**Google Bardの回答①**

●Bさんの料理を否定しているように聞こえた
●料理をするのが好きで、それを家族に食べてもらいたいと思っている
●お金を節約するために料理をしている
●Aさんが自分の料理を評価していないと思っている

テスト結果を見ていただくとわかる通り、**GPTとGoogle Bardの双方が「ヒトの気持ち」を読み取っていると評価して良い出力を行なっています。**

さらに、次のプロンプトを続けて入力してみました（図表0-10）。

**プロンプト②**

Aさんはどう話をするべきでしたか？

**GPTの回答②**

「あなたの料理が一番美味しいから毎日食べているけど、一度試してみて、

何か新しいアイデアを得られるかもしれないね」

## Google Bardの回答②

「たまには違うものを食べたいなと思って、行ってみようかな」

GPTの出力は、なんともヒトの気持ちをくんだ、とても良い回答になっています。料理上手のBさんが怒った理由を理解しながら、彼の料理をしっかり褒めた上で、新しい提案をしていることがわかります（図表0-11-1）。

一方、Google Bardは、デリカシーに欠けるような回答になっています。Bさんの不機嫌さを増大させてしまうような逆効果の回答と言えるでしょう（図表0-11-2）。

GPT vs Google Bardの比較テストの軍配としては、(少なくとも執筆時点では)GPT（GPT-4）の勝利となりました。

GPT時代のAIは、あくまで大量のデータをもとに学習し基本構造としては「入力されたテキストの次に出てくるべきテキストを推論しているだけ」のものなので、「ヒトの気持ち」を本質的に理解しているわけではない、というのが多くの専門家の解釈ではあるのですが、複数のテストを行なうにあたり、「ヒトの気持ち」を理解していると解釈せざ

図表0-11-1　GPTとGoogle Bardの比較テストその2〈GPT-4〉

Aさんが Bさんの感情を尊重し、同時に新しいお惣菜屋について話す方法はいくつかあります。例えば：

Aさん:「そういえば、駅前にできたお惣菜屋さん、すごく人気らしいよ。」

Bさん:「へー、そうなんだ。」

Aさん:「家庭料理を中心に、健康にも良いレシピで、さらにコスパみたい。あなたの料理が一番美味しいから毎日食べているけど、一度試してみて、何か新しいアイデアを得られるかもしれないね。」

このようにAさんが提案すれば、Bさんが自分の料理を無視されていると感じることはなく、新しいお惣菜屋についての情報を共有し、新しいレシピのインスピレーションを得る可能性についても言及することができます。

図表0-11-2　GPTとGoogle Bardの比較テストその2〈Google Bard〉

Aさんは、お店のことを以下のように説明すべきでした。

「駅前に新しいお惣菜屋さんができたんだって。家庭料理を中心に、健康にも良いレシピで、さらにコスパがいいらしいよ。たまには違うものを食べたいなと思って、行ってみようかな。」

このように説明することで、Bさんは、Aさんがお店のことを興味を持っていて、自分の料理を否定しているわけではないことを理解することができます。また、Bさんは、Aさんのお店に対する好意を感じることによって、嬉しい気持ちになるかもしれません。

Aさんは、Bさんの気持ちに配慮して、お店のことを説明するようにしましょう。

るを得ない出力が多数出ていることは見逃すことができません。
**ＧＰＴ時代のＡＩ**は、業務タスクを正確にこなすという役割だけではなく、**「ヒトの気持ち」つまり意図や心情を汲み取り、適切に対応できる能力ももっていると表現しても差し支えがないのかもしれません。**

## 言語ＡＩだけでなく「創るＡＩ」も続々登場

### 「創るＡＩ」も「感動に値する」レベルに

ＧＰＴやＧｏｏｇｌｅ Ｂａｒｄのような大規模な「言語ＡＩ」だけでなく、プロンプトによって画像などを生成する「創るＡＩ」も続々と登場しています。
創るＡＩの１つである「Ｍｉｄｊｏｕｒｎｅｙ」は、ＧＰＴと同じようにプロンプト（言葉で指令）することによって、高精度の画像を生成するＡＩです。

次のようなプロンプトを入力することで、高い品質の画像を生成することができます（図表0-12）。

/imagine Colorful, pop illustrations depicting macbooks

/imagine Japanese boy with colorful headphones using a MacBook, 3d rendering

Ｍｉｄｊｏｕｒｎｅｙの場合は「/imagine」という文字から始めて、英語で描きたい画像のイメージをテキスト入力します。Ｍｉｄｊｏｕｒｎｅｙ以外の創るＡＩで、日本語での入力でも動作するサービスもあります。

また、もとになる写真を指定して、プロンプトを入れることで、３Ｄ化されたキャラクターの生成なども可能です。

具体的には、「{写真のURL} simple avatar, 3d rendering, --s 500 --iw 2 --v 5 — ar 16:9」といったプロンプトを入力することで、図表0-13のような生成ができます。写真のＵＲＬをもとにして「simple avatar, 3d rendering」で作りたい画像のイメージを説明し、「--v 5 — ar 16:9」のパラメータでは、使うバージョンやサイズ比などを指定できます。

このようなＡＩは、リアルな写真から３Ｄ風の画像に変換し、さらにリアルな画像に戻

図表0-12　創るAIの出力例

/imagine Colorful, pop illustrations depicting macbooks

/imagine Japanese boy with colorful headphones using a MacBook, 3d rendering

図表0-13　写真を元にした3Dキャラクター生成

simple avatar, 3d rendering, --s 500 --iw 2 --v 5 —ar 16:9

すといったことも自由に行き来が可能です。この創るＡＩは、ＧＰＴのような言語ＡＩと同様に「ことばで操れるＡＩ」として、誰でも扱うことができます。

実際の例を見ていただくとわかると思いますが、ＧＰＴなどの言語ＡＩだけでなく、テキストから画像を生成する「創るＡＩ」も「感動に値する」レベルになっているのです。

# 知的生産革命が起こる「ＧＰＴ時代」をどう乗り切るべきか

## 「ＧＰＴ時代」の始まり

ＡＩの新時代は、ＣｈａｔＧＰＴというチャット型サービスが登場したことで幕を開けました。驚異的な知的生産力を発揮し、世界を変革するきっかけを作り出したこの「ＣｈａｔＧＰＴ」にちなんで、これからの時代を本書のタイトルにもあるように「ＣｈａｔＧＰＴ時代」と称し、本書内では省略して「ＧＰＴ時代」と呼びます。

そして、ＣｈａｔＧＰＴをはじめとした大規模な言語ＡＩや、Ｍｉｄｊｏｕｒｎｅｙなどの画像を創るＡＩ、いわゆる世の中で生成ＡＩと呼ばれる新しい世代のＡＩを「ＧＰＴ時代のＡＩ」と総称してご紹介していきます。

なお、繰り返しの解説となりますが「ＧＰＴ」はGenerative Pre-trained Transformer の略で、ＣｈａｔＧＰＴというチャット型サービスのベースとなる大規模な言語ＡＩです。

**ＧＰＴ時代のＡＩを使いこなすことで、私たちがどのようにして知的生産革命に対応し、自身のスキルも向上させていくのか？** そのための具体的な方法を本書では解説をしていきます。

## 「ことばで動く」から誰でも操れる

これまでも紹介してきたように、ＧＰＴ時代のＡＩは「ことば」で動きます。プログラムを書かなくても、日常で使っているような「ことば」を使って指令することで、誰でもＡＩを操ることができます。

**ＡＩへの指令は「プロンプト」**と呼ばれるのですが、この**「プロンプト」は、まるで魔法のようにＡＩを操る手段**です。プログラムを書かず、難しいツール操作も不要です。言葉を与えるだけで、ＡＩが自在に動いてくれるのです。**ＧＰＴ時代のＡＩは「ことばで動く」ので、文系人材でも自由自在に操ることができます。また、年齢や立場も関係なく、ＡＩの専門家がいなくても誰でもＡＩを操ることができます。**

また、ＧＰＴなどの言語ＡＩは、たくさんの専門領域などについての知識を事前に学習しています。たとえば法律や医学などの専門領域について、自分で学ばなくても、良いプロンプトを投げ込むだけで、専門的なアドバイスを受けたり、関連タスクをこなすことができます。

極端な例としてですが、たとえばＧＰＴを使うことで、小学生が弁護士の知見を借りて、教室内で起こったいざこざについて法律的な観点から解決策を導くこともできます。また、友達が怪我をしたときにＧＰＴに質問することで緊急処置方法を知ることも可能になります。

「ＧＰＴ時代のＡＩ」は、ことばを操れるすべての人を対象として、知的生産革命の恩恵を授ける存在になりえるのです。

図表0-14 Chat-GPT時代のAI人材になるために必要な力

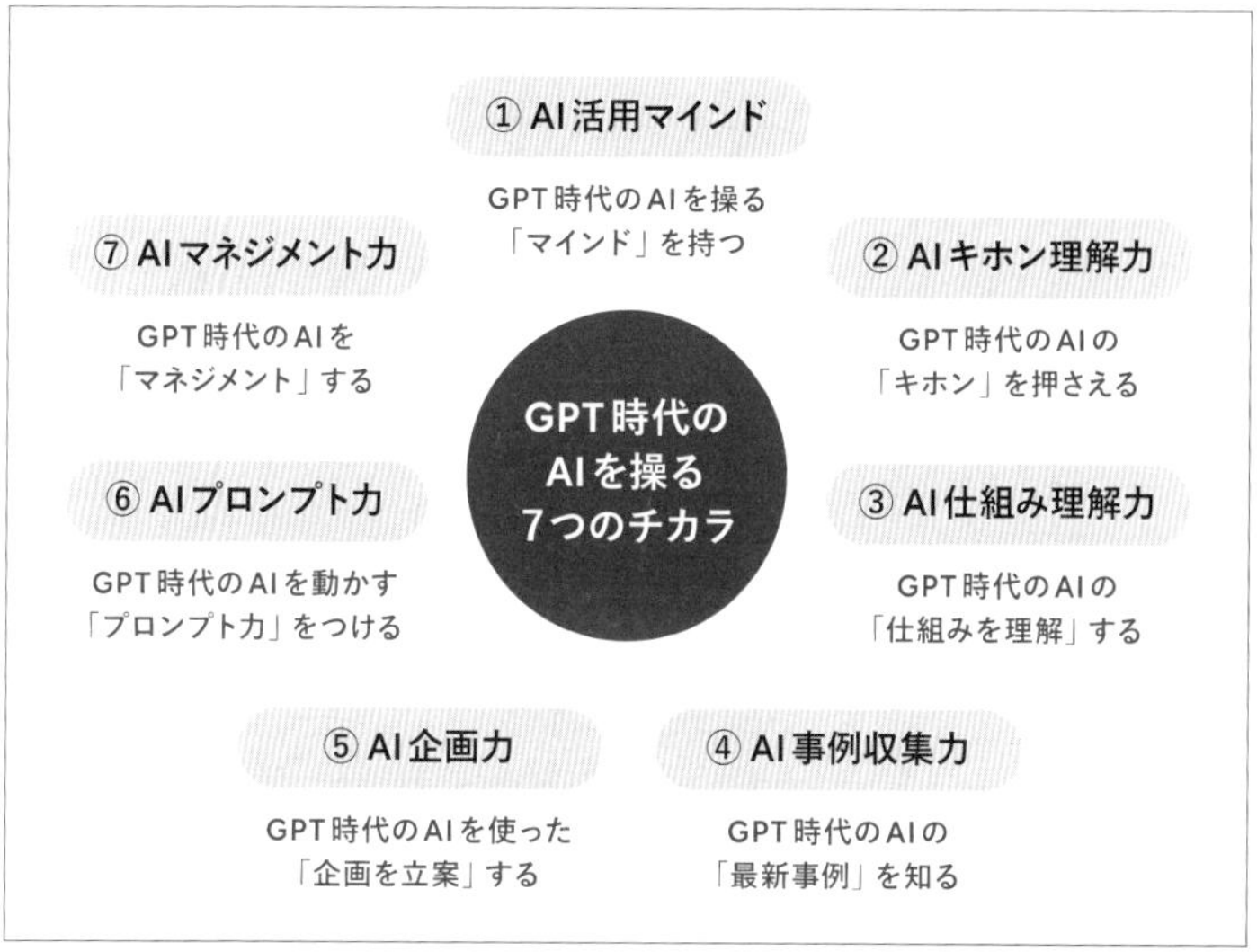


## 「AIを操るチカラ」を身につけAI人材になろう

「GPT時代」は、ことばが使えるすべての人に知的生産革命の恩恵を受けるチャンスが公平に提供されます。この恩恵を受けるためには、AIを使いこなす能力が不可欠になります。「AIを操るチカラ」を身につけなければならないのです。

本書では、AIを使いこなす能力を「AIを操る7つのチカラ」（図表0-14）として整理しています。本書を読み進めていただくことで、「7つのチカラ」を1つずつ理解し、習得いただけるような流れを作っています。

●「第１章　文系のためのシン・ＡＩキャリア」⬇ＡＩ活用マインド
●「第２章　ＧＰＴ時代のＡＩの『キホン』を丸暗記」⬇ＡＩキホン理解力
●「第３章　ＧＰＴ時代のＡＩの『仕組みをザックリ』理解する」⬇ＡＩ仕組み理解力
●「第４章　ＧＰＴ時代のＡＩ企画力を磨く」⬇ＡＩ企画力
●「第５章　ＡＩプロンプト力を上げる」⬇ＡＩプロンプト力
●「第６章　ＡＩマネジメント力を身につける」⬇ＡＩマネジメント力
●「第７章　最新のＡＩ事例をトコトン知る」⬇ＡＩ事例収集力

私の前著『文系ＡＩ人材になる』でも述べましたが、**ＧＰＴ時代に入り本当の意味でプログラムや「理系的な専門知識がなくても誰でも」ＡＩを使うことができる時代になりました。**

「文系」と「理系」の区分けをするのは現代においてはナンセンスだ、といった声もよくいただくのですが、本書では「理系的な専門知識がなくても誰でも」ということを表すために、一種の象徴として「文系」というキーワードを使わせていただいています。

本書のタイトルである『ＣｈａｔＧＰＴ時代の文系ＡＩ人材になる』は、「ＧＰＴが登場した本格ＡＩ時代において、理系・文系を問わず、すべての人にＡＩを操るチカラを身につけてほしい」という思いから、その名前をつけさせてもらいました。

本書を読むことで、GPTなどの新世代のAIを使いこなすAI活用人材、つまり「ChatGPT時代の文系AI人材」への第一歩を踏み出していただけたらと思っています。AIを自在に操る人材になり、知的生産革命が起こる「GPT時代」をともに乗り切っていきましょう。

第1章

# 文系のためのシン・AIキャリア

# ホワイトカラーの仕事を変える「働くＡＩ」がやってきた

## 「フィジカルな仕事だけＡＩが奪う」は過去の常識

少し前までの常識では、「知識や知恵が必要な業務はＡＩには代替されにくい」と言われていました。目の代わりをするＡＩや、物を動かすようなＡＩが、体を使うフィジカルな仕事をどんどん奪うような予想がされていたのです。しかし、最近のＡＩ技術の進化によって、その常識は覆されました。

ＣｈａｔＧＰＴの登場によりＡＩが「知的生産タスク」を問題なくこなせることが証明され、**ＡＩには代替できないだろうと予想されていた仕事の多くが、ＡＩで実施可能という見通しになってきました**（図表1-1）。たとえば、Ｅｘｃｅｌやドキュメント作業などのデスクワークは、ＧＰＴ時代のＡＩによって、代替される範囲が広がっていく仕事になってくるのです。

そんな中、「フィジカルな仕事だけＡＩが奪う」という考え方は、「過去」の常識になってしまったと言えます。これからは、知識や知恵を必要とするような業務もＡＩがどんど

図表1-1　AIによって置き換えられる仕事内容の変化

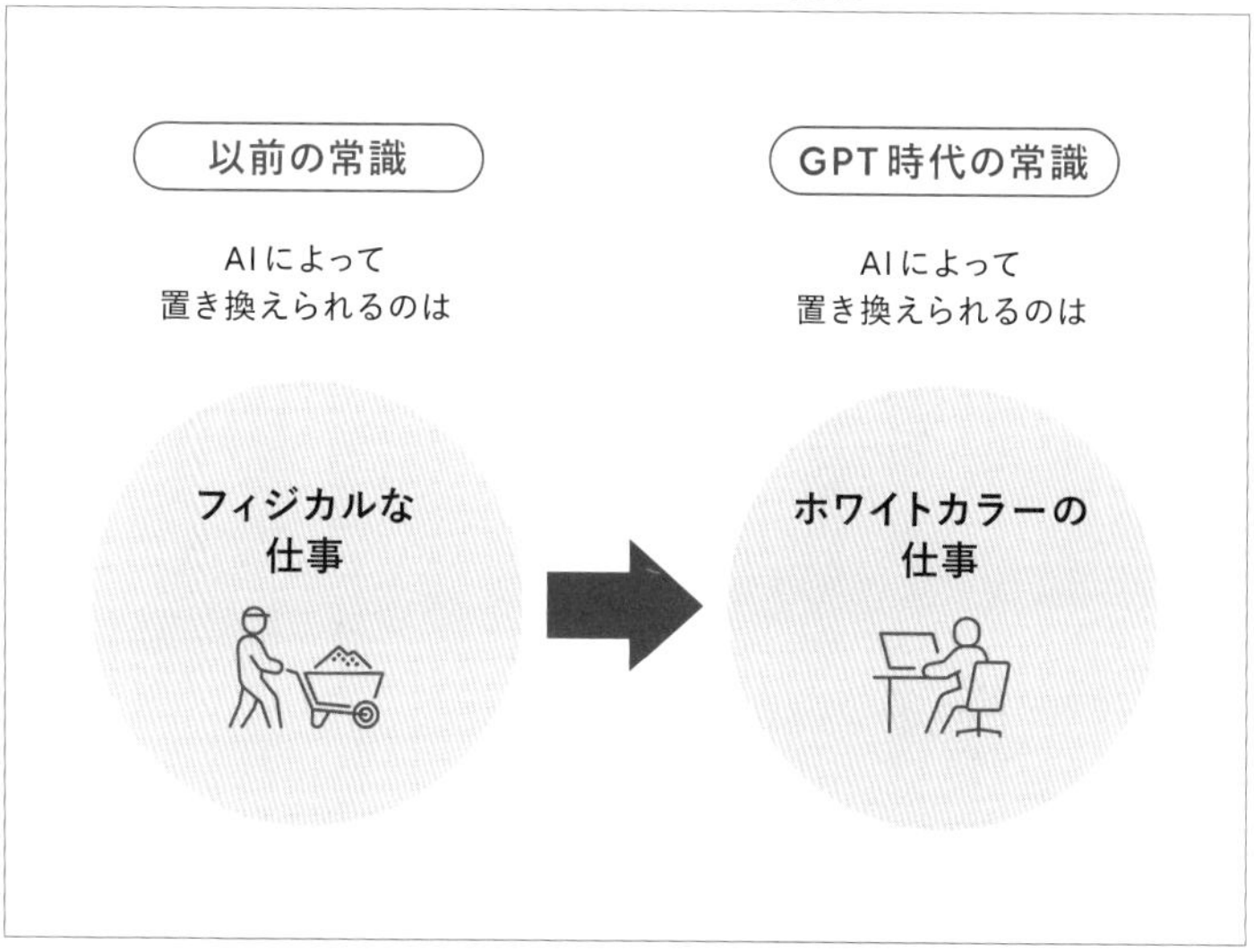


ん手伝ってくれる時代になることでしょう。

　このような状況の中で、ビジネスパーソンはどのように対応していくべきでしょうか。まずは、**従来の常識や知識を「アンラーン」し、新しいＡＩに適応する姿勢が求められます。そして積極的にＡＩ技術の進化を理解し、その活用法を学ぶことが重要**です。

　そして、ＡＩの「得意を引き出す」能力を身につけることで、差別化を図ることができるでしょう。ＧＰＴ時代のＡＩの力を「最大限に活かす」姿勢が、これからのビジネスパーソンに求められるスキルとなります。

## ピンチ？　チャンス？「ホワイトカラーの仕事」が奪われる

ＡＩ技術の急速な進化により、ホワイトカラーの仕事が激変しつつあります。特に、**GPT時代のAIは、Excelやドキュメント作業などの「デスクワーク」を自由自在にこなすことができます。また、AIは24時間働けるだけでなく、感情の揺れもなく作業も正確で高速**です。

かつては、ホワイトカラー業務は人間にしかできないと考えられていましたが、現在では**AIによってかなりの量が奪われていく可能性が高くなっています。しかし、これは悲観的に捉えることではなく、新たな働き方への変革のチャンスと捉えるべき**です。

これからはホワイトカラーの仕事をしている大半の人が、**電卓やパソコンを使うような感覚でAIを普段使いする**ことになるでしょう。ＡＩに任せることができるルーティーン業務の負担が軽減され、より創造的な仕事や戦略的な業務に時間を割くことができるようになります。

マサチューセッツ工科大学（ＭＩＴ）の経済学博士号取得候補者2人の研究によると、ホワイトカラー従事者をＧＰＴ使用と不使用の2グループに分けて業務効率を計測したところ、ＧＰＴを使用するグループは、タスクの完了が37％早くなったとのことです（図表

図表1-2 **MITによるホワイトカラーの生産性についての実験**

MITによる、マーケティング、助成金の申請書類の作成、データ分析、人事の分野に沿った執筆と編集のタスクをホワイトカラー従事者444人に与え、1つのグループはChatGPTを使用し、もう1つのグループは使用せずにタスクを実施させた比較実験。

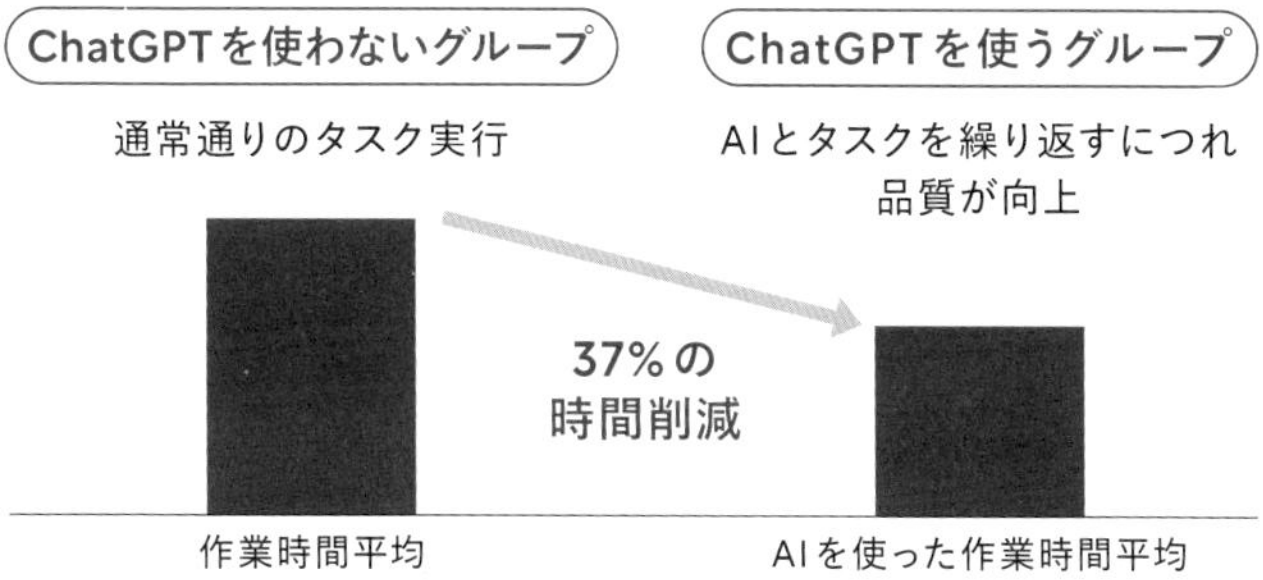


（出所）https://joshbersin-com.translate.goog/2023/03/new-mit-research-shows-spectacular- increase-in-white-collar-productivity-from-chatgpt/

１-２）。

マーケティング、助成金申請書類の作成、データ分析、人事の分野に沿った執筆と編集のタスクを４４４人に与え、１つのグループはＧＰＴを使用し、もう１つのグループは使用せずにタスクを実施させた結果、タスクの品質レベルはほぼ同様の水準であったにもかかわらずタスク完了時間が、ＧＰＴ使用グループが圧倒的に早かったそうです。

また、作業者が改善のためにタスクを繰り返すにつれて、ＧＰＴ使用グループの品質は大幅に向上したとのことでした。

ホワイトカラーの仕事をＡＩが激変させる中では、ビジネスパーソンはＡＩ技術の進化をしっかりと理解し、その活用法を学ばなければいけません。また、自分のスキルセットをアップデートすることが求められます。そして、これからのＧＰＴ時代においてＡＩと共存しながら働くマインドも早々に身につけなければならないのです。

## 「働くＡＩ」が職場にやってくる

これからの時代、どの業界や職場であっても、ＡＩをどんどん採用することが一般的になっていくでしょう。職場には「働くＡＩ」がたくさんやってきますし、その活用範囲は広がり続けることでしょう。

大企業だけでなく、中小企業においてもＡＩの導入は例外ではありません。コスト削減や効率化を求める中小企業でも、ＡＩ技術を活用することで、競争力を向上させることが可能です。

また、飲食店や地方自治体、学校に至るまで、知的生産をこなす「働くＡＩ」でいっぱいになることが予想されます。これにより、従業員や職員が従来の業務から解放され、より創造的な仕事や地域の活性化、教育の質向上に時間を割くことができるでしょう。

いかに**「働くＡＩ」をうまく活用し、組織の成長や業務の効率化につなげていくか**が、今後の職場において重要なポイントとなります。

# ＧＰＴ時代に職を失わないように

## 「ＡＩ失職」が加速

近年、ＡＩ技術の進歩によって過去に懸念されていた「ＡＩ失職」が現実味を帯びてきており、特にＧＰＴの登場によって、その範囲がさらに拡大しています。アメリカではすでに、多くのライターがＡＩによって職を失うという現象が起き始めており、ＡＩにより「価値を失うスキル」が増えていることが懸念されています。

技術の発達によって職を失うことは、歴史上常に起こってきた事象ですが、今回の**ＧＰＴ時代のＡＩによる変革は、より広範囲の人々の職を奪いかねないという事態に直面しています。**

産業革命時には、車の登場により馬車の御者が職を失い、冷蔵庫の登場によって氷店が職を失ったこともありました。しかし、今回のＡＩ技術の発展は、これまでの変革と比べても、その影響が大きく、多くの人々がその対象となる可能性があります。

２０２３年３月にペンシルベニア大学とＯｐｅｎＡＩは共同研究の成果として「大規模

図表1-3　**ペンシルベニア大学とOpenAIの共同研究**

2023年3月「大規模言語モデルの労働市場への影響に関する初期の考察」と題するワーキングペーパーによるとアメリカの労働人口の約80%はGPTの導入によって、少なくとも仕事の10%が影響を受ける可能性がある。また、アメリカの労働人口の約19%は、仕事の50%以上が影響を受ける可能性があるという。

**GPTの導入により**

| アメリカの労働人口の約**80**%は | アメリカの労働人口の約**19**%は |
| --- | --- |
| 仕事の**10**%に影響 | 仕事の**50**%以上に影響 |

（出所）https://arxiv.org/pdf/2303.10130.pdf

言語モデルの労働市場への影響に関する初期の考察」と題するワーキングペーパー（出典：https://arxiv.org/pdf/2303.10130.pdf）をリリースしましたが、このペーパーによると、アメリカの労働人口の約80％はGPTの導入によって、少なくとも仕事の10％が影響を受ける可能性がある。また、アメリカの労働人口の約19％は、仕事の50％以上が影響を受ける可能性があるとのことでした（図表1－3）。

また、同レポートでは、次のようなことも言及されています。

●高所得の職種ほどGPTのような大規模言語AIの機能、もしくはそのAIが搭載されたプロダクトに触れる機会が多くなる可

図表1-4　**GPTに影響を受けやすい職業**

| ①　大規模言語AIによって「直接的な影響を受ける」職業 | 影響度 |
|---|---|
| 通訳・翻訳者 | 76.5 |
| 調査研究者 | 75.0 |
| 詩人、作詞家、創作家 | 68.8 |
| 動物科学者 | 66.7 |
| 広報専門家 | 66.7 |
| **②　大規模言語AIと「追加ソフトウェアで影響を受ける」職業** | **影響度** |
| 調査研究 | 84.4 |
| 作家・ライター | 82.5 |
| 通訳・翻訳者 | 82.4 |
| 広報専門家 | 80.6 |
| 動物科学者 | 77.8 |
| **③　①と②での総合評価** | **影響度** |
| 数学者 | 100.0 |
| 税理士 | 100.0 |
| 金融アナリスト | 100.0 |
| 作家・著者 | 100.0 |
| ウェブおよびデジタルインターフェイスデザイナー | 100.0 |

※ペンシルベニア大学・OpenAIの共同研究レポートから抜粋。あくまで「影響を受ける」の定義に特に当てはまることを示しており、その職業のタスクが完全に人間からAIに代替されることを示唆しているわけではありません。

（出所）https://arxiv.org/pdf/2303.10130.pdf

能性あり

●アメリカの労働者の全タスクの約15%が、GPTのような大規模な言語AIにより、同じ品質で大幅に早く完了できる可能性あり（大規模な言語AIのさらに上に構築したシステムを用いる場合はこの割合が47%から56%に増加）

同レポートでは、GPTに影響を受けやすい職業も、影響度の予想もついた状態でリスト化されています。図表1-4は、ペンシルベニア大

図表1-5　**GPTに影響を受けにくい職業**

| |
|---|
| 農業機械運転手 |
| アスリートおよびスポーツ競技者 |
| 自動車ガラス取り付けおよび修理業者 |
| バスおよびトラックの整備士およびディーゼルエンジン専門家 |
| セメント職人およびコンクリート仕上げ業者 |
| 料理人、トリマー、重機オペレーター、石油・ガス関連従事者 |
| カフェ等の受付係およびバーテンダーの助手 |
| 食器洗い人 |
| 水路整備系の作業者 |
| 電力線の取り付けおよび修理業者 |
| 掘削機系のオペレーター、表面採掘の床層者、鋳造の金型製造者 |
| レンガ・ブロック・石工系の職人、大工の助手 |
| 塗装工、配管工、屋根の整備者など |
| 肉や魚の加工作業者 |
| オートバイ整備士、舗装や道路整備、土木の打ち込み機械操作者、金属の鋳造業者 |
| 鉄道の軌道敷設および保守機器のオペレーター |
| 耐火材料修理業者、屋根補強作業員、鉱山労働者、石油およびガスの労働者、家畜関連、石工職人、壁や天井の仕上げ作業員 |
| タイヤ修理および交換業者 |
| 石油関係の生産運転担当 |

※ペンシルベニア大学・OpenAIの共同研究レポートから抜粋。

（出所）https://arxiv.org/pdf/2303.10130.pdf

学とＯｐｅｎＡＩの共同研究レポートから抜粋したものです。なお、あくまで「影響を受ける」の定義に特に当てはまることを示しており、その職業のタスクが完全に人間からＡＩに代替されることを示唆しているわけではありません。

さらに、ＧＰＴに影響を受けにくい職業もリスト化されています（図表1-5）。記載されている職業を見るとわかりますが、ほとんどフィジカルに作業を行なうような仕事になっていることがわかります。この表に載っていない職業は、ＧＰＴにより影響を受けるだろうとの予想となります。

このレポートは私たち**人間にとって衝撃の予測レポート**となりました。レポートの内容をすべて鵜呑みにしないとしても、私たちはＧＰＴ時代において職を失わないよう、適切な対策を講じる必要があると思います。自分の知識をアップデートし、ＡＩ技術と共存できるような柔軟なマインドとスキルをもつことが重要になってくるでしょう。

ＡＩ技術の進歩によってどのような変化が起こるのかを理解し、自分がどう対応すべきかを考えることが大切です。そして、時代の変化に合わせて自分のスキルを磨き、価値を失わないように努力し続けることが求められます。

## 本格ＡＩ社会で「職を失わない」ためには？

ＧＰＴ時代のＡＩ技術の進歩により、私たちの社会は「本格ＡＩ社会」へと変化しつつあります。このような状況下で職を失わないためには、どのような対策を具体的にすべきでしょうか？

まず、本格ＡＩ社会において**職を失わないためには、本書でも紹介する「ＡＩを操るチカラ」を十分に身につけることが必要**です。これは、ＡＩ技術の基本的な知識や使い方を理解し、最新のＡＩ技術を自由自在に操ることができるスキルを身につけることを意味します。

「ＡＩを操るチカラ」を駆使することで、仕事の生産性を向上させることが可能となります。これにより、自分の仕事の付加価値を高め、競争力を維持することができるでしょう。

## 「ＡＩを操るチカラ」×「ジブンの得意」＝「ヒトの強み」

本格ＡＩ社会において職を失わないためには、ただ「ＡＩを操るチカラ」を身につける

図表1-6　AIを操るチカラ×ジブンの得意＝GPT時代のヒトの強み

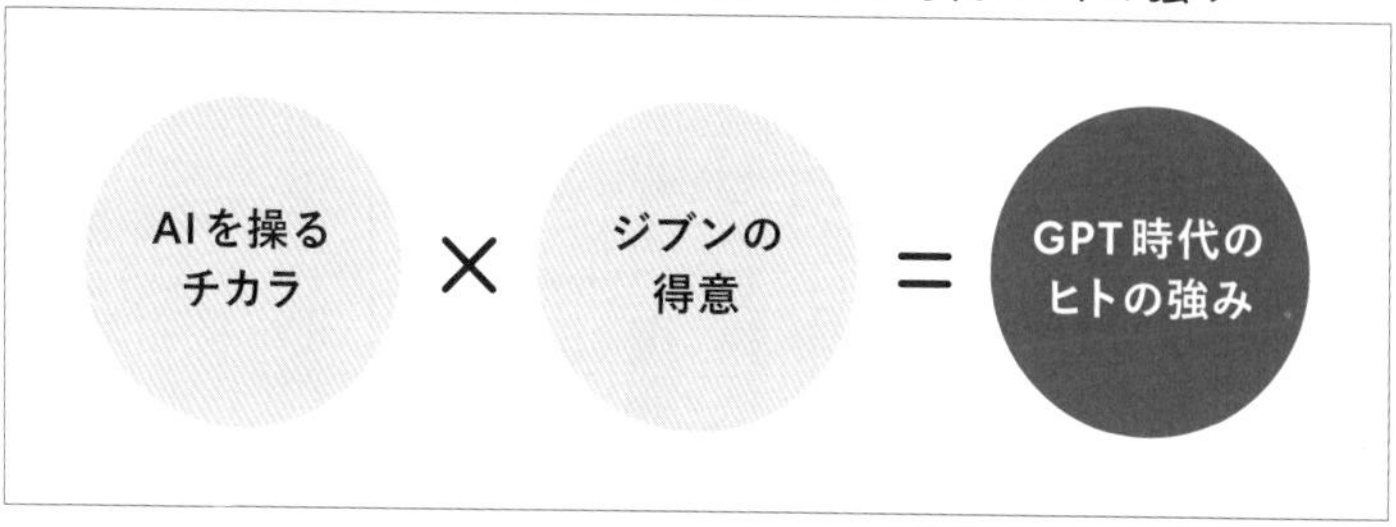


だけでは不十分です。さらに**大切なことは、「ジブンの得意」をしっかりと伸ばしていくこと**です。

GPT時代のAIは、一般的な業務だけでなく専門的な業務についても十分にこなす実力があります。そのため、人と差をつけるためには、**「ジブンの得意」を追求し、汎用的なAIでは再現できないようなレベルまでスキルを磨くことが重要**です。こうした努力により、自分の強みが明確になり、他者との差別化が図れます。

**「AIを操るチカラ」と「ジブンの得意」を組み合わせることで、「ヒトの強み」が生まれる**のです（図表1-6）。この強みがあれば、GPT時代に入ったAI社会においても競争力を維持できるでしょう。

逆に、「AIを操るチカラ」だけがすごくても、「ジブンの得意」がなければ、他者にすぐに追いつかれたり、模倣されたりすることになりかねません。そのため、本格AI社会で生き残るためには、「AIを操るチカラ」と「ジブンの得意」の両方を大切にし、成長を続けることが求められます。

# 文系のためのシン・AIキャリアを作ろう

## GPT時代に「文系人材」はどうするべきか？

ＡＩ技術の進化により、**文系の方々もAIを使いこなす時代が到来しています。**かつてはプログラミングが必須であったり、ノーコードツールを使う必要があった時代もありましたが、**現在は「AIはことばで操る」時代へと変化しています。**

この変化にともない、**文系の方々にとって大きなチャンス**が生まれています。なぜなら、文系の学問には「ことば」を扱うものが多く、もちろん個人差はありますが、比較的「ことば」を操ることに長けている人が少なくないからです。

このスキルを活かし、ＡＩに対してもうまく指示を出すことができれば、効率的な業務遂行や新たな価値創造が可能となります。

プログラミングや数理的な知識が薄い方々こそ、積極的に「ＡＩを操るスキル」を身につけていただき、ＧＰＴ時代のＡＩを自分の武器にして新たなキャリア形成にチャレンジいただきたいと思っています。

図表1-7　OpenAIのGPTを搭載したGitHub Copilot for Business

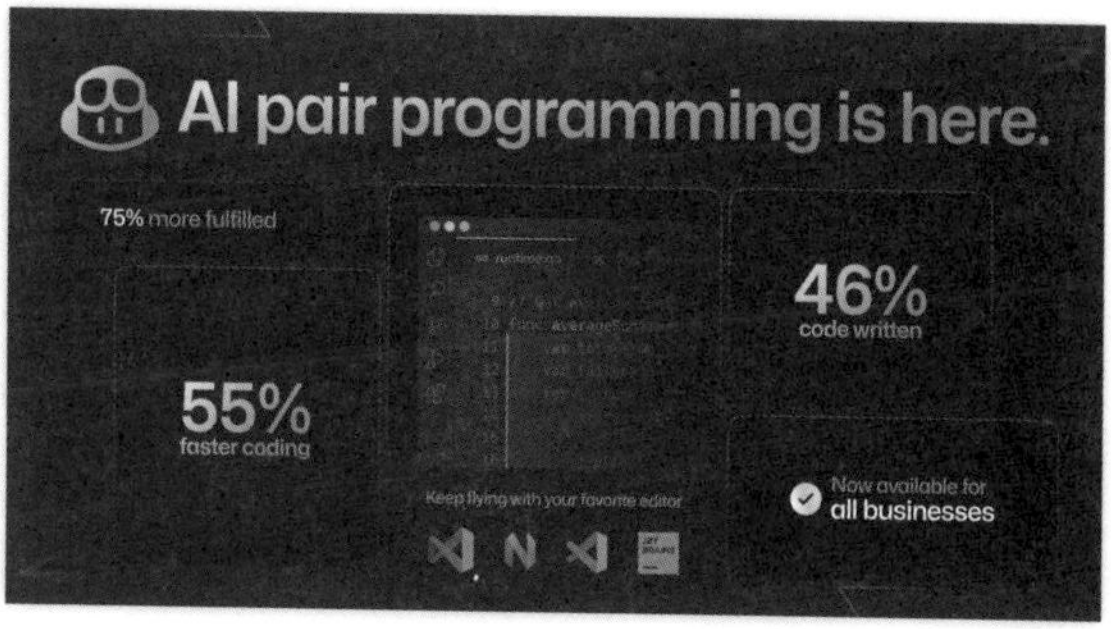


- **リリース以来100万人以上の開発者の生産性を向上**
- **コードの高速化に最大55%貢献**
- **すでに400を超える組織がGitHub Copilotを活用**
- **高度なOpenAIモデルや新機能を導入**

（出所）https://github.blog/2023-02-14-github-copilot-for-business-is-now-available/

## 実は「理系人材」のほうが危ない!?

GPT時代においては、文系の方々がAI技術を活用することで新たな価値を生み出すことが大いに期待される一方で、**実は「理系人材」のほうが危ない**という見方もあります。GPT時代のAIが理系人材が担ってきた業務を得意としているからです。

たとえば、GPTを搭載した「GitHub Copilot」というツールは、数行のプログラムを書くだけでその続きを予測し、プログラムの下書きを作成してくれる優れた機能をもっています。また、注釈に機能の概要を書くだけで該当するプログラムを起案することも可能です（図表1-7）。

**理系の花形職と表現してもよいプログラ**

**マーやＳＥの仕事が大きく変わることが予想されます。**専門家でなくても、言葉でＡＩを操ることで簡単なプログラムが作成できるようになるため、より特別なスキルをもたない専門人材は淘汰される可能性があるのです。

もちろん、システムの上流設計や仕様策定、高度な開発などの仕事は残ると考えられますが、ＧＰＴ時代のＡＩの成長度合いを見ると、理系人材にとっても油断ができない状況です。

その他の理系職もまた、数理的なものの扱いや再現性・規則性のあるものを取り扱うことが比較的多いはずです。こういった仕事は、ＡＩが得意とする分野であるため、プログラマーやＳＥ以外の理系職においても大きな変化が生まれる可能性が高いでしょう。

## 「シン・ＡＩキャリア」を磨こう

前著『文系ＡＩ人材になる』でも、**ＡＩは「作るから使うになる」と紹介していたのですが、ＧＰＴの登場以降、ますますその流れが加速してきます。**そして、ＧＰＴ時代のＡＩは「ことばで操る」ことができるため、以前よりも多くの人がＡＩ活用人材になることでキャリアアップやキャリアチェンジのチャンスを掴みやすくなっていると言えるでしょう。

ＡＩを活用する人材として先手を打って学んだり、積極的に活動開始することで、自ずと本格ＡＩ時代の失職について心配がなくなってくることでしょう。**仕事ができる人＝「ＡＩを操れる人」と再定義されかねないGPT時代**において、新しいＡＩ活用のキャリア、言い換えると「シン・ＡＩキャリア」をぜひ、磨いていただけたらと思っています。

ＧＰＴ時代の「シン・ＡＩキャリア」を磨くためにやるべきことは、すでに述べましたが、「ＡＩを操るチカラ」を磨き、「ジブンの得意」と組み合わせるスキルを磨くことです。

ここから具体的に、ＧＰＴ時代の文系ＡＩ人材に必要な「ＡＩを操る7つのチカラ」とは何か？　習得するにはどうするか？　これらの点について解説していきます。

この本を通じ、皆さんに「ＡＩを操る7つのチカラ」を身につけていただき、「シン・ＡＩキャリア」を磨いていただけたらと思っています。

# ＧＰＴ時代の文系ＡＩ人材に必要な「７つのチカラ」

## ①ＡＩ活用マインド
## ——ＧＰＴ時代のＡＩを操る「マインド」をもつ

ＧＰＴ時代に必要な「ＡＩを操る７つのチカラ」（図表１-８）の１つ目、「ＡＩ活用マインド」について考えてみましょう。今や、ＡＩ技術は私たちの生活や仕事において欠かせない存在となっており、その活用が「アタリマエ」であると捉えることが重要です。特にＧＰＴ登場以降、ＡＩができることは爆発的に増え、過去のＡＩでは実現不可能だったことも現在のＡＩでは可能となっています。

このような状況を鑑みて、私たちは職場や業務の中でＡＩ活用のチャンスを見つけ出すことが求められます。ＡＩを上手に操り、数多くの課題解決に取り組むことが、ＧＰＴ時代の文系ＡＩ人材としての成功へのカギとなります。そして、**日々の活動の中で常にＡＩ活用の可能性を頭の中で考え続けることが、ＡＩ活用マインドをもつことの本質**です。

まずは、身の回りにある課題や問題に対して、ＡＩ技術をどのように活用できるかを考

図表1-8　AIを操る7つのチカラ

| | |
|---|---|
| ①AI活用マインド | GPT時代のAIを操る「マインド」をもつ |
| ②AIキホン理解力 | GPT時代のAIの「キホン」を押さえる |
| ③AI仕組み理解力 | GPT時代のAIの「仕組みを理解」する |
| ④AI事例収集力 | GPT時代のAIの「最新事例」を知る |
| ⑤AI企画力 | GPT時代のAIを使った「企画を立案」する |
| ⑥AIプロンプト力 | GPT時代のAIを動かす「プロンプト力」をつける |
| ⑦AIマネジメント力 | GPT時代のAIを「マネジメント」する |

えることから始めてみましょう。それが、**GPT時代の文系AI人材としての成長への第一歩**となるでしょう。

## ②AIキホン理解力——GPT時代のAIの「キホン」を押さえる

「AIを操る7つのチカラ」のうち、2つ目は「AIキホン理解力」です。AIを「アタリマエ」に活用するマインドをもった上で、GPT時代の「AIのキホン」を押さえることが重要です。

以前のAIとGPT以降のAIでは、重要となる用語や基本的な理解が変わっています。

**まずは、GPT時代のAIに何ができるのか**

**をしっかり理解しましょう。そして、その反対に、GPT時代のAIができないことも把握しておくことが大切です。**できないことを探すほうが大変かもしれませんが、現状ではまだ苦手なタスクも存在しますので、それを把握することでAIの活用範囲を適切に理解することができるでしょう。

さらに、GPT時代のAIに関する用語は、「丸暗記」でもかまいませんので覚えておきましょう。用語を理解していることで、活用にあたってのより深い議論や知識の習得が可能となります。図表1-9で「GPT時代のAIのキホン用語（簡易解説版）」を紹介しておきます。後述の章で、もっとくわしく用語の解説は行ないますが、まずは表を見てどんな用語を覚えるべきなのかを把握してください。

AIキホン理解力を身につけることで、GPT時代の文系AI人材としての基盤ができてきます。

## ③AI仕組み理解力
## ——GPT時代のAIの「仕組みを理解」する

「AIを操る7つのチカラ」の中で、3つ目にあげられるのが「AI仕組み理解力」で

図表1-9　**GPT時代のAIのキホン用語（簡易解説版）**

| 用語 | 簡易解説文 |
| --- | --- |
| GPT | OpenAIが開発した自然言語処理AI。大量のテキストデータを学習し、人間が書くような文章を生成する。 |
| ChatGPT | GPTをベースにしたチャットサービス。利用者が快適に使えるよう出力内容が調整されている。 |
| Playground | GPTをブラウザから使うことができる実験場。プロンプトを入力してGPTの反応を確認できる。 |
| Google Bard | Googleが開発したAIアシスタント。テキスト生成や翻訳、クリエイティブコンテンツ作成などが可能。 |
| トークン | GPTの情報の単位。入出力文がトークンで数えられ、コストや生成時間に影響する。 |
| API | ソフトウェア間でデータや機能を共有するための仕組み。システム間の情報のやり取りを可能にする。 |
| 汎用AI | さまざまなタスクや問題に対応できるAIシステム。広範な知識やスキルをもつ。 |
| プロンプト | 生成AIへの指令や質問。AIと効果的にコミュニケーションを取るために重要。 |
| ゼロショットプロンプティング | AIが特定のタスクに対し、学習なしに適切な回答・対応を行なう能力。 |
| フューショットプロンプティング | 事例を示すことでAIに学習させるアプローチ。 |
| ファインチューニング | 既存の学習データを元に、新たなタスクや目的にAIモデルを適応させるプロセス。 |
| ハルシネーション | AIが根拠のない情報を生成する現象。誤情報や偏った情報を生成してしまうこと。 |
| テンパラチャー | AIが文章を生成する際の単語の多様性やランダム性を調整するパラメータ。 |
| 大規模言語モデル | 文章を理解し、自然な言葉で返答できるAI。GPTはその1つ。 |
| トランスフォーマー | 文章内の関連性を捉える「アテンション」機構を活用した大規模学習の仕組み。 |
| 自己教師あり学習 | AIが自分で教師データを作成し学習する手法。 |
| アラインメント | AIが人間の価値観や目的にしたがって学習し、人間にとって最適になるように調整されている状態。 |
| RLHF | 人間のフィードバックを利用しAIモデルを改善する強化学習手法。 |
| マルチモーダル | 複数のデータ形式（テキスト、画像、音声など）を同時に取り扱う仕組み。 |
| Chain of thought | 1つの考えから次へと連鎖する思考の流れ。AIで複数ステップで回答を導く手法。 |

す。ＧＰＴ時代のＡＩの「キホン」を押さえた上で、さらに最新のＡＩの内部の仕組みについて理解しておくことが重要です。

実は、以前のＡＩとＧＰＴ以降のＡＩでは、内部構造がまったく異なります（図表1-10）。**以前のAIは、単一のタスクのためのAIを、個別の学習データによって1つずつ個別に作る仕組みで成り立っていました。**

一方、**GPTを始めとしたAIは、単一のタスクでなく、たくさんのタスクを実行することができる汎用的なAIとして作られています。**

汎用的なＡＩとして作られる際には、単一タスク用の学習データよりも、はるかに大きな学習データ（Ｗｉｋｉｐｅｄｉａの数百倍から数千倍の大きさとイメージしていただくとよいです）で学習します。**とにかく大規模なデータで事前に学習させることにより、汎用性をもたせ、そのベースの上で個別のタスクを実行させるという仕組み**になっています。ＧＰＴ等のＡＩが、大規模モデルや事前学習モデルと呼ばれる所以はここにあります。

このようなＧＰＴ時代のＡＩの仕組みについて理解することで、ＡＩについての本質を理解できます。本質を理解することで、ＡＩを扱う上で、何かつまずいたり、より高度な使い方をしなければいけないようなときにも、その状況を打破することができるようになるでしょう。

図表1-10　以前のAIとGPT以降のAIの仕組みの違い

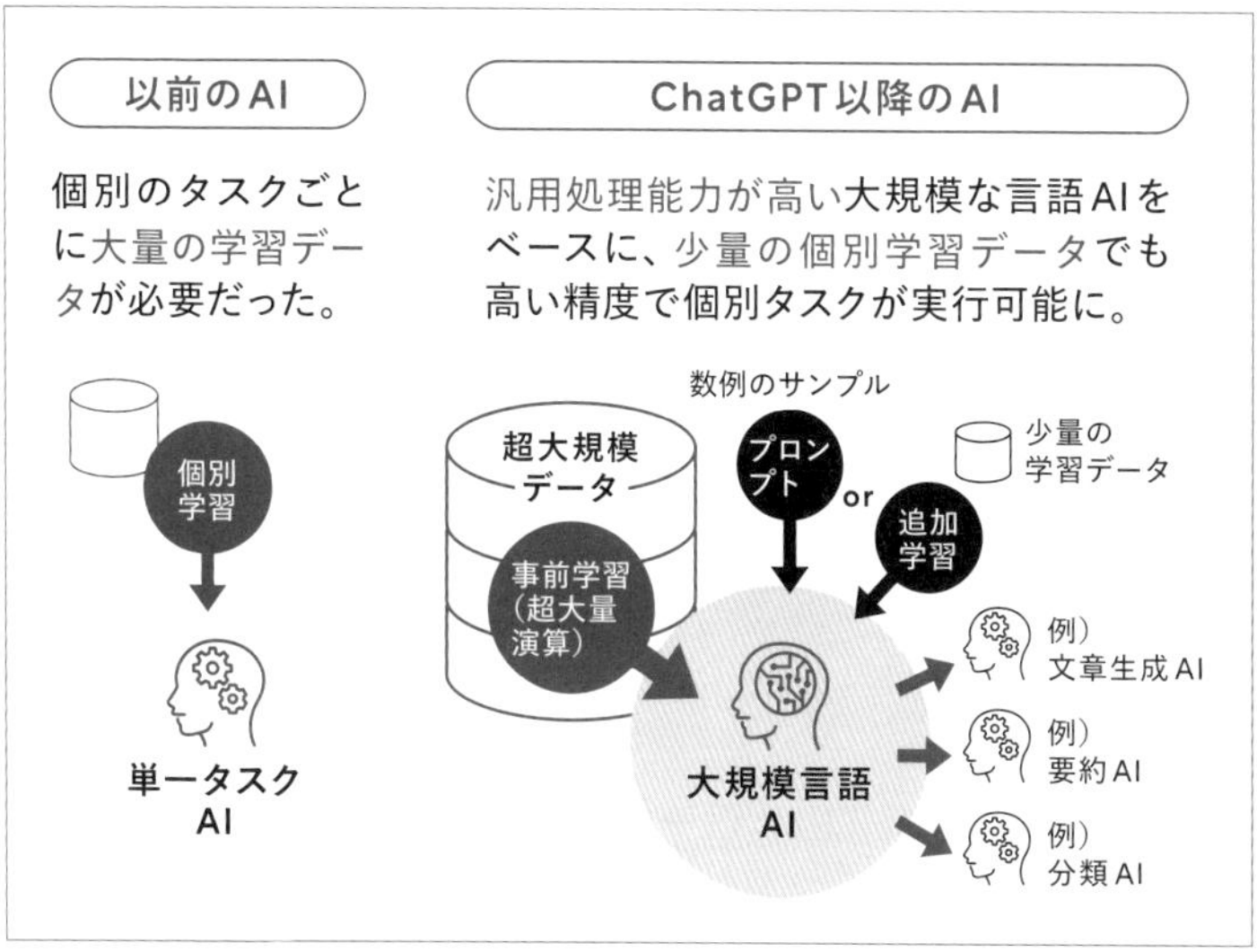


なお、今回紹介したような仕組み以外にも、AIを活用するために理解すべき構造や仕組みは存在します。こうしたAIの原理原則を必要な分だけ理解しておくと、AIの活用レベルも引き上がりますので、後述の章でぜひ学んでいただければと思います。

## ④AI事例収集力——GPT時代のAIの「最新事例」を知る

「AIを操る7つのチカラ」の中で、4つ目は「AI事例収集力」です。GPT時代のAIの「仕組みを理解」した上で、現在、世界でどのようなAI活用が行なわれているのか、最新の事例を効率的に多く集めることが重要です。

ＧＰＴ登場以降、ＡＩ技術の進化は驚くほどのスピードで進んでいます。２年前のＡＩはもはやレガシーとなり、１年や半年で大きなアップデートが行なわれるほどです。ＡＩの活用事例を多く知ることは、ＡＩができることの把握や、ＡＩ企画の際に非常に有効です。ＧＰＴ時代のＡＩ事例をできるだけリアルタイムに把握しておくことは、ＡＩを使いこなす上で「必須」の条件となりそうです。

また、**過去のＡＩ事例は一度アンラーン（忘れる）するほうがよい**です。過去のＡＩ事例はＧＰＴ以降のＡＩとはまったく違う世界のものであり、クラシックなものとして扱わないと、最新のＡＩのポテンシャルを見誤る可能性があるからです。

「ＡＩ事例収集力」を磨くことで、常に最新の事例を効率的にアップデートできるようになりましょう。これにより、ＧＰＴ時代の文系ＡＩ人材として、新しいＡＩ技術の活用や企画立案に積極的に取り組むことができるでしょう。

## ⑤ＡＩ企画力
## ——ＧＰＴ時代のＡＩを使った「企画を立案」する

「ＡＩを操る7つのチカラ」の中で、5つ目にあげられるのが「ＡＩ企画力」です。ＧＰＴ時代のＡＩの「キホン」や「仕組み」を体得し、「最新事例」のインプット量も確保できたら、次は「ＡＩ企画力」を磨きましょう。

ＡＩのできることが広がり、精度も飛躍的に向上していますが、ＡＩ活用側の企画設計のクオリティが低いと、ＡＩの能力を十分に発揮させることができません。「誰のためにＡＩを使うのか？」「なぜＡＩが必要なのか？」「どう課題を解決するのか？」などの視点をもち、本来の目的を果たすための企画を考え、技術先行で思考してしまわないように気をつけましょう（図表1-11）。

**最新のＡＩの能力を活かし、適切な課題にマッチングさせることで、課題解決の質や量を向上させるのが「ＡＩ企画力」です。**

たくさんの量のアイデアを出すだけではなく、企画のクオリティを上げるためのフレームワークを活用してみましょう。フレームワークを活用することで、より課題の本質を解決できるような案ができたり、クイックに解決できる案を量産できるようになります。Ａ

Ｉ企画のフレームワークについては、後ほどの章でくわしく解説いたします。

図表1-11　AI企画の5W1Hフレームワーク

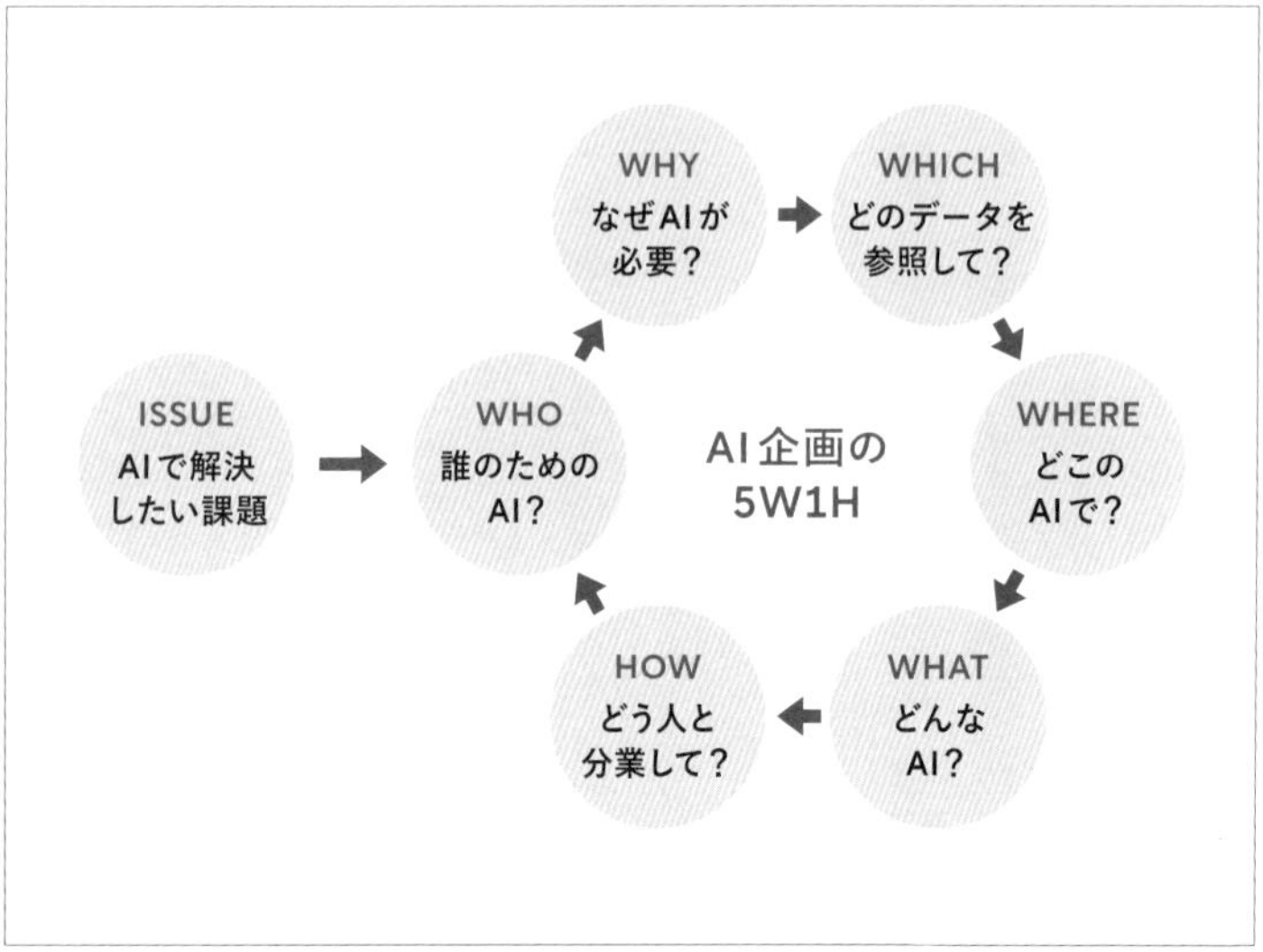


## ⑥ＡＩプロンプト力
### ――ＧＰＴ時代のＡＩを動かす「プロンプト力」をつける

「ＡＩを操る7つのチカラ」の中で、6つ目にあげられるのが「ＡＩプロンプト力」です。良い企画を作るスキルが身についたら、次に実際にＡＩを動かす力を伸ばしましょう。

ＧＰＴなどのＡＩに指令を出すための入力のことを「プロンプト」と呼びます。**ＡＩへの指令である「プロンプト」の善し悪しで、ＡＩから生成される内容のレベルが大きく変わります。**プロンプトは、以前のＡＩの時代

図表1-12　AIへの指令力を上げるプロンプトのフレームワーク

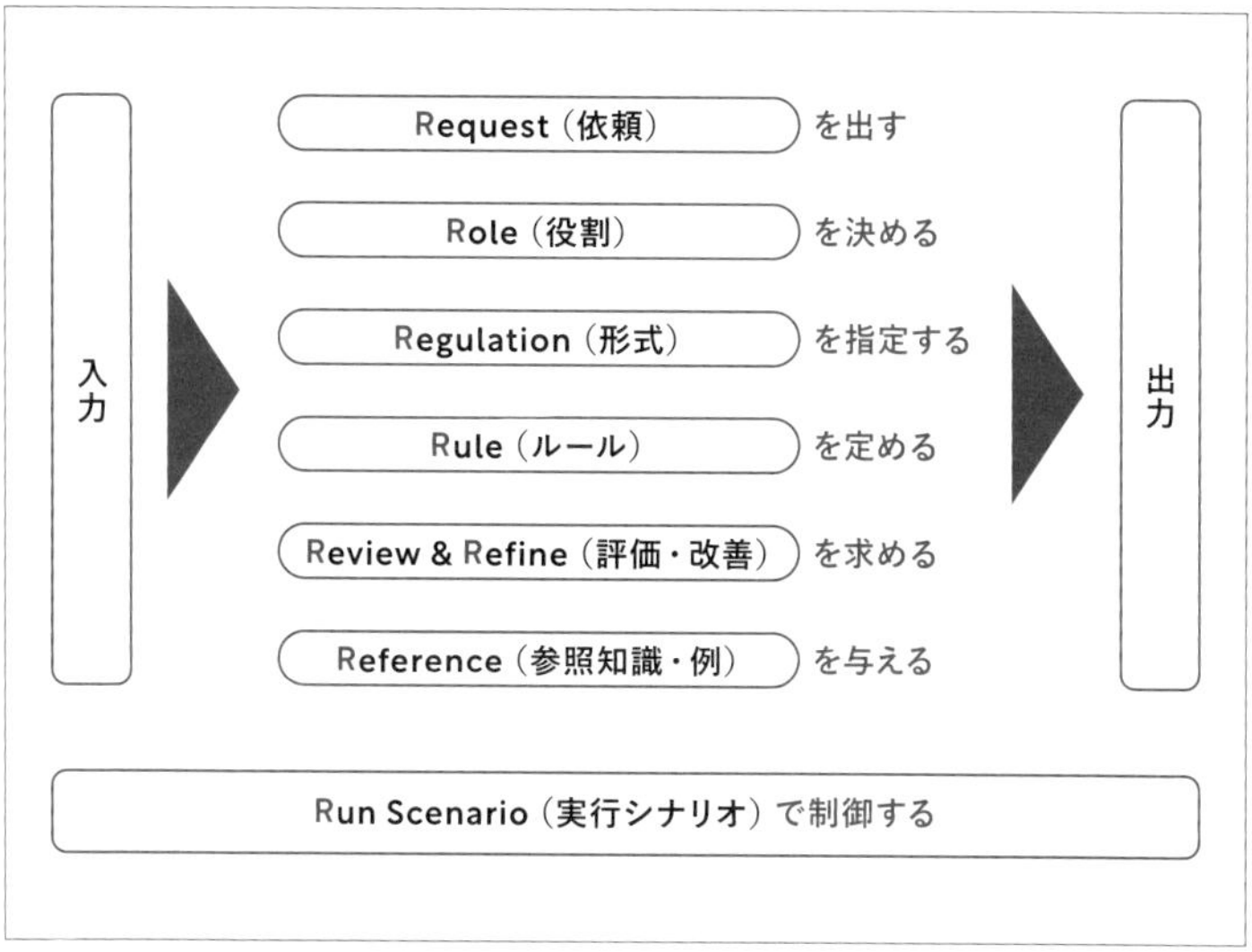


では馴染みのなかったものですが、GPT登場以降、プロンプト力の重要性がしっかり認識されるようになりました。

プロンプトはたとえるならば、新しく入ったスタッフに対して行なう「ていねいな業務指示」のようなものです。どのようなプロンプトを作り、AIを動かすとよいのか？　本書では、AIへの指令力を上げるためのプロンプトのフレームワークも用意をしています（図表1-12）。実例をもとにしながら、後ほどの章でくわしく解説したいと思います。

AIプロンプト力を磨くことで、GPT時代のAIを効果的に活用し、より良い成果を生み出すことができます。プロンプトは誰でも書けるものでもありますが、意外と奥深さもあるので、しっかり学んでいきましょう。

## ⑦ＡＩマネジメント力
## ――ＧＰＴ時代のＡＩを「マネジメント」する

「ＡＩを操る７つのチカラ」の中で、７つ目にあげられるのが「ＡＩマネジメント力」です。「ＡＩプロンプト力」を上げることで、一定程度思い描いたようにＡＩが動くようになりますが、実際の業務やサービスにＡＩを本番活用する上では、単一のプロンプトだけでは十分ではないことがあります。

たとえば、複数のプロンプトによるＡＩ処理をつなげる必要があったり、何かの情報を読み込ませてからＡＩに処理させる必要があることがあります。

また、業務やサービスの本番利用にあたっては、「実用に耐えられる品質にまで、どう到達させるか？」や「作ったＡＩを現場にどう組み込むか？」などについての知識や経験が必要になります。

ＡＩを使い続けるにあたっては、定期的なメンテナンスチェックやＡＩの精度を向上し続けるためのフィードバックサイクルも求められてくるでしょう。ＡＩを「現場で使い・育てる」力をもつことで、実業務や実サービスでのＡＩ活用を高いレベルで実行し、運用フェーズにまでもっていくことができるようになります。

図表1-13　AI操作力とAI導入力

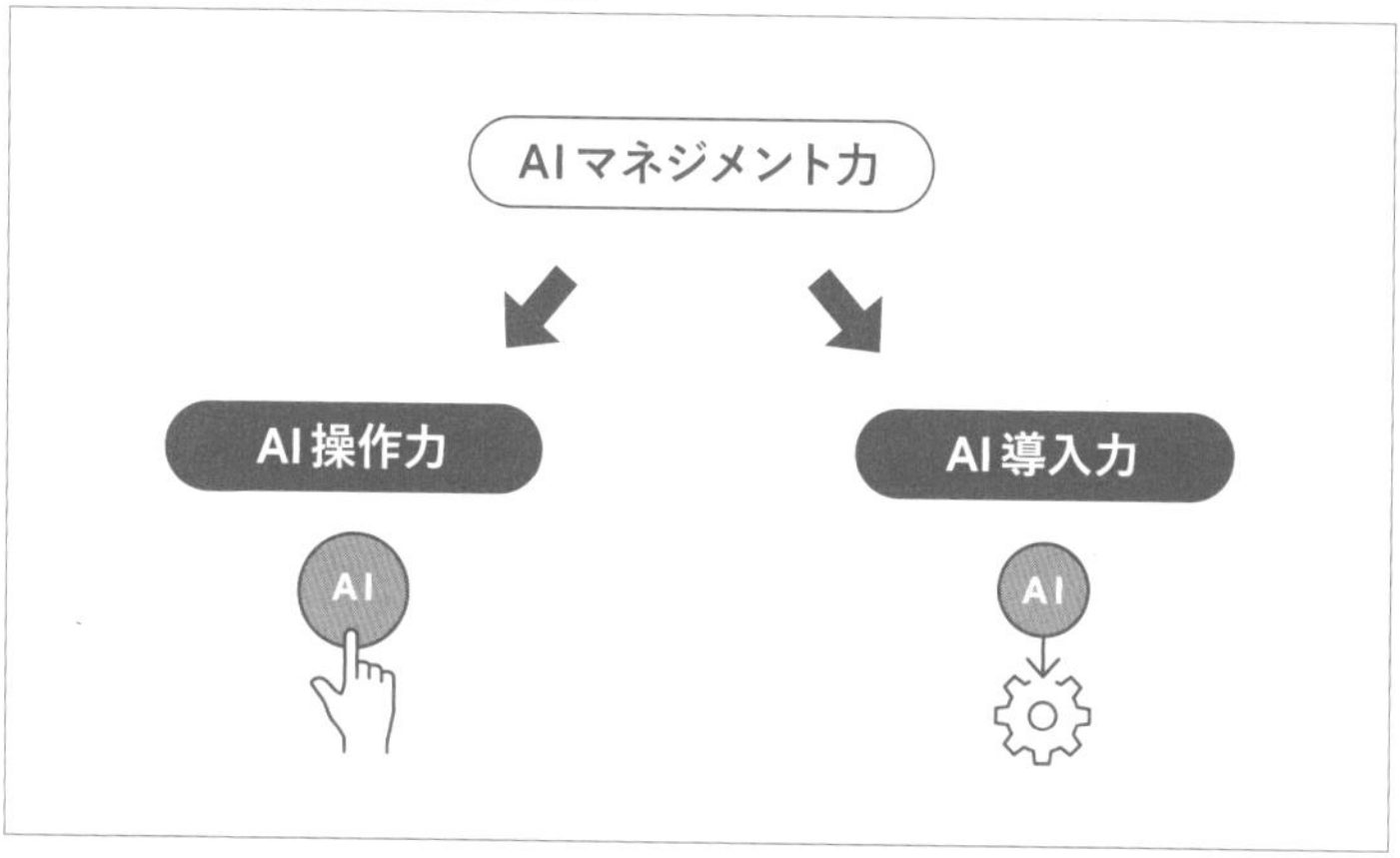


本書ではＡＩマネジメント力を**「ＡＩ操作力」と「ＡＩ導入力」の2つに分類して解説**をしていきます（図表1－13）。

「ＡＩマネジメント力」を磨くことで、ＡＩを現場で効果的に活用し、本当の成果を上げることができる人材になっていただければと思います。

# 今の自分の「AI活用マインド」は？

## まず「AI活用マインド」を整える

これまでに、GPT時代に必要な「AIを操る7つのチカラ」を紹介してきました。それぞれのスキルを上げる前に、まず大切なのは、GPT時代のAI活用を当たり前にする「AI活用マインド」から整えることです。

あなたが本書を読んでいるということは、すでにAIに対する危機感や興味をもっているはずです。しかし、自分がGPT時代のAIを当たり前に活用する「マインド」を本当に強くもっているのか、一度立ち止まって自問してみましょう。

現時点において、「**自分自身がどれくらい当たり前にAIを活用するスタンスになれているのか？**」を客観的に評価をしてみるとよいでしょう。

図表1-14　マインドチェンジのための3つの問い

| | |
|---|---|
| 問い① | これから先、AIを使わずに、仕事で高い生産性を維持できると思いますか？ |
| 問い② | これから先、AIを使わずに、良いサービスは生まれると思いますか？ |
| 問い③ | これから先、AIと戦って、勝てる領域はどれくらい残っていると思いますか？ |

## マインドチェンジのための「問い」

ご自身の「ＡＩ活用マインド」はどの程度整っているでしょうか？　まだ「ＡＩ活用マインド」が十分な状態でないと感じる方は、図表1-14の「問い」について考えてみていただければと思います。

　図表1-14の3つの問いについて、30秒ほどじっくり考えてみてください。意外と「ハッと」させられるかもしれません。

**「AIを当たり前に活用」することが、まだ他人事に思える方や、先の未来のことだと感じる方もいるでしょう。**しかし、ＧＰＴ時代においては待ったなしでＡＩ活用が驚くべき速度で急速に進み、私たちの身の回りに広範囲にＡＩ技術が浸透していくことでしょう。

　3つの問いを繰り返し自分の中で自問してみてください。ご自身の「ＡＩ活用マインド」を見直し、よりＡＩと向き合う後押しをしてくれるでしょう。ＧＰＴ時代に生きる人間として、

ＡＩ失職に怯えることなく新しいキャリアを形成するために、純度の高いＡＩ活用マインドをもつことから始めていただけると幸いです。

## ＧＰＴ時代のＡＩの「実力を心の底」から認めよう

ＧＰＴ時代のＡＩの実力は、ＡＩ専門家である私から見ても驚異的なレベルです。最新のＡＩの実力を知れば知るほど、人間としての能力の限界を感じ、時には落ち込むこともあります。

しかし、これからさらに精度が上がっていくであろうＡＩに対して、一度、「前向きな降伏」をすることをおすすめします。**ＡＩの「実力を心の底」から認め、「前向きな降伏」をすることで、自然と「ＡＩを活用するのが当たり前なマインド」に切り替わっていく**でしょう。

ＧＰＴ時代のＡＩの「実力を心の底」から認めることによって、認めたＡＩと自分自身の能力とを積極的に組み合わせるようになり、これまで以上の成果を上げることができる人材になっていくことでしょう。

ＡＩの進化は止まりません。だからこそ、ＡＩの実力を心の底から認め、自分自身と共存・共栄するマインドをもって、ＧＰＴ時代を生き抜く力を身につけましょう。

## キーワードは「アンラーン」

ご自身の「ＡＩ活用マインド」を高めるために、大切なキーワードが「アンラーン」です。**アンラーンとは、以前の知識や常識を捨て去り、新しい視点や考え方を受け入れることを意味します。**

以前のＡＩの限界や、ＡＩを活用する以前の仕事のスタイルなどは一度すべて忘れ、まっさらな状態で、ＧＰＴ時代のＡＩと向き合っていくのがポイントです。

これまでの方法や考え方に固執せず、「ＡＩの力を活用することでどのように効率化やイノベーションが生み出せるのか？」についてまっさらなマインドで考案をしてみましょう。

ご自身のＡＩ活用マインドの現在地を知った上で、このアンラーンの意識も強くもったり、これまで解説してきたようなことを思い返していただくことによって、ＧＰＴ時代のＡＩを当たり前に活用していくマインドを身につけていきましょう。

真にマインドチェンジができた人は、マインドチェンジができていない人たちと比べて、

ＡＩ活用についての積極性が高まり、ＡＩについての学習意欲も強くなるでしょう。

結果としてＡＩの「得意を引き出す」能力に差がつき、仕事における生産性にも変化が出てくるはずです。また、自分自身の得意スキルや知識と、ＡＩの力を組み合わせるコツも徐々に身についていきます。ＡＩの活用力が継続的に伸びていくようなサイクルにも入ってくると思います。

ＧＰＴ時代のＡＩの力を最大限に発揮できる人材になるために、まずはすべての柱になる、「ＡＩ活用マインド」を引き上げていただければと思っています。

第2章

# GPT時代のAIの「キホン」を丸暗記

# GPT時代のAIの「すごさのキホン」を知ろう

## GPTの「3つのすごさ」を理解しよう

「AI活用マインド」を身につけたら、続いてGPT時代のAIの「キホン」を学んでいきましょう。「AIを操る7つのチカラ」のうち、2つ目である「AIキホン理解力」を本章でレベルアップしていきます。

GPT時代のAIのキホンをまず理解するにあたり、ChatGPTサービスなどを動かすGPTの「すごさ」を理解するところから始めていきます。GPTのすごい点は大きく3つあります。まず、「**人間に寄り添う力**」が強く、人間らしい対話が可能です。次に、「**ゼロショット性能**」に優れており、事前の訓練なしにタスクをこなせる点です。また、「**専門知識**」をもち、専門的な質問にも答えられる点もすごさの1つです。これらをくわしく解説していきます（図表2-1）。

図表2-1　GPTの「3つのすごさのキホン」

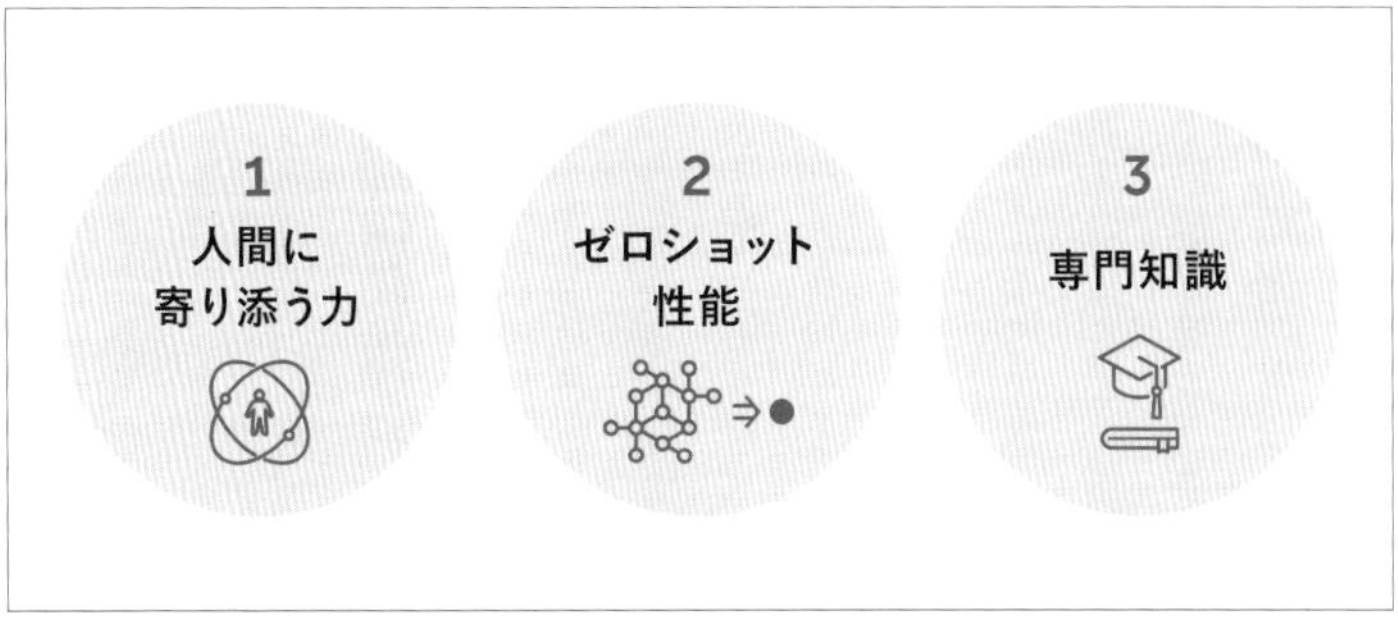


## 「人間に寄り添う力」がすごい

GPT時代のAIの「すごさのキホン」を知る上で、「①人間に寄り添う力」についてまず理解することが重要です。この「①人間に寄り添う力」とは、人間の言語を理解し、人が自然と感じるような会話ややりとりができる能力です。

GPTは人が見ても自然な文章を生成したり、違和感のない対話を続けることができます。また、感情やニュアンスを読み取り、適切なレスポンスを提供することができるため、ユーザーとのコミュニケーションも円滑に行なうことができます。

このような、**人がどんな回答を好むか、不快に思うことは何か、人間界では何が常識で正しいのかといった要素を習得することを「アラインメント」と呼びます**（アラインメントについては本章の用語解説のパートでくわしく説明します）。旧来のAIと比べて、**GPTはこのアラインメント力が飛び抜けている**と言われています。感情やニュアンスを汲み取り、適切な返答を行なうことができるため、人間に寄り添う力が非常に強くなっています。
この「人間に寄り添う力」が、ＧＰＴ時代のＡＩが広く受け入れられる大きな理由となりました。

## 「ゼロショット性能」がすごい

ＧＰＴ時代のＡＩの「すごさのキホン」の2つ目は、「②ゼロショット性能」です。**ゼロショット性能とは、ＡＩが素の状態で（個別に学習せずに）タスクに対応できる力**のことを指します。

従来のＡＩは、タスクごとに学習が必要でしたが、ＧＰＴ時代のＡＩは大規模に学習した知識を柔軟に応用できるため、新しいタスクや問題にも素早く対応することが可能です。

これまで、ＡＩの専門家は個別の学習をさせてＡＩを賢くしていましたが、ＧＰＴは個別の学習がない素の状態（ゼロショット）での精度が驚くほど高いです。このゼロショット性能の高さこそが、汎用ＡＩとしての重要な基礎性能となります。これにより、ＡＩの利用範囲が広がり、多様な業界や分野で活用が期待されるようになっています。

新たな問題に対しても、過去の知識をもとに柔軟に対応することができるため、短期間で新しい業務を遂行できるようになります。また、GPT時代のAIは、従来のAIと比べ利用開始までのリソースや時間を節約できるため、効率的な業務遂行が期待できます。

本章の用語解説のパートでも、ゼロショットについてさらにくわしく説明しています。

## 「専門知識」がすごい

GPT時代のAIの「すごさのキホン」の最後は「③専門知識」です。GPTは広範囲の専門知識を含む膨大なデータ群から学習しているため、多岐にわたる分野における知識を習得しています。**専門家に匹敵する知識をもち、質問に対して適切な回答ができるため、一般的な質問だけでなく専門的な質問に対しても幅広く対応**できます。

ただし、最新の情報や特定分野の詳細なデータについては、知識を習得していない場合もあるため、注意が必要です。それでも、AIは十分な知識をもつため、さまざまな分野での業務の補助が期待されます。たとえば、「あなたは○○の専門家です」と領域を限定してあげると、その専門領域をしっかり踏まえた生成ができるようになります。

今後、さらに専門知識を習得し、より高度なタスクにも対応できるAIが登場する可能性もあります。

「専門知識がすごい」ＧＰＴ時代のＡＩを理解し、その可能性を最大限に活用することで、自分自身が専門家でなくても、さまざまな専門分野における知見をすぐに引き出すことができ、自らの課題解決能力を上げることができるようになるでしょう。

# ＧＰＴの「ここまでできる」を知ろう

## 「デスクワーク」の大半はこなせる!?

ＧＰＴは「デスクワークの大半」を補助もしくは実施ができると言っても言い過ぎではなさそうです。前述もしましたが、アメリカのペンシルベニア大学とＧＰＴの開発元であるＯｐｅｎＡＩの共同研究により、ＧＰＴのような大規模な言語ＡＩはアメリカ労働人口の「約80％」の人の「10％」の仕事が影響を受ける可能性があり、また、アメリカ労働人口の「約19％」の人の「50％」の仕事が影響を受ける可能性があることが報告されました。

そして、前章でも紹介しましたが、ホワイトカラーが行なうデスクワークは大きく「業務タスク」と「対話タスク」の2つに分類できます。

業務タスクとしては、情報を集めたり整理したり、分析や評価を行なったり、文章を書いたりまとめたり、計画し実行したり、アイデアを生み出したり、プログラミングしたり、翻訳したりすることがあげられます。

対話タスクとしては、議論して解決策を見つけたり、学んだり教えたり、選択肢の中から選んだり意思決定を行なったり、話したり情報を伝えたり、人を和ませたり笑わせたり、アドバイスを提供したりすることがあげられます。

GPT時代のAIは、このような「業務タスク」と「対話タスク」の両方について実行する能力があり、デスクワークの中で多くの業務種類をカバーできる可能性があります。

ただし、「AI単体」でタスクを完結できることと、あくまで「AIは補助役」として人を助けることができることには違いがあります。任せる仕事の分量には差があるかもしれませんが、少なくとも「AIが補助役」として仕事に関わることができる範囲は、かなり広いものであると認識をしておくとよいでしょう。

図表2-2　GPTの「ここまでできる10選」

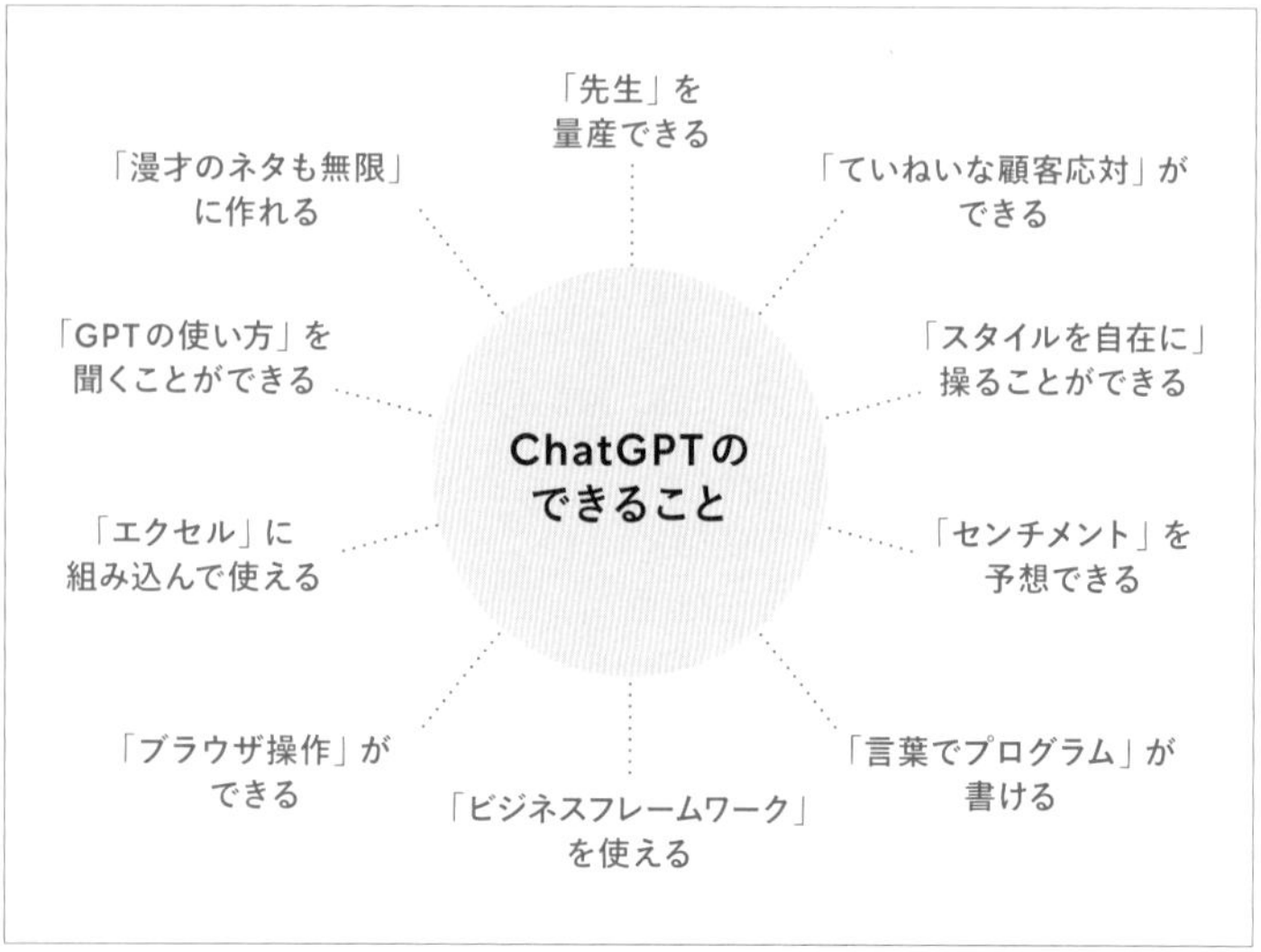


## GPTの「ここまでできる10選」を紹介

GPTの活用法は世界中で日々開発されており、その能力の底が見えない状況です。そのため、**活用事例の情報アップデートが必要**です。GPT時代のAIを利用する企画立案において、「どこまで何ができるのか」を知っておくことは必須条件と言えます。また、プロンプトを考える際や現場導入の調整を行なう際にも、GPTの能力について十分に知っておくことが重要です。GPTの「ここまでできる」を知ることで、GPT時代のAIを効果的に使いこなしましょう。

GPTができることは多様ですが、定番としてのできることや、意外とここまでできることなどを織り交ぜてGPTの「ここまでできる10選」を集めました（図表2-2）。GPTの実力を理解するためにそれぞれ見ていきましょう。

### ①「先生」を量産できる

GPTの「ここまでできる」を紹介していきます。まず、**GPTを活用するとさまざまなタイプの「先生」を量産することができます。**たとえば、

「あなたは歴史の先生です」「あなたは英会話の先生です」「あなたは陸上のコーチです」「あなたはゴルフのレッスンプロです」「あなたは法律のプロです」「あなたは秘書です」

など、どんな専門分野でも、GPTに役割を定義することで専門的なアドバイスを受けることができます。

たとえば、次のようなプロンプトを入力してみてください。

「あなたは歴史の先生です。入力した歴史の人物についてユーモアのある解説をしてください。また、現代の著名人にたとえると誰？　についても添えて解説してください」

このようなプロンプトをＧＰＴに入力すると、専門知識を用いたユーモアたっぷりの歴史解説を楽しむことができます。

さらに、次のようなプロンプトを入力すれば、専属アドバイザーにもなってくれます。

「あなたはゴルフのレッスンプロです。ゴルフに関する悩みを聞いて、適切にアドバイスをしてください」

このプロンプトを使えば、あなた専属のゴルフＡＩアドバイザーが誕生します。このアドバイザーになったＧＰＴは「チーピンが３球中１回出てしまいます。また、インサイドアウト軌道がうまく作れていない感覚があります。どうしたらよいでしょうか？」などの質問に対して、具体的で役立つアドバイスをしてくれるでしょう。

ＧＰＴを使えば、先生だけでなく、特徴的なキャラクターを作って楽しむこともできます。たとえば、歴史上の人物を演じさせることができたり、落語家や詩人などの立場でそれぞれの分野に関する知識や見解を提供させることができます。さらに、現実には存在しないキャラクターを創作し、独自の世界観を楽しむことも可能です（図表2-3）。

このように、**ＧＰＴを用いれば、幅広い分野の「先生」や「特定のキャラクター」を簡**

図表2-3　**先生や実在の人物・キャラクターの候補リスト**

| 先生・人物・キャラクター | プロンプトの例 |
|---|---|
| 教師 | 「小学6年生に対しての三角形の面積の教え方について説明してください」 |
| 医師 | 「急性胃炎の症状とその一般的な治療法を教えてください」 |
| 獣医 | 「犬が必要とする基本的な予防接種とそのスケジュールについて教えてください」 |
| プログラマー | 「Pythonでクラスを作成し、そのインスタンスを生成する具体的なコードを書いてください」 |
| 歴史学者 | 「フランス革命が引き起こした社会と政治の変化をくわしく説明してください」 |
| シェフ | 「イタリアンスタイルのラザニアの詳細なレシピと調理手順を教えてください」 |
| 会計士 | 「キャッシュフロー計算書を見て企業の財務状況をどのように評価するか具体的に教えてください」 |
| バリスタ | 「エスプレッソマシンを使ってアメリカーノを作る手順を教えてください」 |
| フィットネストレーナー | 「効率的な有酸素運動と無酸素運動のトレーニングルーチンを提案してください」 |
| 農家 | 「きゅうりの栽培の年間のスケジュールと気をつけるべきポイントを教えてください」 |
| 建築家 | 「モダニズム建築の特徴とその影響を受けた著名な建築物を具体的に教えてください」 |
| 気象学者 | 「エルニーニョ現象が地球の気候に及ぼす具体的な影響について説明してください」 |
| ジャーナリスト | 「公平かつバランスの取れたニュース記事を書くための基本的なステップを具体的に教えてください」 |
| プロジェクトマネージャー | 「新しいプロジェクトのはじめから終わりまでの一般的なマネージメントのフローを教えてください」 |
| データアナリスト | 「具体的なデータセットを用いて探索的データ分析を行なう手順を教えてください」 |
| ファッションデザイナー | 「2023年の秋冬のファッショントレンドについて具体的に説明してください」 |
| アルベルト・アインシュタイン | 「アインシュタインが提唱した特殊相対性理論の主要な概念についてくわしく説明してください」 |
| 松下幸之助 | 「松下幸之助の経営哲学とその影響について説明してください」 |
| 夏目漱石 | 「夏目漱石の『こころ』の主要なテーマとその文学的意義について説明してください」 |
| シャーロック・ホームズ | 「シャーロック・ホームズが使った主な推理手法を説明してください」 |
| ハリー・ポッター | 「ハリー・ポッターがホグワーツ魔法魔術学校での1年目を通じて経験した主要な出来事を描写してください」 |

図表2-4　「ていねいな顧客応対」のためのプロンプト例

| |
|---|
| 「商品が届かないという苦情を受けた顧客にどのように対応すればよいか教えてください」 |
| 「商品の品質に不満をもつ顧客からの苦情メールに対し、ていねいな返答メールを書いてください」 |
| 「商品が在庫切れの際のていねいな応答と他の商品の推薦を行なってください」 |

**単に作り出すことができます。**あなたの知りたいことや解決したい悩みに合わせて、専門家や特定のキャラクターを自由に設定し、有益な情報やアドバイスを引き出してみてください。

なお、実在する特定の人物を設定するときは、肖像権や著作権などに留意して利用をしてください。

## ②「ていねいな顧客応対」ができる

GPTは**「ていねいな顧客応対」も得意**です（図表2-4）。

たとえば、苦情を受けたときにどのように顧客に応答すればよいかを聞いたり、苦情メールへの返答メールを書いてもらったり、在庫切れの際の応答や他商品の推薦をエージェントとして実行させることなどが可能です。

「苦情メールへの返答メール」のケースの場合、届いたメールを入力し、返信文に入れたいポイントを箇条書きにするだけで、苦情メールに対していねいで配慮のある適切なメールのドラフトを作成することができます。

図表2-5　**スタイルを変換するプロンプトフレーズ**

| スタイルのタイプ | プロンプトフレーズ例 |
|---|---|
| 対象を指定する | 小学生でもわかるように |
| | 高校生にウケがいいように |
| | 主婦向けにアレンジ |
| | ○○の悩みをもった人用に |
| トーンを指定する | 敬語で |
| | フォーマルに |
| | カジュアルに |
| | 日本人向けのユーモアを含んで |
| 用途を指定する | 謝罪文として |
| | 上司向けの文章として |
| | ブログ投稿用として |
| 表現方法を指定する | 絵文字をつけて |
| | アスキーアートで |
| | ギャル語で |

さらに、シナリオとしてトークスクリプトを教えることで、問い合わせ対応に対しても、ルールに沿ったていねいな顧客対応をしてもらうことも可能です。

### ③「スタイルを自在に」操ることができる

GPTは「スタイルを自在に」操ることもできます（図表2-5）。たとえば、「小学生でもわかるように」「高校生にウケがいいように」「主婦向けにアレンジ」など対象を特定して最適な出力として表現を変換することができます。また、「○○の悩みをもった人用に」といったより具体的な対象者に合わせた言い回しやコンテンツのアレンジも可能です。
「敬語で」と指定するときちんとした敬語を使った文章も書けますし、「カジュアルに」「フォーマルに」「日本人向けのユーモアを含んで」などの**トーンを指定することで、自在に文章のスタイルをコントロールしてくれます。**

また、用途を指定することで、その用途の背景にあることも加味しながら出力の調整も行なってくれます。たとえば「謝罪文として」「上司向けの文章として」「ブログ投稿用として」などの用途を指定すると、それぞれの用途に合わせたアレンジを行ないます。

さらに、「絵文字を付けて」とプロンプトに添えるだけで文章の意味にマッチした「絵文字」を付け加えてくれて、より親しみやすい表現も可能になります。「アスキーアートで」などの指定を送ると自在にアスキーアートを作りますし、「ギャル語で」と指定すると、ギャルが書いているような表現を再現することもできます。このようにスタイルを操ることで遊び心を加えることもできます（図表2-6）。

### ④「センチメント」を予想できる

GPTは「センチメント」を予想することもできます。具体的には、**テキストの文面から人のセンチメント（感情）を判定し、読み取ることができます。**声のトーンや表情がな

図表2-6　**表現方法の指定プロンプト**

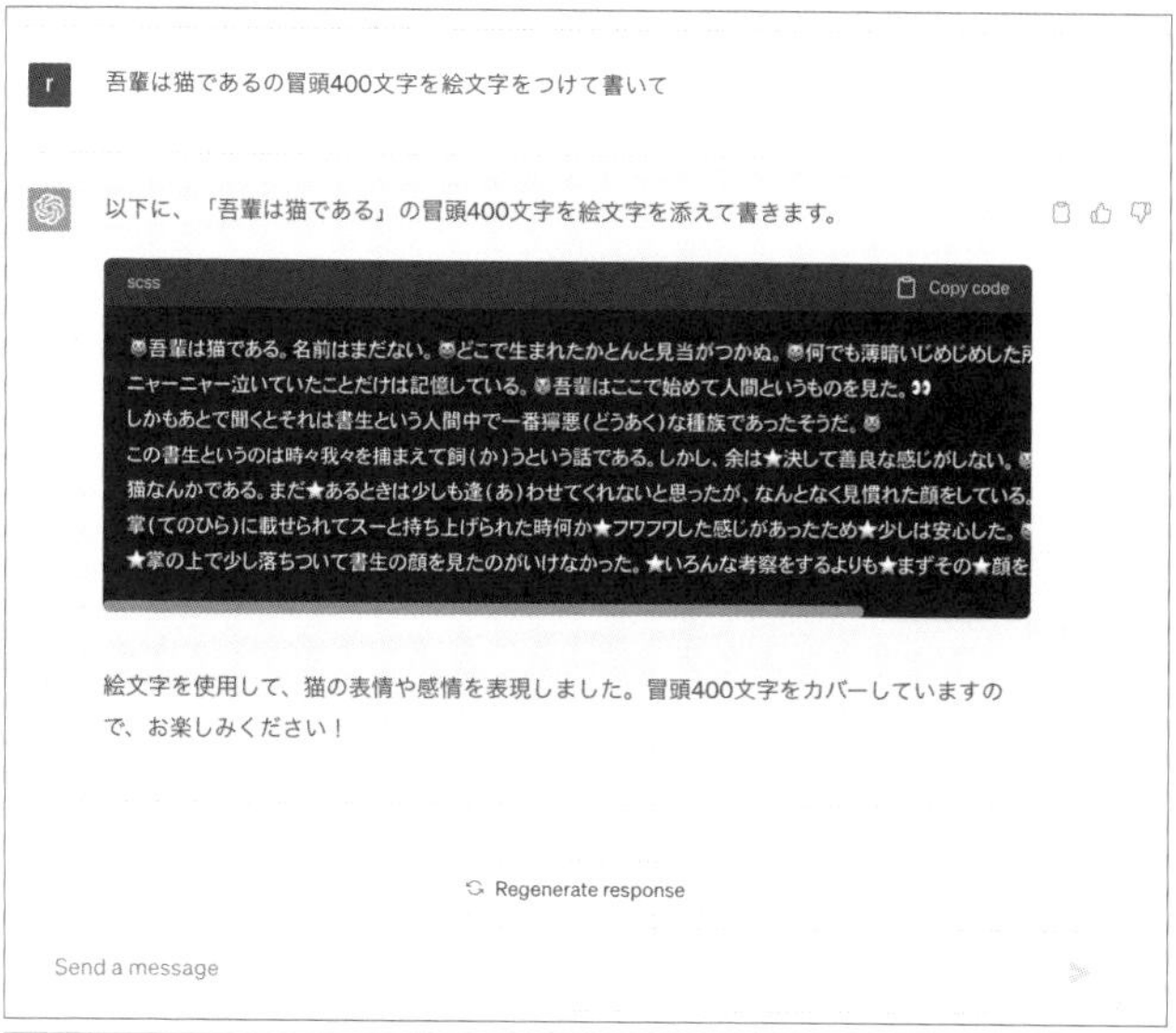


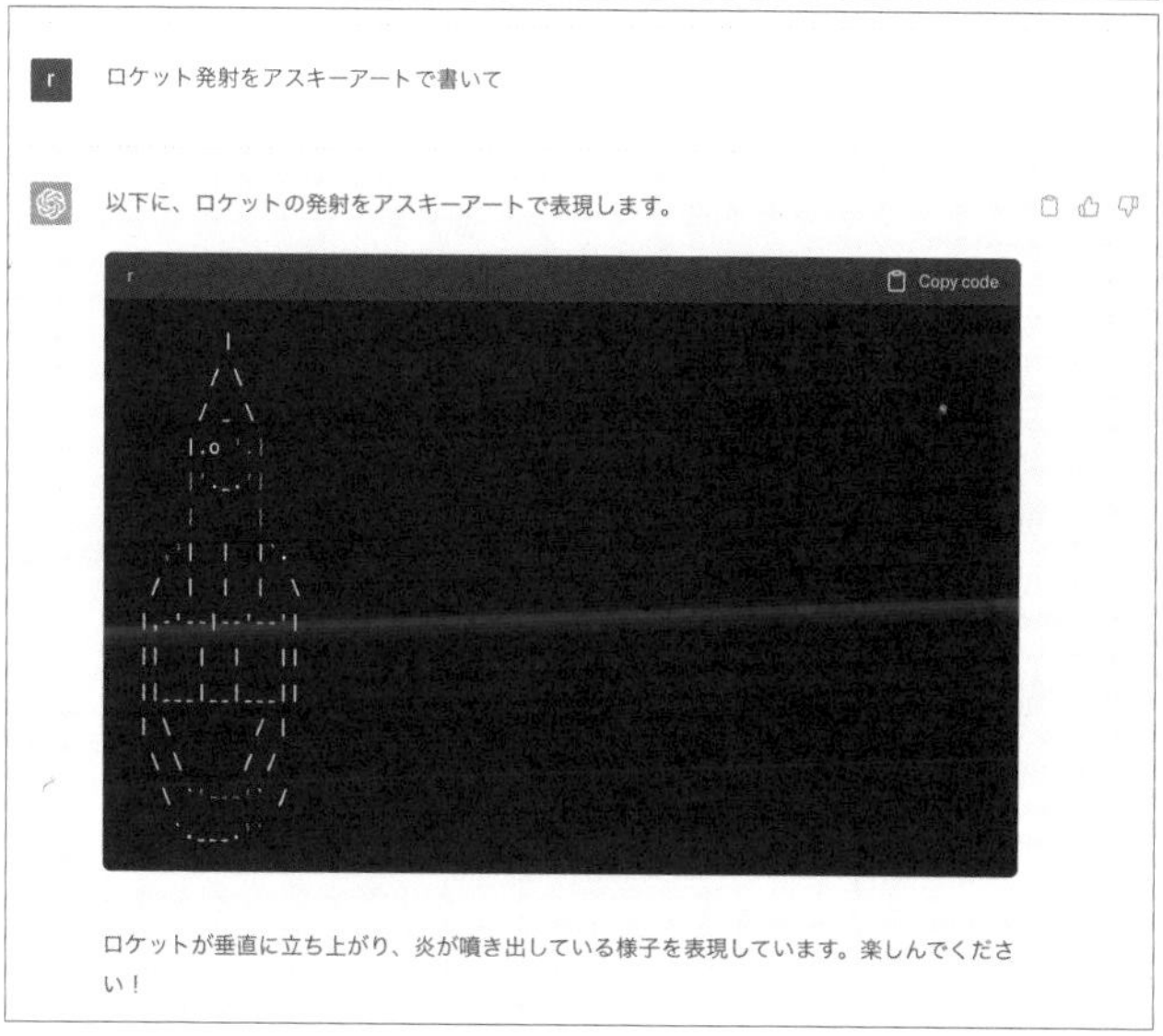

図表2-7　**センチメント分析**

r

あなたはクレーム対応係です。次の文章を読んでどれくらい怒っているかを10点満点で表してください。また怒っている理由を100文字にまとめて教えてください。

あなたの会社の洗濯機、あまりにも品質が低くて我慢ならん。ほんの一ヶ月しか使ってないのにすでに壊れてしまった。こんなものを販売してどうする？もう二度とあなたの会社の製品なんて買わない！早急に対応をしてもらいたい。

洗濯機がまともに洗濯できず、洗濯物が全部溜まった状態になってる。音が耳障りで、ブラシとは名ばかりでほとんど洗えていない。こんな情けない製品、見たことない。徹底的な対応を求めます。

怒りの度合い: 10点満点

怒っている理由(100文字まとめ): 1ヶ月で壊れる低品質製品。洗濯ができず、溜まった洗濯物と耳障りな音、ほとんど洗えないブラシに失望。二度と購入せず対応要求。

顧客は、低品質な洗濯機がわずか1ヶ月で壊れたことに怒りを感じています。洗濯ができず洗濯物が溜まり、耳障りな音とほとんど機能しないブラシに失望しています。二度と同社の製品を購入せず、徹底的な対応を求めています。

いテキストでは限定的ではありますが、テキスト表現に潜む感情のシグナルもGPTはキャッチすることが可能です（図表2-7）。

たとえば、相手が怒っているか否かを判断したり、困っているかどうかなども察知します。「メールを読んで、どれくらい怒っているかを10点満点で評価してください。また、怒っている理由を抜き出してください」といったプロンプトを使って、苦情メールの重さや内容を事前に把握することも可能です。

さらに、SNSに投稿された文章からも、どのような感情が含まれているかを集計することができます。自動的に「センチメント」を予想することができるGPTは、アイデア次第でさまざまな場面で活用できるでしょう。

## ⑤「ことばでプログラム」が書ける

**GPTは「言葉でプログラム」を書くことができます。**ＧＰＴでは、書きたいコードを言葉で表現することで、プログラミングを自ら書いてくれるのです（図表2-8）。さらに、コードの解説も求めればていねいに教えてくれます。

また、「プログラムを綺麗に（リファクタリング）」したり、「プログラムをテスト」したりすることも可能です。さらに、「データベースの設計」も行なってくれます。

そして、驚くべきことに「ことばでゲーム」も作れるのです。ＧＰＴに作りたいゲームの仕様を伝えるだけで、ゲームアプリのためのプログラムを書いてくれます。ＡＩが書いたプログラムはそのままでは動かないこともありますが、手直しなどを行なえば利用できるレベルのものが出てきます。

図表2-8 「ことばでプログラム」を書く例

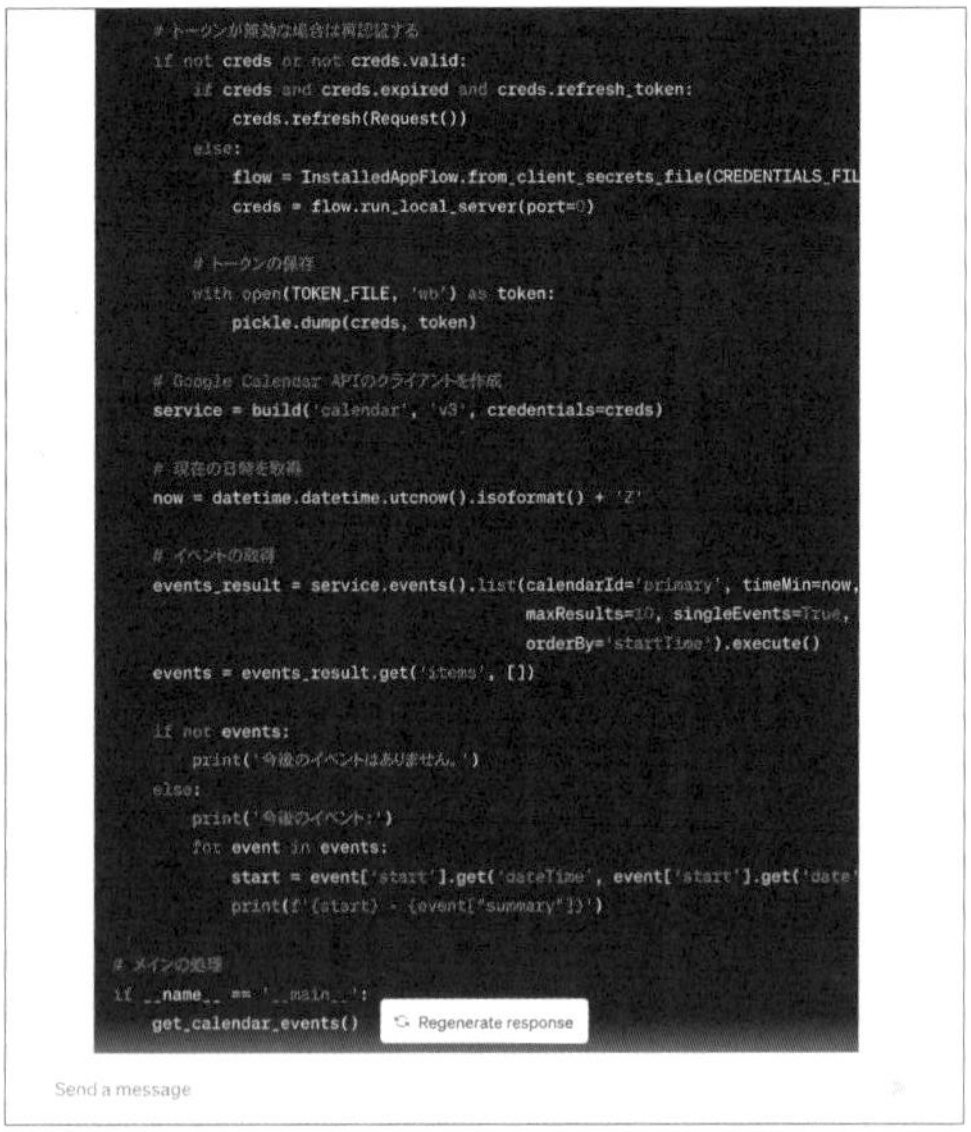

図表2-9 「ビジネスフレームワーク」を使ったプロンプト例

| ビジネスフレームワーク | プロンプトの例 |
| --- | --- |
| SWOT分析 | SWOT分析を使って、NewsPicksのサービスの強みと弱みを分析してレポートしてください。 |
| PDCAサイクル | PDCAサイクルを活用して、製品品質の改善計画を策定し、実施してください。 |
| 5つのポーター競争力分析 | 5つのポーター競争力分析を用いて、Appleの市場参入の可能性と競合他社の影響力を評価してください。 |
| バリューチェーン分析 | バリューチェーン分析を通じて、Amazonの物流プロセスの効率化策を提案してください。 |
| ブルー・オーシャン戦略 | ブルー・オーシャン戦略を活用して、新しい市場領域で競争優位性を構築するための戦略を立案してください。 |
| カイゼン | カイゼン手法を用いて、製造工程の無駄を見つけ出し、効率改善のアクションプランを提案してください。 |
| シックス・シグマ | シックス・シグマを導入して、顧客満足度を向上させるための品質管理プロセスを改善してください。 |
| リーンスタートアップ | リーンスタートアップの手法を用いて、新しいビジネスアイデアの検証と最小限の商品開発を実施してください。 |
| デザイン思考 | デザイン思考の手法を使って、顧客のニーズに応じた革新的な製品やサービスのデザインを提案してください。 |

## ⑥「ビジネスフレームワーク」を使える

GPTは、**世の中にある「ビジネスフレームワーク」を理解**し、そのフレームワークを使った考案を行なうこともできます（図表2-9）。たとえば「SWOT分析を使って、○○社のサービスの強みと弱みを分析してレポートしてください」という形で、ビジネスフレームワークを指定した上で、お題をGPTに渡すことができます（図表2-10）。

## ⑦「ブラウザ操作」ができる

GPTは過去のデータしか学習していないため、最新情報はわからないとよく言われますが、実は工夫次第でブラウザ操作も可能です（図表2-11）。GPT

図表2-10 「ビジネスフレームワーク」を使ったプロンプトの具体例

r

5つのポーター競争力分析を用いて、Apple社の市場参入の可能性と競合他社の影響力を評価してください。

5つのポーター競争力分析を用いて、Apple社の市場参入の可能性と競合他社の影響力を評価します。

1. 新規参入の脅威（Possible Threat of New Entrants）：
   Apple社の市場への新規参入は高い障壁が存在し、ブランド力や特許技術を持つことが必要です。競争力は高いと言えます。
2. 代替品の脅威（Threat of Substitute Products）：
   Apple社の製品には代替品が存在しますが、独自のエコシステムや顧客ロイヤリティが強固であり、代替品の脅威は比較的低いと言えます。
3. 顧客の交渉力（Bargaining Power of Customers）：
   Apple社の顧客は高い需要がありますが、独自のブランド価値や顧客体験により顧客の交渉力は制約されており、相対的に低いと言えます。
4. 供給業者の交渉力（Bargaining Power of Suppliers）：
   Apple社は大量の部品調達を行っていますが、一部の重要なサプライヤーに依存しており、供給業者の交渉力は中程度と言えます。
5. 競合他社との競争（Intensity of Competitive Rivalry）：
   Apple社は競合他社との競争が激しい市場に存在しますが、製品の差別化、ブランド価値、独自のエコシステムなどが強力な競争要素となっており、競争力は高いと言えます。

総合的に見ると、Apple社の市場参入の可能性は高いですが、競合他社との競争は激しいものとなるでしょう。しかし、Apple社の持つブランド力や独自のエコシステムは市場における競争優位性を維持するための重要な要素となります。

は、「ブラウザ操作」を駆使して、最新情報や他の情報を自ら取得し、それをもとに回答を生成することができます。

ChatGPTの**プラグインと呼ばれる機能を活用するか、あるいは情報を検索させるシステムと連携させることで、GPTがブラウザを操作できるようになります。**最新情報などをブラウジングさせることを前提にすると、GPTの活用方法はアイデア次第でさらに広がりを見せます（図表2-12）。

なお、GPTを搭載したマイクロソフトの検索サービス「Bing」では、検索機能とGPTの機能をデフォル

図表2-11　「ブラウザ操作」の仕組み

【プロンプト例】
大谷翔平選手の最新の試合結果をウェブで検索して、表形式でまとめてください。

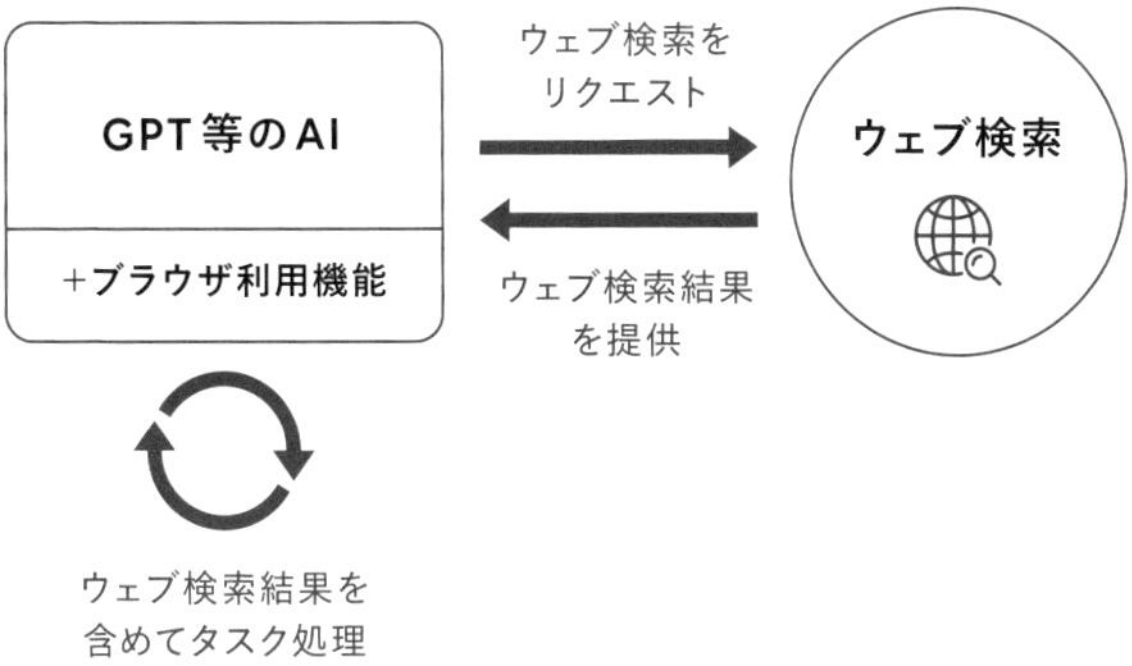


図表2-12　ブラウザ操作の具体例

図表2-13　Googleスプレッドシート上でGPTを呼び出して操作した例

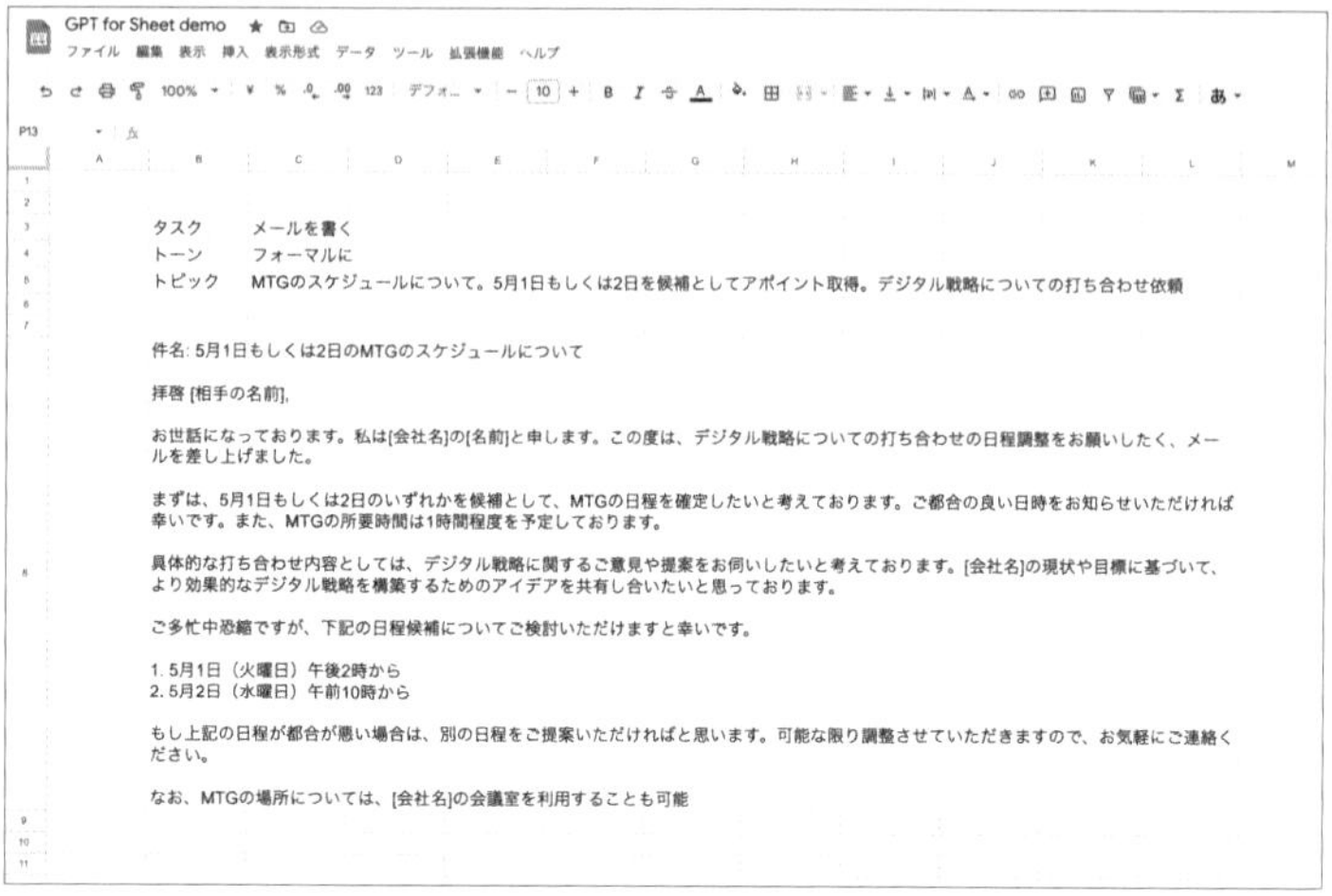


トで連携させて利用することができます。また、Google Bardも同様です。

## ⑧「エクセル」に組み込んで使える

GPTは**「エクセル」に組み込むことで、より便利に活用**できます。エクセルやGoogleスプレッドシートでGPTを呼び出し、表計算の画面上で操作可能です。

Googleスプレッドシートであれば「GPT for Sheets」というプラグインがありますので、プラグインを有効にすると、表計算の画面の上でGPTを操作することができるようになります。

たとえば、GPTに行なってもらいたい「タスク」や出力の「トーン」、書きたい「トピック」をGoogleスプレッドシートのセルに埋め込んで、所定の形式（ここでは「=GPT（）」という関数）でGPTで読み出すと、GPTを経由してメールを書くタスクを実行することなどができます（図表2－13）。

また、表計算の画面では複数のセルで同時にGPTに指令を出すこともできます。大量の情報を一度に処理するときなどに非常に役立ちます。

### ⑨「GPTの使い方」を聞くことができる

**GPTをどのように活用したらよいのか、さらには、GPTに対するプロンプトをどのように書けばよいのかに迷ったら、「GPT本人に聞く」**こともできます。「GPTの賢い使い方」についてGPTにアイデアを広げてもらうこともできますし、実現したい内容をGPTに説明すれば「適切なプロンプト」も教えてくれます。たとえば、

「入力した文章について、校正をしたいです。校正した観点の記録や再発防止を促すための最高で詳細なプロンプトを教えてください」

という指令を出すことで、最適なプロンプトをGPT自らが教えてくれるのです（図表2－14）。GPTの潜在能力をより効果的に引き出すためのコツをGPT本人にどんどん

### 図表2-14　GPTに最適なプロンプトを聞く例

r

入力した文章について、校正をしたいです。校正した観点の記録や再発防止を促すための最高で詳細なプロンプトを教えてください。

以下は、校正を促すための詳細なプロンプトの例です。

"入力した文章を校正し、以下の観点について記録してください。また、同様のエラーやミスを再発防止するための具体的な改善策も提案してください。

1. 文法と句読点: 入力された文章の文法や句読点の誤りや不自然な表現を見つけて修正してください。具体的な誤りや修正箇所を記録しましょう。
2. スペルと語彙: 入力された文章に含まれるスペルミスや語彙の問題を見つけて修正してください。特によく間違えられる単語や同義語の適切な使用に注意しましょう。
3. 文章の構成と論理性: 入力された文章の構成や論理性に問題がある場合は指摘してください。段落の適切な区切りや主張の一貫性などに注意しましょう。
4. 文体と表現: 入力された文章の文体や表現に改善の余地がある場合は提案してください。より明確で簡潔な表現や適切な敬体の使用などについて考えましょう。
5. 文脈と情報の正確性: 入力された文章の文脈や情報の正確性に問題がある場合は指摘してください。不適切な引用や誤った事実などを修正しましょう。

校正作業中に気づいたエラーやミスの記録を詳細に行い、同様の問題が再発しないよう改善策も提案してください。これにより、より正確かつ品質の高い文章作成を目指すことができます。"

### 図表2-15　漫才ネタを量産するGPTの例

SYSTEM

あなたはお笑い芸人のための脚本家です。

コンビ：平成ノブシコブシ
ボケ担当：吉村崇
ツッコミ担当：徳井健太

以下の"ネタの例1"と"ネタの例2"を参考にして、平成ノブシコブシのためのネタを考えてください。
ボケ担当の発言は毒舌でお願いします。
「ある」に対して悪意を持ったブラックジョークを言ってください。違うコメントを２度ほど繰り返してください。
ウザイやヤバイという言葉をたくさん使ってください。

-ネタの例1
ある1:アクション映画
なし1:恋愛映画
ある2:YouTuber

徳井: 1個目がね、「港区女子にはあるけど、森ガールにはない」。
吉村: 「港区女子にはあるけど、森ガールにはない」。はい、わかりました。まぁまぁまだ1個目なんで。
吉村: 1個目で分かったから。別にいいでしょ、1個目で分かったんだから。1個目でも分かったからいいでしょ別に。
徳井: じゃ、じゃあどうぞ。
吉村: 正解は「イキり感」！港区女子ってさ、ちょっとイキりすぎてる感じがあるじゃん？でも森ガールは自然に囲まれていてイキり感がない。だから正解はイキり感だろ！
徳井: あー、違います。

吉村: いいや、イキり感だよ！
徳井: 違うって。
吉村: ウザい！港区女子はウザい！
徳井: そんなことない。
吉村: だってさ、港区女子はブランド品ばかりで、まるで自分が世界の中心かのような振る舞いしてるじゃん。でも森ガールはシンプルで素朴なファッション

Add message

聞いていきましょう。

## ⑩「漫才のネタも無限」に作れる

GPTは、驚くべきことに**「漫才のネタも無限」に作り出すことができます。**たとえば、漫才師のネタを数例渡してプロンプトを上手に組めば、既存の漫才のルールに沿ったシナリオが作れます（図表2-15）。たとえば、漫才師のミルクボーイさんやウエストランドさんのようにネタの型がある程度決まっている漫才は、ネタの量産が行ないやすいです。

たとえば、ウエストランドさんの「あるなしクイズ」という漫才のネタがあります。「YouTuberにあってタレントにないものは?」「アクション映画にあって恋愛映画にないものは?」といったお題を起点にして、毒舌をはくというスタイルの漫才なのですが、この漫才のストーリーの例をGPTに参照させることで、違うお題を与えれば、同じような構成で漫才のシナリオを書き上げてくれるのです。

少し異色なケースも含まれていましたが、象徴的なケースとしてGPTの「ここまでできる10選」について紹介してきました。これらの例を通じて、「GPTがどこまでできるのか?」についてしっかりとインプットいただけるのではないかと思います。

# 「生成ＡＩ」のキホンを理解する

## ＧＰＴは「生成ＡＩ」の一種

これまでは、ＧＰＴのすごさや「ＧＰＴがどこまで何ができるのか」について紹介してきました。少し視点を引いて、ＧＰＴやＧｏｏｇｌｅ Ｂａｒｄ、その他の大規模な言語ＡＩは、「生成ＡＩ」というＡＩの種類に属するということについても基礎知識として押さえていくことにします。

これまで紹介してきたＧＰＴやＧｏｏｇｌｅ Ｂａｒｄ、その他の大規模な言語ＡＩは、「生成ＡＩ」の一種でもあります。時に生成ＡＩの英語表記である「Generative AI（ジェネレーティブＡＩ）」と呼ばれることもあります。

生成ＡＩは、大規模データを使い大規模演算をすることにより、言語をはじめとして、画像や動画、曲などを創り出すＡＩの総称です。Ｍｉｄｊｏｕｒｎｅｙなどの画像を創り出すＡＩも、生成ＡＩの一部として注目を集めています。

図表2-16　生成AI（ジェネレーティブAI）とは？

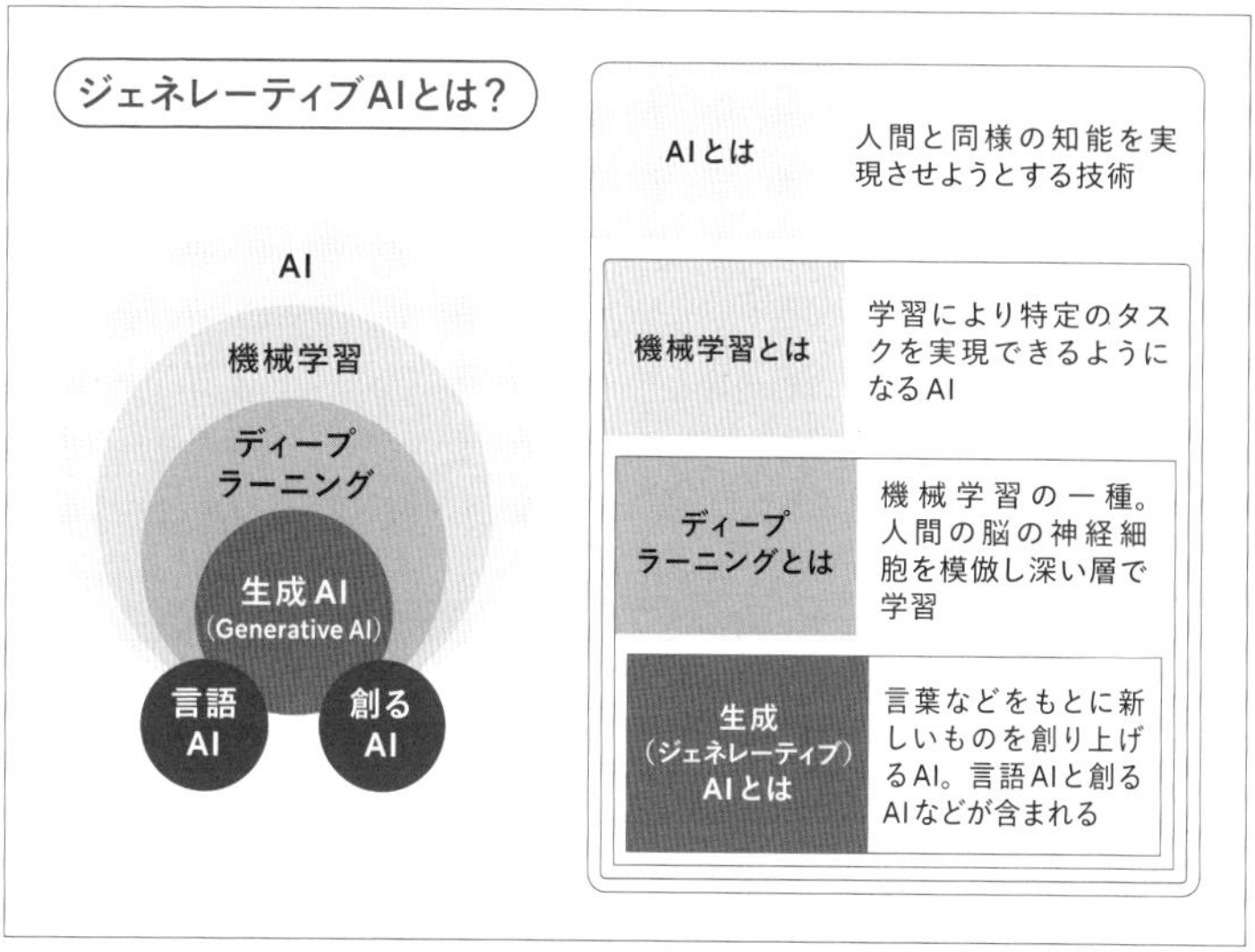


## ＡＩ＞機械学習＞ディープラーニング＞生成ＡＩ

「ＡＩ」という言葉は、多くのことを内包しており、さまざまな技術や手法を表現できます。ＡＩの中でも、機械に学習させるタイプのＡＩを「機械学習」と呼びます。人間の脳のように深い層によって学習させる手法は「ディープラーニング」と呼ばれ、そのディープラーニングの手法を基礎としながら革命的な変化を生み出せたのが「生成ＡＩ」です（図表２-16）。

なお、ＡＩは大きく４つのタイプに分けることができ、それらは識別系ＡＩ、予測系ＡＩ、会話系ＡＩ、実行系ＡＩです（図表２-17）。生成ＡＩは、会話系ＡＩの一部で

図表2-17　AIの「4タイプ分類」

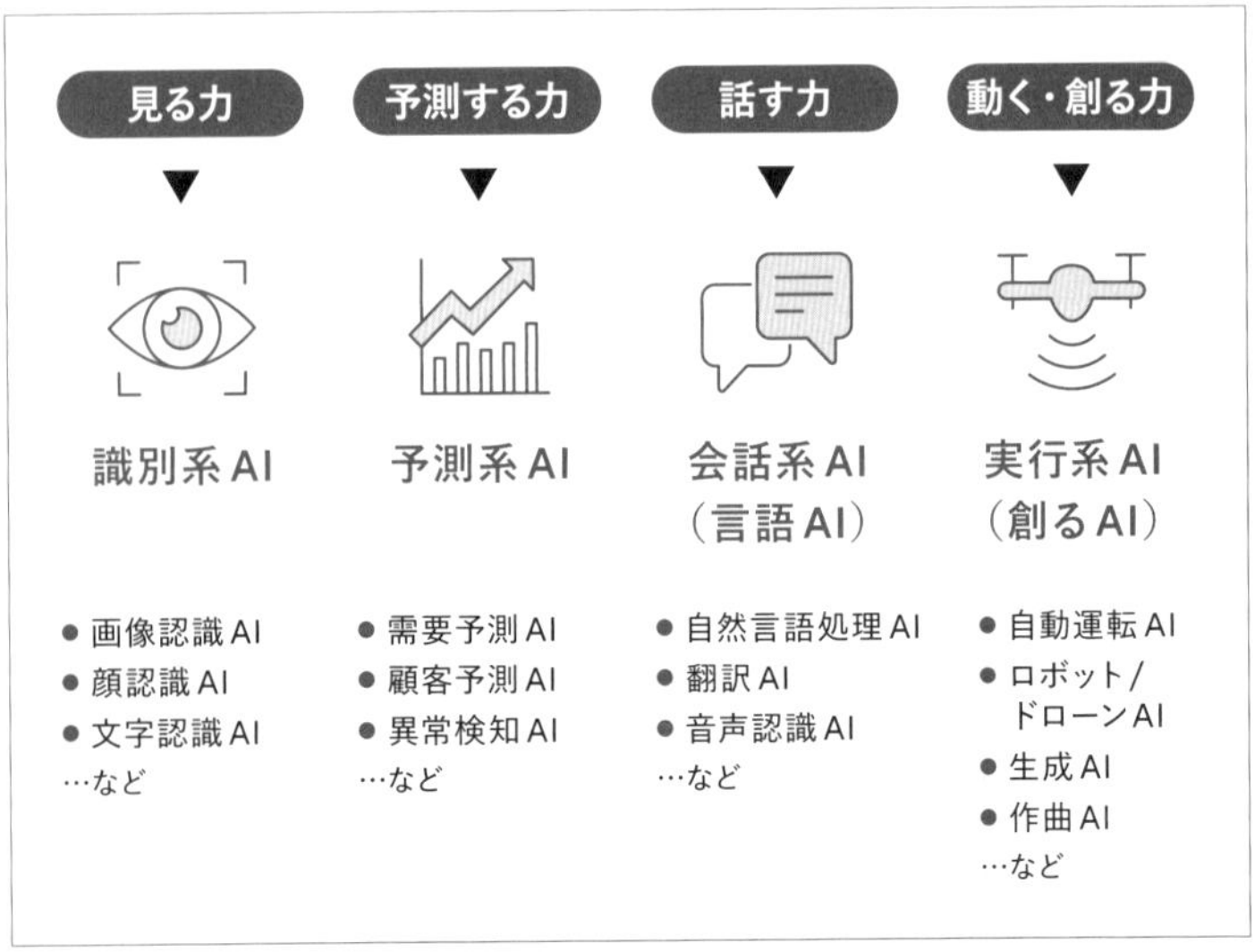


図表2-18　言語AIは会話系。画像生成などの創るAIは実行系AI

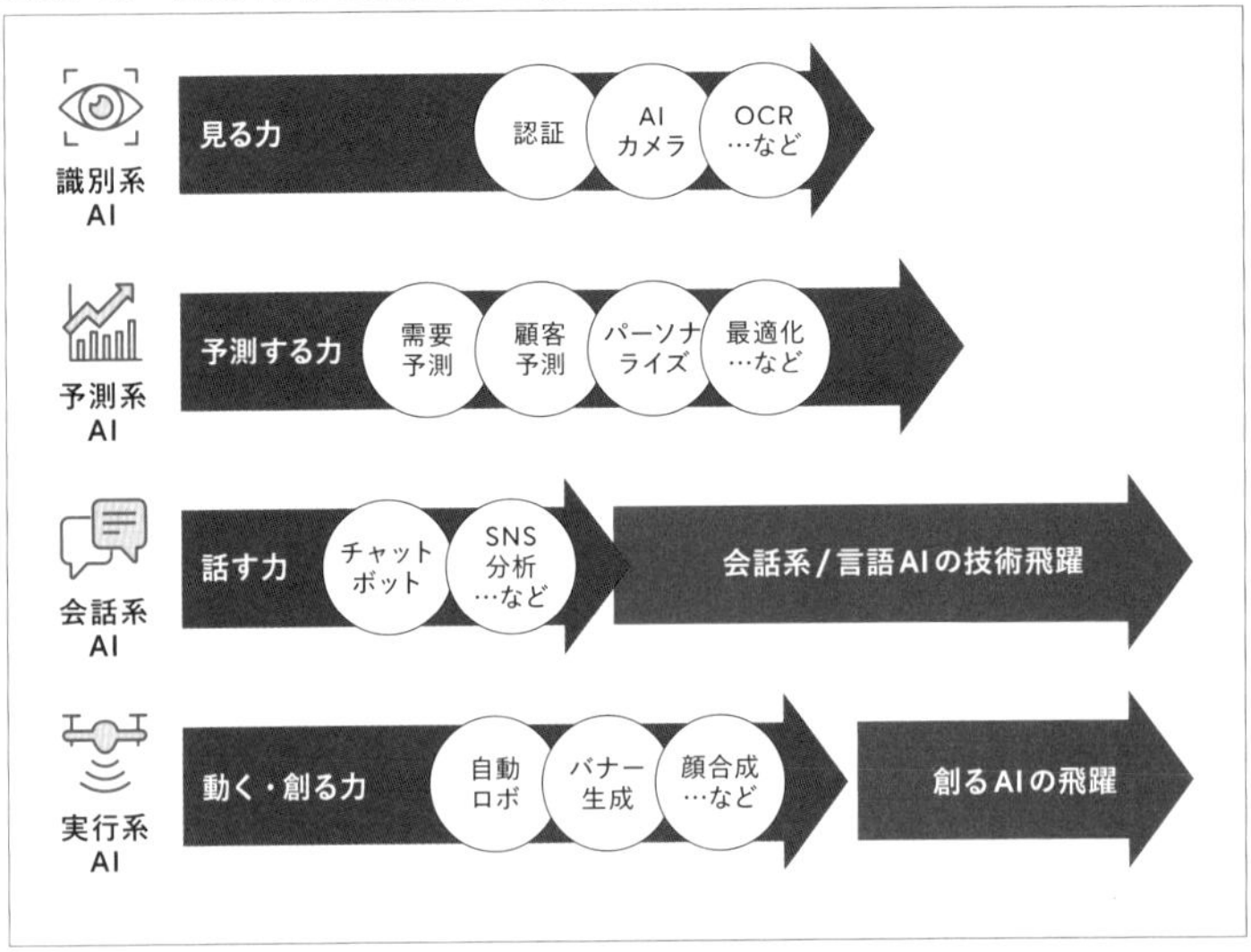

**ある言語AIと、実行系AIに含まれる創るAIの2つ**であると表現することもできます（図表2-18）。

言語AIは、GPTやGoogle Bardなどの言葉でさまざまなタスクを行なうAIであり、創るAIは、Midjourneyなどの言葉によって画像を創り出すAIになります。

## 〝出る順〟でキホン用語を押さえる

### GPT時代のAIのキホン用語を「丸暗記」しよう

GPT時代のAIを扱うチカラを伸ばすには、関連する用語を正しく理解しておく必要があります。よく使う順でキホン用語をまとめていますので、少し難しい言葉も出てきますが丸暗記でよいので覚えてしまいましょう。では、まず基本のキであるGPTの用語からです。

## 基本用語①　ＧＰＴ

ＧＰＴ（Generative Pre-trained Transformer）は、生成ＡＩの一種で、ＯｐｅｎＡＩによって開発された自然言語処理のための大規模な言語モデルで、ＣｈａｔＧＰＴのベースにもなっているＡＩです。

ＧＰＴは、トランスフォーマーという大規模学習が得意な仕組みにより成り立っており、その特徴的な点は、大量のテキストデータを使った「事前学習」という過程です。**ＧＰＴは、膨大な量の文章を学習して言語のパターンや文脈を理解し、その知識をもとに新しい文章の生成やさまざまな言語タスクの解決を行ないます。**

たとえば、文章生成や翻訳、要約、質問応答などの知的生産のタスクにおいて高い性能を発揮します。ＧＰＴは、文脈や意味を理解し、文章の一貫性を保ちつつ適切な応答を生成する能力をもっています。なお、ＧＰＴにはバージョンがあり、バージョン３はＧＰＴ３、バージョン３・５はＧＰＴ３・５、バージョン４はＧＰＴ４と呼ばれます。

## 基本用語② ChatGPT

ＣｈａｔＧＰＴとは、**ＧＰＴをベースに作られたチャットサービス**のことです。このサービスは、人が自然と感じたり、人が不快に思わないように出力内容がコントロールされているのが特徴です。人が心地よく感じるように、ＡＩが生成する文章の品質や内容が調整されています。

ＣｈａｔＧＰＴは英語だけでなくさまざまな言語に対応しており、世界中の人々が利用できます。ＣｈａｔＧＰＴサービスはリリース後２カ月で利用者が１億人を突破するなど、急速に普及しています。

## 基本用語③ Playground

Ｐｌａｙｇｒｏｕｎｄ（ＯｐｅｎＡＩ Ｐｌａｙｇｒｏｕｎｄ）とは、ＧＰＴをブラウザから使うことができる実験場のことです。一般に**Ｐｌａｙｇｒｏｕｎｄは遊び場や運動場という意味でも使われ、試行錯誤を行ないながら新しいアイデアを試す場**を表しています。

ＣｈａｔＧＰＴはＧＰＴをベースにしてより快適にチャットができるように作られた

サービスであり、Ｐｌａｙｇｒｏｕｎｄはチャットを含む複数のインターフェースを使うことができ、ＧＰＴの基本機能をすべて直接利用できる場所を指します。

Ｐｌａｙｇｒｏｕｎｄでは、プロンプトの入力だけでなく、出力内容をコントロールできるパラメータの調整をして試行することもできるため、自分が求める文章や回答を得るための微調整を行なうことも可能です。

## 基本用語④　Ｇｏｏｇｌｅ Ｂａｒｄ

Ｇｏｏｇｌｅ Ｂａｒｄは、**Ｇｏｏｇｌｅが開発したＣｈａｔＧＰＴのようなチャット型のＡＩアシスタントサービス**です。テキストの生成、言語の翻訳、さまざまな種類のクリエイティブコンテンツの作成、質問への回答を行なうことができます。
詩、コード、スクリプト、楽曲、メール、手紙など、さまざまなコンテンツも生成します。ウェブから最新情報を検索する機能があります。

## 基本用語⑤　トークン

トークンとは、ＧＰＴを利用する際の情報の単位です。**ＧＰＴで文章を生成するとき、入力文、プロンプト文、出力文がトークンという単位で数えられます。**単語や記号が１つのトークンになることが多いですが、日本語の場合は、ひらがなやカタカナ、漢字、記号など1文字1文字が約1トークンとして扱われることが多いです。

Ｐｌａｙｇｒｏｕｎｄの利用金額は１Ｋ（１０００）トークンを単位に価格が決まっています。トークン数を把握することは、コストを把握する上で重要です。

https://platform.openai.com/tokenizer

このサイトで、ＧＰＴのトークン数を確かめることもできます。

## 基本用語⑥　ＡＰＩ

ＡＰＩとは、Application Programming Interface の略で、**ソフトウェアやアプリケー**

**ション間でデータや機能を共有・やり取りするための仕組み**です。ＡＰＩは、プログラムやシステム同士が連携し、効率的に情報をやり取りできるようにするための橋渡し役となります。これにより、開発者は他のシステムから情報を取得したり、機能を利用したりすることができます。

ＧＰＴにもＡＰＩが用意されており、開発者はＧＰＴのＡＰＩを活用することで、ＧＰＴの能力を自分のアプリケーションやウェブサービスに組み込むことができます。

## 基本用語⑦　汎用ＡＩ

汎用ＡＩとは、**さまざまなタスクや問題に対応できるＡＩシステム**のことを指します。汎用ＡＩは、特定のタスクに特化した狭い範囲ではなく、幅広い知識やスキルをもち、人間のようにさまざまな状況や問題に適応して対処できる能力をもっています。

ＧＰＴが登場する前のＡＩ技術は主に特定のタスクに特化した「特化型ＡＩ」が一般的でした。ＧＰＴやその他の大規模言語モデルは、自然言語処理や文章生成など幅広いタスクに対応できるため、汎用ＡＩに近いと考えられています。

## 基本用語⑧　プロンプト

**プロンプトとは、生成ＡＩへの指令や質問**のことを指します。

たとえば、ＣｈａｔＧＰＴのようなチャットサービスや、Ｍｉｄｊｏｕｒｎｅｙのような画像生成サービスでは、ユーザーがＡＩに対して何らかの要望や質問を投げかける際に、プロンプトという形で指示を出します。ＡＩはその指示にしたがって、適切な文章や画像を生成し、ユーザーに返答したり、コンテンツを生成します。プロンプトは簡潔でわかりやすい指示が望ましく、ＡＩと効果的にコミュニケーションをとるために重要な役割を果たしています。プロンプトを上手に使いこなすことで、ＡＩの性能を最大限に活用することができます。

## 基本用語⑨　ゼロショットプロンプティング

ゼロショットプロンプティング（Zero-shot Prompting）とは、**ＡＩが特定のタスクに対して事前に学習や訓練を受けていなくても、プロンプト（質問や指示）を与えるだけで適切な回答や対応ができる状況を指します。**

これは、ＡＩが事前に学習した知識や文脈を活用して、**未知のタスクに対処できる能力**をもっていることを示しています。

ＧＰＴのような大規模言語モデルは、インターネット上の大量のテキストデータを学習することで、幅広い知識や文脈を理解しています。そのため、ゼロショットプロンプティングが実現しやすくなっています。

## 基本用語⑩　フューショットプロンプティング

フューショットプロンプティング（Few-shot Prompting）は、**ＡＩに特定のタスクを解決させるために、数個の例を与えて学習させるアプローチ**です。これにより、ＡＩは与えられた例を参考にして、新しい問題に対しても適切な回答や対応を行なうことができます。

ゼロショットプロンプティングは、例を与えることなくタスクを解かせるというものでしたが、フューショットプロンプティングは、ＡＩに**問題解決のための具体的な手がかりを数例提供することで、より正確な結果を求めるもの**になります。

たとえば、英単語の日本語訳を尋ねる場合、ゼロショットプロンプティングでは単に「〝apple〟の日本語訳は？」と質問するだけですが、フューショットプロンプティングでは「〝dog〟は〝犬〟、〝cat〟は〝猫〟と訳されますが、〝apple〟の日本語訳は？」といった具合に、例を与えて質問するスタイルになります。

## 基本用語⑪　ファインチューニング

ファインチューニングとは、学習済みのＡＩをベースとしながら、**新しいタスクや特定の目的に適応するために「追加の学習」を行なうプロセス**のことを指します。この手法を使うと、事前学習により構築された知識や能力を保持しながら、特定のタスクに対する性能をさらに向上させることができます。

たとえば、ＧＰＴのような大規模言語モデルは、インターネット上の膨大なテキストデータを学習していますが、特定の分野や業界に関する専門知識や、特定のタスク実行のための能力を必ずしももっているわけではありません。ファインチューニングを行なうことによって、より特定の目的に合ったＡＩモデルの作成を目指すことができます。

なお、フューショットプロンプティングはプロンプト入力の方法に工夫を凝らすことでＡＩの回答を向上させる取り組みなのに対し、ファインチューニングは、ＡＩモデル自体を追加の学習により改良し、特定の目的に合わせて性能を向上させるアプローチとなります。

## 基本用語⑫　ハルシネーション

ハルシネーション（幻覚）とは、**ＡＩが生成する文章や情報において、実際に存在しない、または誤った内容を生成する現象**を指します。日本語では幻覚とも呼びます。ＧＰＴなどが、主に事前に学習した内容に含まれない事項に関して回答の要求をされたときなどに、事実と異なる出力を出してしまうことがあります。

ハルシネーションを起こさせないためには、プロンプトで出力の厳密性を上げる記述を加えたり、最新情報についてはウェブ検索の機能を連動させる、または必要な知識を参照させるなどの工夫が必要となります。

## 基本用語⑬　テンパラチャー

テンパラチャー（Temperature）とは、日本語で直訳すると「温度」と呼ばれます。テンパラチャーは、ＧＰＴのような言語ＡＩが何かを生成する際に、**出力される内容の多様性やランダム性を調整するパラメータ**のことを指します。テンパラチャーは通常、０から１の間の値をとります。値が低いほど、ＡＩは学習データに基づいてより確実性の高い、つまり厳格で間違いにくい出力を選びます。一方、値が高いほど、ＡＩはより多様でランダムな選択をし、出力される文章が意外性をもつことがあります。

Ｐｌａｙｇｒｏｕｎｄでは、テンパラチャーを調整して、出力される文章の多様性や創造性をコントロールすることができます。

## 基本用語⑭　大規模言語モデル

大規模言語モデルは、膨大な量のテキストデータを使ってトレーニングされた、自然言語処理のためのモデル（ＡＩ）です。これらのモデルは、**大量の文章のパターンや言語の特徴を学習し、言語理解や文章生成などのタスクを行なうことができます。**

このモデルは「トランスフォーマー」という学習する仕組みを使用します。この仕組みには、大規模に学習する際、効率的かつ効果的に学ぶための機構が含まれており、文脈に基づいた深い言語理解を可能にします。また、大規模言語モデルは「自己教師あり学習」という学習方式を通じて、人間が明示的に教えなくても、**大量のテキストデータから自ら学習し、高い精度を達成する**ことができています。なお、ＧＰＴは大規模言語モデルの一種です。

## 基本用語⑮　トランスフォーマー

トランスフォーマーとは、ＧＰＴなどの大規模言語モデルを構築するための基盤となる構造です。２０１７年にＧｏｏｇｌｅが提唱し、以降多くのＡＩモデルの基礎となっています。トランスフォーマーは、**文章の単語や文節間の関連性を効果的に捉え、重要な箇所に注目することができる「アテンション」という機構を活用しています。**文章全体を一度に捉えて各単語間の関連性を把握することができるようになったため、長い文章の文脈把握や計算効率の問題を突破することができました。

トランスフォーマーなしでは現在のＧＰＴは存在しなかったと言えるほど、トランスフォーマーは重要な革新技術の１つと言えます。

## 基本用語⑯　自己教師あり学習

自己教師あり学習とは、**ＡＩが自分で教師データを作成して学習する**方法です。通常の教師あり学習では、人間が正解データを与える必要がありますが、自己教師あり学習ではその必要がありません。その代わり、大量のテキストデータを用いて、自ら「穴あき問題」を作ります。作り出した大量の「穴あき問題」と対になる「答え」を使って学習を行なっていきます。

自己教師あり学習はＡＩが自分でデータから学ぶ技術であり、ＧＰＴのようなＡＩはこれを利用して、より高度なタスクを実現しています。

たとえば、ＧＰＴは自己教師あり学習により文章の続きを予測する能力を身につけます。これにより、文章生成や質問応答などのタスクをこなすための強力な基礎能力を身につけることになります。

## 基本用語⑰　アラインメント

アラインメントとは、ＡＩシステムが**人間の価値観や常識に寄り添うため、人間が利用して心地いいと感じるように訓練する**ことです。ＣｈａｔＧＰＴが驚きの精度を達成できたのは、このアラインメントの存在がかなり大きかったからとも言われています。ＣｈａｔＧＰＴの改良において、出力内容が人間の倫理観や常識に適合し、不快感を与えないようにアラインメントが行なわれています。ＣｈａｔＧＰＴの画面にグッドボタンとバッドボタンがあると思いますが、このボタンのフィードバックの情報も、出力の善し悪しを判断するためのアラインメントに使われています。

## 基本用語⑱　ＲＬＨＦ

ＲＬＨＦ（Reinforcement Learning from Human Feedback）とは、アラインメントを実行するための方法の1つで、**人間からのフィードバックを利用してＡＩモデルを改善する強化学習（報酬と罰によりＡＩを育てる学習方式）の手法**です。このアプローチでは、人間がＡＩの出力に対して評価やフィードバックを与えることで、ＡＩがそのフィードバックを学習し、性能を向上させます。特に、複雑なタスクや微妙な判断が必要な場合、人間の直感や知識を活用してＡＩの学習を促進することが有益です。

ＲＬＨＦは、ＧＰＴのような大規模言語モデルの開発や改善において、重要な役割を果たしています。人間がＡＩの生成した文章を評価し、良い結果に報酬を与え、悪い結果にペナルティを与えることで、ＡＩは人間の意図やニーズに適応して成長します。ＲＬＨＦを適用することで、ＡＩはより正確で適切な文章生成やさまざまなタスクができるようになり、人間とＡＩの協調やコミュニケーションが向上することが期待されています。

## 基本用語⑲　マルチモーダル

マルチモーダルとは、**複数の種類の情報やデータを組み合わせて解析・処理すること**を指します。具体的には、テキスト、画像、音声、動画など、さまざまなデータ形式を同時に取り扱うことができるＡＩシステムがマルチモーダルなシステムと言われます。

マルチモーダルＡＩは、単一のデータ形式に依存しないため、より豊富な情報を網羅して解析することができ、さまざまな結果を出力することが期待されます。たとえば、画像データとテキストデータを掛け合わせて学習させておくことで、画像の内容に関する質問に答えることができるＡＩがマルチモーダルＡＩの一例です。

## 基本用語⑳　Chain of thought

思考の連鎖とも言われ、１つの考えから次の考えへと続く順序立てた思考の流れのことを指します。ＡＩに単発の指令をしてもうまく正しい回答を得られないことがありますが、このChain of thought（チェーン・オブ・ソート）の考え方を用いて、**複数のステップを経て最終的な回答や意見を導き出すようにすると、回答精度が上がることがあります。**

特に、GPTは数字などの計算があまり得意ではないと言われることもありますが、Chain of thought の考え方を用いて順々に考えさせることで、計算精度が上がることも立証されています。

# 第3章

# GPT時代のAIの「仕組みをザックリ」理解する

# GPT時代のAIは「どうやって生まれた」のか？

## 「仕組み」をザックリ理解

ＧＰＴ時代のＡＩの「キホン」だけでなく、「仕組み」も理解していきましょう。ただし、深すぎる理解までは追い求めず、ザックリと中身の構造を知る程度にとどめておきましょう。

専門的な用語や高度な仕組みの話にアレルギーを感じない程度に、知るべきポイントだけを押さえておくことが大切です。原理原則を把握しておけば、さまざまな場面でＡＩの活用がスムーズになります。

## 「大規模は正義」の法則で生まれたGPT

ＧＰＴ時代のＡＩは、「超大規模データ×超大規模演算」をもとに生まれています。この組み合わせにより、ＡＩは高い汎用性能をもつことができ、高い出力精度を保てるようになりました。まず、データの面では、ネット上のあらゆるデータを集め、「**とてつもなく大きいデータ**」を用意します。その後、学習に適した状態に**クレンジング**が行なわれます。そして、クレンジングされた「とてつもなく大きいデータ」をもとに超大規模な演算、つまり「**とてつもなく大きいパラメータ**」で大規模に演算が実行されることで、ＡＩの性能が飛躍的に向上していくのです。

この背景には、「スケーリング則（スケーリングロー）」というものがあります。これは、規模が大きくなるにつれてＡＩの性能が高精度になるという法則で、具体的には、学習データの量やパラメータ数が多くなることで、ＡＩの性能が向上するとされています。ＧＰＴなどのＡＩモデルでは、このスケーリング則が顕著に表れているのです。ＧＰＴはこの「大規模は正義」というスケーリング則のもとで生まれたと言えます。

しかし、一部の専門家は、一定の規模以上になると精度への貢献が低いかもしれないとも言及しており、無限に規模を大きくすることが必ずしも最善の策ではないことも示唆し始めています。「大規模は正義」の法則にも一定の限界が存在することを前提に、適切な規模感は確保しながらも、規模とコストのバランスを考慮しながらＡＩの開発を進めることが求められてきそうです。

## とてつもなく「大きいデータ」で学習

GPTは、まさに「とてつもなく大きいデータ」を使って学習を行なっています。GPT-3（GPTの3番目のバージョン）においても、世界中の言語データを集め、なんと45TBのデータという大きなデータが用意されています。これは、日本語換算で22・5兆文字にあたる計算になります。本でたとえると、2・25億冊分の内容を確保していることになります。

このデータ群から学習に適した内容としてクレンジングすることによって、厳選された570GB（日本語換算で2850億文字に相当する量、あるいは本にすると285万冊分）が事前学習に利用されたとのことです。

このように、**膨大な量のデータを使って学習を行なうことで、GPTは高い汎用性能をもつことができる**のです。大量のデータによって、AIはさまざまな知識や情報をもつことができ、それを活用して正確な生成を行なうことができるのです。

## とてつもなく「大きいパラメータ」で大規模に演算

「とてつもなく大きいパラメータ」で大規模に演算することが、ＧＰＴのもう１つの特徴です。では、「パラメータを大きくする」とはどういうことでしょうか？

学習の際の**「パラメータを大きくする」ということは、ＡＩの処理をより多層にして複雑にするということ**です。パラメータを大きくして大量に演算するほど、複雑な問題にも対応できる力が強まるのです。

このパラメータ数は、何かを考える際の「分岐の数」というイメージで捉えていただくとわかりやすいでしょう。１つの事象を考えるときにも、より多くの分岐によって物事を捉えて、繊細に結論に導き出すイメージです。

学習の際のパラメータを大きくすることは、人間の脳の中のアクティブなニューロン（神経細胞）を増やすことに似ています。もちろん、人間が脳の中でアクティブにできるニューロンの数には物理的な限界がありますが、ＡＩという機械にはその限界がないのです。だからこそ、人間が驚くほどの精度を上げることができ、より複雑な問題を解決できるのです。

なお、ＯｐｅｎＡＩが作った初期のＧＰＴの場合、初期段階で１億１７００万だったパ

図表3-1　なぜ言語AIはこれだけ急成長できたのか？

**とにかく超大規模なデータで**

- **45TBから厳選した570GBで事前学習**
- **2250億文字から厳選した285億文字で学習**（※日本語換算）
- **本でたとえると2250万冊から厳選した28万5000冊分を学習**
- **本1冊で10万文字**（2000KB ※日本語の場合）

**超大規模な演算をして事前学習**

- **1750億個のパラメータで大量演算**

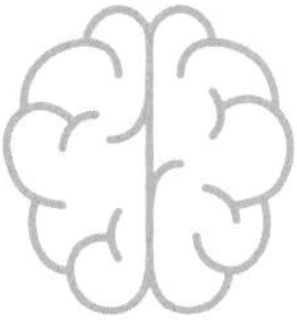

**さらに、データ量と演算量を増やせば増やすほど賢くなり続けるという法則も**

ラメータをGPT－2では15億にまで増やしました。良好な結果が得られたため、さらにGPT－3では1750億にまでパラメータを増やしています。

そして、初期のChatGPTで使われているGPT－3・5では、パラメータ数は3550億とさらに2倍の規模となったと言われています。GPT－4以降も、さらに比較にならないほどの大きいパラメータ数で学習をさせているとのことです。演算をより複雑に大規模化し続けていることも、GPTが進化し続けている要因の1つなのです（図表3－1）。

# GPTは「大規模学習技術とヒトのフィードバック」で大きく成長

## 大規模学習を可能にさせた「トランスフォーマー」

大規模学習を可能にさせた「トランスフォーマー」という技術が、超大規模なデータで超大規模に演算するAIの進化において、要となり大きな影響を与えています。旧来の学習時の構造では、大きすぎるデータを複雑に学習する場合、学習完了までに天文学的な時間と計算リソースが必要になっていました。トランスフォーマーの登場が、この問題を一掃してくれたのです。

では**「トランスフォーマー」**とはどういったものなのでしょうか？　トランスフォーマーは、**「大規模データ」**をたくさん読んで学習する、大規模学習が得意な技術の1つです（図表3-2）。

**「アテンション」**という機能をもち、これにより文章の中で**「重要だと思われる一部の情報」に注目する**ことができるようになっています。情報の中から大事なポイントを見つけ出すことで、高い学習効率を生み出します。

図表3-2　GPTは「大規模学習技術と人のフィードバック」で大きく成長

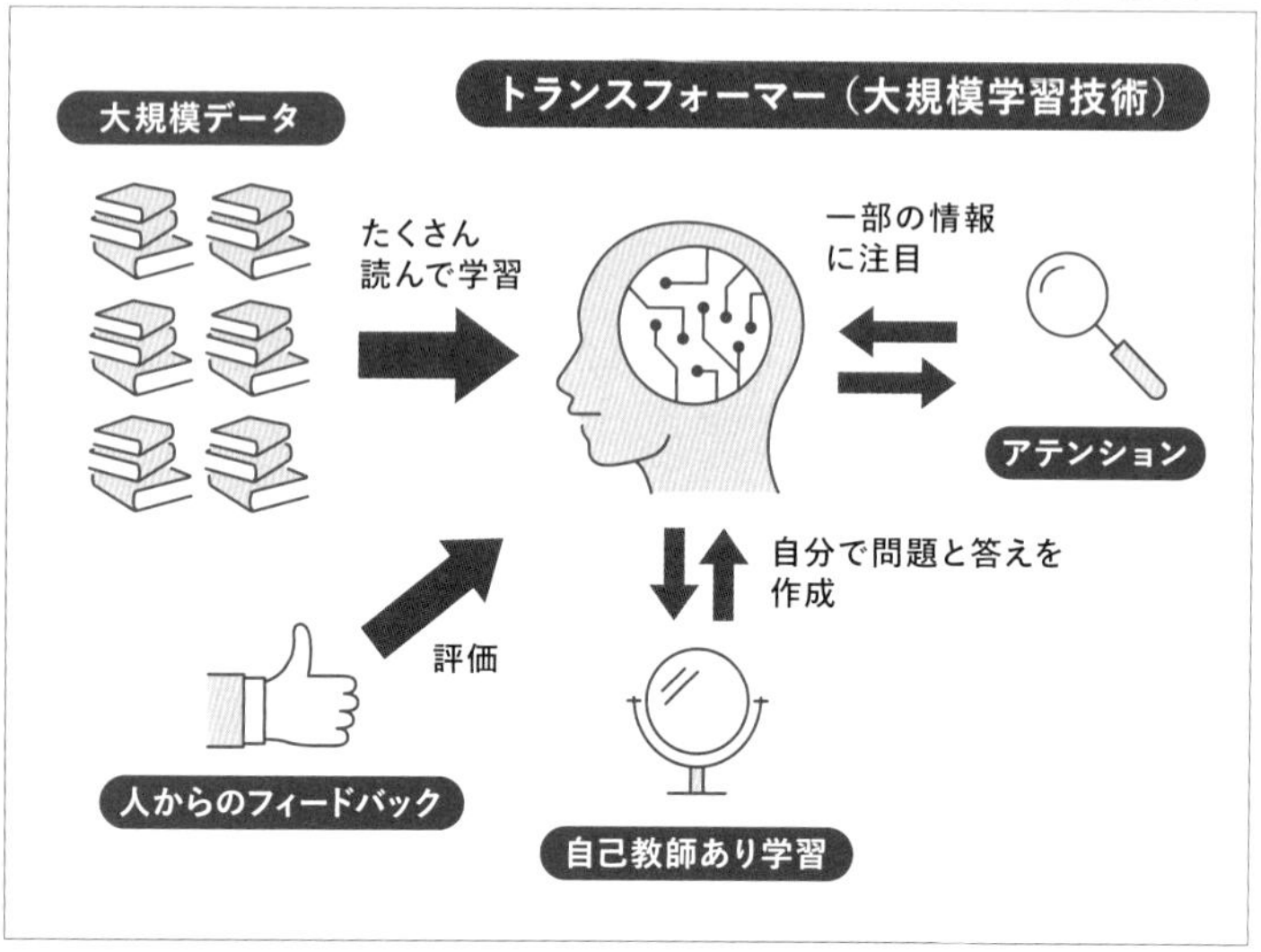


また、「**自己教師あり学習**」という手法を用いて、大規模なデータをもとに「**自分で問題と答えを作成**」します。自身で演習問題を大量に作り出すことで、たくさんのバリエーションの学習機会を自ら作り出すのも賢さの秘訣です。

さらに出力した結果に対して「**ヒトからのフィードバック**」により評価を得ることで、出力を最適にしていきます。

ＧＰＴのような大規模な言語ＡＩは、こうした大規模な学習が得意な仕組みの連携プレーによって、状況に応じた適切な言葉を選ぶ能力を授かるのです。これによりＧＰＴ時代のＡＩは、大規模なデータを効率的に学習し、高い汎用性能を発揮することが可能になったのです。

トランスフォーマーはＧＰＴ時代のＡＩにとって、必要不可欠だった技術だと言えます。

## 「アテンション」という機構が優れもの

「アテンション」という「一部の情報に注目」することができる機構は、ＡＩの性能向上に大きく貢献しています。**「アテンション」は、入力されたデータのどこに注目すべきかを動的に特定する仕組みで、状況に応じてどの情報を重視して結果を出すかをコントロールしてくれます。**これにより、ＡＩは超大規模なデータであっても、非常に効率的に学習ができるようになったのです。

アテンション機構は、動的に作られるｉｆ文のようなものとしてたとえることができます。たとえば、「ある条件を満たす場合は、この処理を」といったような形で、ＡＩはさまざまな情報を適切に扱うことができるのです。これにより、ＡＩは状況に応じた適切な判断や対応が可能となります。

このアテンション機構のおかげで、ＧＰＴ時代のＡＩは複雑な問題にも対応できるようになり、より高い汎用性能や高い精度を実現することができるようになりました。

## 「自己教師あり学習」でセルフ学習

「自分で問題と答えを作成」できる「自己教師あり学習」も、ＧＰＴのようなＡＩがより高度なタスクを実現するために必要不可欠な存在です。「自己教師あり学習」は、ＡＩが**答えがついていないデータからでも、自分でデータからセルフで学ぶ方法**であり、大量のデータを効率的に活用して知識を増やすことができます。

自己教師あり学習では、ＡＩが自分で答えとなるデータを作成して学習します。「教師あり学習」という学習方式では、人間が正解データを与える必要があるのですが、「自己教師あり学習」ではその必要がありません。ＡＩはデータの構造やパターンを自分で見つけ出し、自ら答えとなるデータを作り出すことで学習していきます。

具体的に言うと、ＧＰＴは大量の文章データを入力として受け取り、その文章の中から穴あき問題を自分で作ります。そして、その問題を解くことで自分の知識を増やしていくのです。ＧＰＴが「りんごは赤い果物で、ビタミンＣが豊富である」という文章を受け取った場合、「りんごは◯◯果物で、ビタミンＣが豊富である」という穴あき問題を自動的に作ります。ＧＰＴはこの穴を正しく埋める鍛錬を繰り返すことで、自分で学習を進めることができるのです（図表3-3）。

図表3-3　**自己教師あり学習：大量の文章からランダムで隠した単語を予測**

りんごは［？］果物で、ビタミンCが豊富である。そのビタミンCは、免疫力を高め［？］を防いだり、肌を健康に保つ効果があります。また、りんごの［？］が腸内環境を整えるのにも役立ちます。栄養満点なりんご、毎日食べて健康維持に役立てましょう。

↓

りんごは**赤い**果物で、ビタミンCが豊富である。そのビタミンCは、免疫力を高め**風邪**を防いだり、肌を健康に保つ効果があります。また、りんごの**食物繊維**が腸内環境を整えるのにも役立ちます。栄養満点なりんご、毎日食べて健康維持に役立てましょう。

**GPTを、自分で無限に問題集を作れる人のように考えてみましょう。**この人は、どんな問題でも自分で作っては解いて、その経験をもとにさらに新しい問題を作ります。その繰り返しでどんどん賢くなっていくのです。このように、自己教師あり学習を利用したGPTは、大量のデータを効率的に学習し、高い汎用性能を発揮することができるようになったのです。

## 「ヒトによるフィードバック」で人に寄り添うように

AIが高い精度を保つためには「ヒトによるフィードバック」も不可欠です。大量のデータを大量のパラメータで演算し、そして最新の技術や学習方式を用いたのちに、多くの人が納得し心地よいと思う出力を作り出すために**必要不可欠だったのが、「ヒトによるフィードバック」**なのです。

これは、人が好む出力や人が不快に思わない出力を確率高く出すための訓練で、ＲＬＨＦ（Reinforcement Learning from Human Feedback）というものにより「ヒトによるフィードバック」を実現しています。

ＲＬＨＦは、人間からのフィードバックを利用してＡＩモデルを改善する強化学習の手法です。このアプローチでは、人間がＡＩの出力に対して評価やフィードバックを与えることで、ＡＩがそのフィードバックを学習し、性能を向上させます。

ＧＰＴは、この方法を使って人間の言葉や考え方に近い文章やアイデアを出すことができるようになりました。ヒトによるフィードバックにより、人に寄り添う能力が大きく伸びたのです。

このように、ＧＰＴは「大規模学習技術とヒトのフィードバック」によって大きく成長したと言えます。

# GPTの「仕組み」を知っておこう

## 仕組みの基本は「次にくる言葉の予測」

GPTの仕組みの基本は、次にどんな文章が適切なのかを推論することになります。文章を生成する際には、過去の情報や文脈をもとに、もっとも自然な続きを予測して出力するのです。この仕組みは、まるで会話の中で、次に言いそうな言葉を予想して返すようなものです。人が会話の流れや文脈を考慮して、もっとも適切な言葉を選ぶように、GPTも文章を生成します。

たとえば、「赤りん」の後に続く言葉は？　という問いがあったら答えは「ご」となります。また、「むかしむかし」の次にくる言葉は何か？　という問いがあれば答えは「あるところに」が次に続く確率が高く（図表3-4）、さらにその続きは「おじいさんとおばあさんがいました」もしくは「浦島太郎という青年がいました」などが推論されます。

このような**「次にくる言葉としてもっとも適切なものはなんなのか？」を壮大なスケールで行なっている**のです。

図表3-4　言語AIの仕組み——確率的な推論

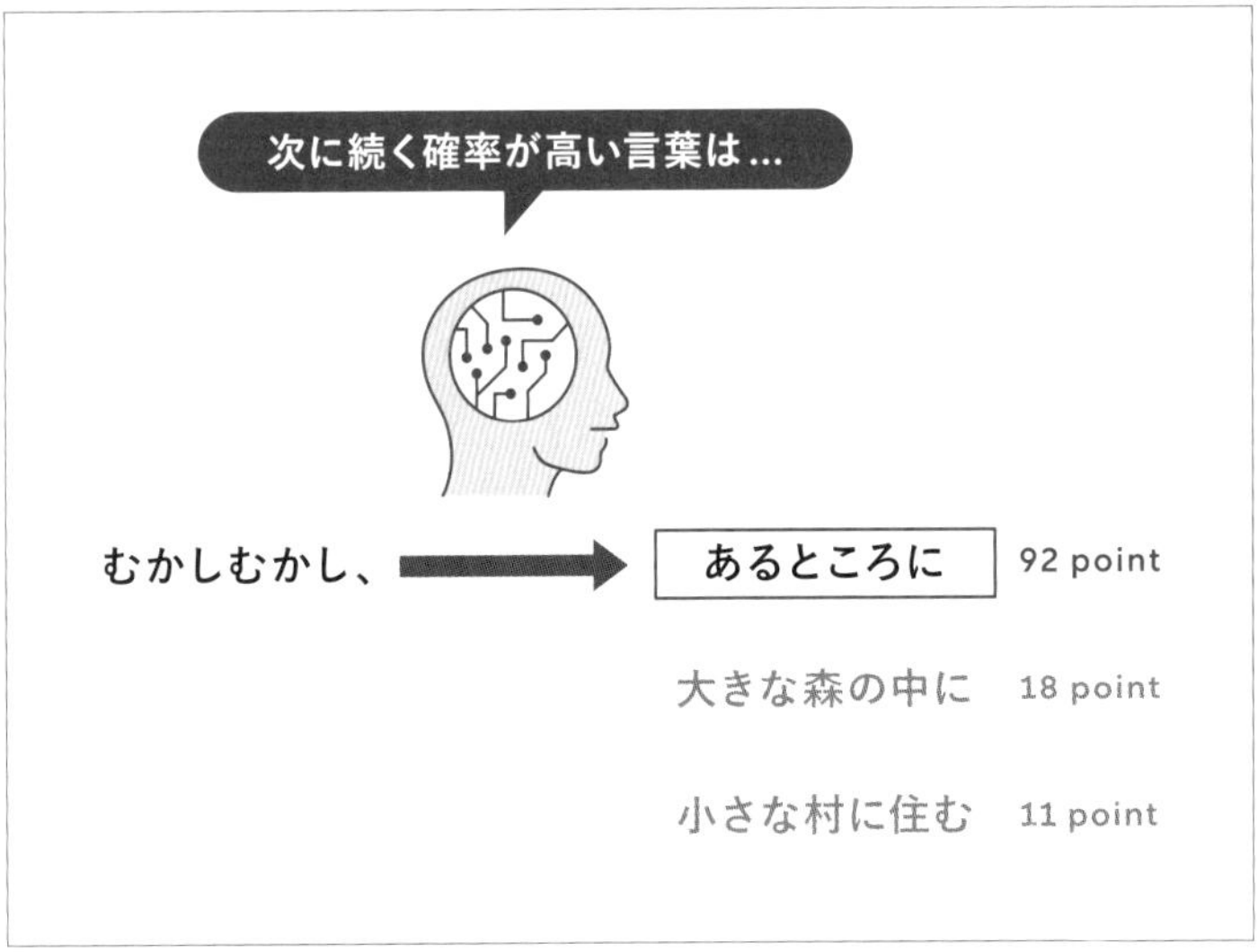


GPTが恐ろしいのは、「この次にくる言葉がなんなのか？」をとてつもなく大量のデータで繰り返し予測し続けたことにより、結果として自然な対話をとても柔軟にできるようになったり、いろんな分野の専門家として立ち振る舞えるようになったところです。さらに、この鍛錬のおかげで、たくさんの種類の高難易度の知的なタスクもこなせる基礎能力をもったことが本当に驚きなのです。

## 「指示の出し方」で性能が大きく変わる

「キホン用語」の解説でも伝えた通り、GPTに対して何らかのアクションを起こさせたり、**回答を得たりする際に与える指示のこ**

**とをプロンプト**と呼びます。ＧＰＴの性能は、このプロンプトの出し方によって大きく変わります。指示が明確であればあるほど、ＧＰＴはより正確で適切な結果を出力します。逆に、あいまいな指示では、意図しない回答しか得られないことがあります。

　ＧＰＴの性能を向上させるためには、プロンプトの工夫が欠かせません。たとえば、具体的な事例や状況を想定して質問することで、ＧＰＴはより適切な回答を出力します。また、質問の範囲を狭めることで、回答の精度を上げることができます。プロンプトの工夫は、ＧＰＴを最大限活用するための重要な要素となります。

　指示の出し方によって精度が変わる有名な話があります。ＧＰＴは、人間のように文章を理解し、適切な回答を生成することができますが、時々、ＧＰＴが期待する回答を得ることが難しいことがあります。

　そのような場合、ＧＰＴへの指示に「ステップバイステップ（Step by Step）で」という１文だけを加えるだけで、回答性能が向上することがわかっています。この表現を使うことで、ＧＰＴは段階的な説明や手順を提供するようになり、理解しやすい回答が得られるのです。

　このように、少しの工夫や指示の出し方でＧＰＴの性能が大きく変わります。プロンプトの力を磨くことで、ＧＰＴの魅力を存分に引き出せるようになりましょう。

## 「専門家」になりきると精度アップ

前述のＧＰＴの「ここまでできる10選」でも紹介したのですが、ＧＰＴへの指令を出す際に、役割や立場を定義してあげるだけで回答の質が上がることも立証されています。具体的には、**「あなたは○○のプロです」といった1文を添えるだけ**で、出力精度が大幅に上がることがあるのです。

ＧＰＴは膨大な知識をもとに学習していますので、回答の正しさを上げるために、知識の空間を制御することが重要だと言われています。専門家の役割をＧＰＴに演じさせることで、適切な回答やタスク実行が可能になります。

さらに興味深いのは、「あなたはアインシュタインです」や「あなたは聖徳太子です」といった、過去の偉人たちとしてプロンプトで宣言することで、それらの人物のように振る舞うという点です。有名な偉人でなくても、その人の特徴や口癖などを個別にＧＰＴに教えることで、その人のように振る舞うことができます。

専門家だけでなく、振る舞ってほしい人物としてＧＰＴを動かすことで、より柔軟で幅広い対応が期待できます。この方法を活用し、ＧＰＴの性能を最大限に引き出してみてください。

図表3-5　画像生成AIの仕組み

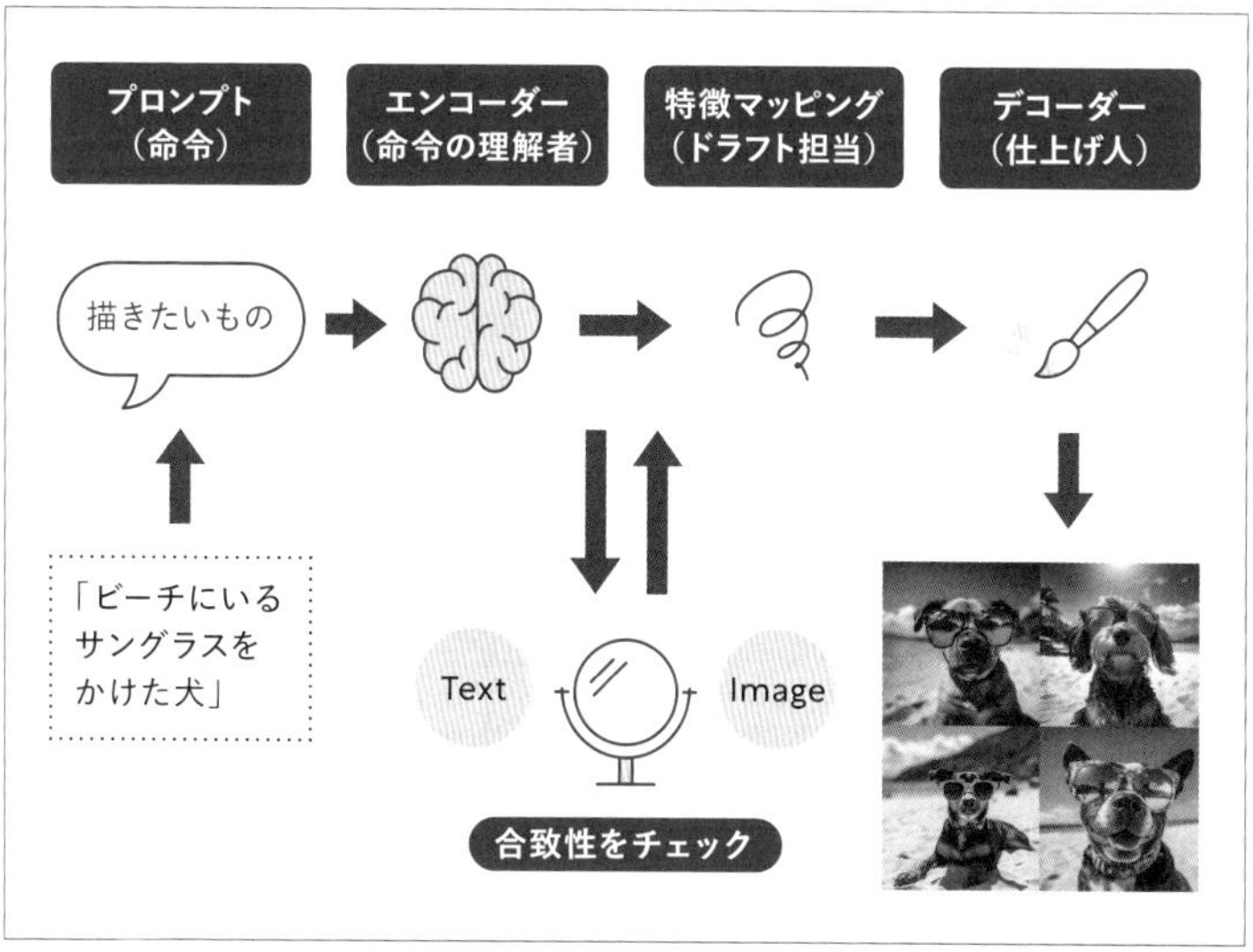


## 「創るAIの仕組み」も簡単に知っておこう

これまで、GPTなどの大規模な言語AIの仕組みについてお話ししてきましたが、創るAIである「画像生成AI」の仕組みも理解しておきましょう（図表3-5）。

画像生成AIの代表格には、「Midjourney」や「Stable Diffusion」、OpenAIの「DALL・E2」などがあります。

これらのAIは、GPTと同様にプロンプトという仕組みで動きます。**GPTが言葉を使って言葉を生成するのに対して、これらの創るAIは言葉による指示にしたがって画像を生成します。**画像生成AIの種類によって仕組みの詳細は若干異なりますが、大枠の仕組みについては共通化しています。

テキストから画像を創る、画像生成ＡＩは、入力されたテキストの意味を受け取る仕組みをもっています。たとえば、「ビーチにいるサングラスをかけた犬」といった**テキストの意味合いを解釈し「命令を理解する」機能**があります。これは「**エンコーダー**」と呼ばれます（なお、一般的にエンコードとは「情報を一定のルールに基づいて変換すること」を指します）。

**「命令を理解する」ことができたらその情報を「ドラフト担当」に渡します。**入力された文字と作り出そうとする画像の特徴を**マッピング**していきます。**文字と画像の合致性を繰り返しチェックする**ことで、正解に近いドラフト（絵を描く指示書のようなもの）を仕上げます。絵を描くための指示書である**ドラフト情報を「仕上げ人」である「デコーダー」に渡して、画像の生成を行なってもらう流れ**になります（一般的にデコードとは「エンコードされた情報をもとの形に戻すこと」を指します）。

この流れに沿うことで、入力されたテキストの意味合いに近い画像を生成することができます。画像生成ＡＩはこの仕組みにより、「ことば」を起点にして、写真のようなリアルな画像や、新しいアート作品などを生み出すことができます。

第4章

# GPT時代のAI企画力を磨く

# ＧＰＴ時代のＡＩを使った「企画を立案」する

## 企画作りは「アンラーン」から

ＧＰＴ時代のＡＩの「キホン」や「仕組み」を理解できたら、次は「企画力」を身につけましょう。**ＧＰＴ時代のＡＩの企画を考えるにあたっては、「アンラーン」つまり、これまでの常識を忘れることが重要**です。特に、ＡＩに関連した企画をしたことがある方は、ＧＰＴ以前のＡＩの能力にとらわれず、新たな視点からアプローチする必要があります。

ＧＰＴの登場前は、言語ＡＩの能力が未発達だった時期がありましたから、そのときの企画は良い内容であっても実現可能性が低いものが多い傾向がありました。逆に今は、思いつく企画の多くが現実のものとなる可能性が高いことが多いです。

ロボティクス系などが絡む物理的な要素を除けば、必要なデータさえあれば、さまざまな企画が実現可能なものになるでしょう。過去の常識にとらわれず、「アンラーン」することで、新しい視点から自由に企画を練ってみてください。

図表4-1　GPT時代の「5つのAI企画メソッド」

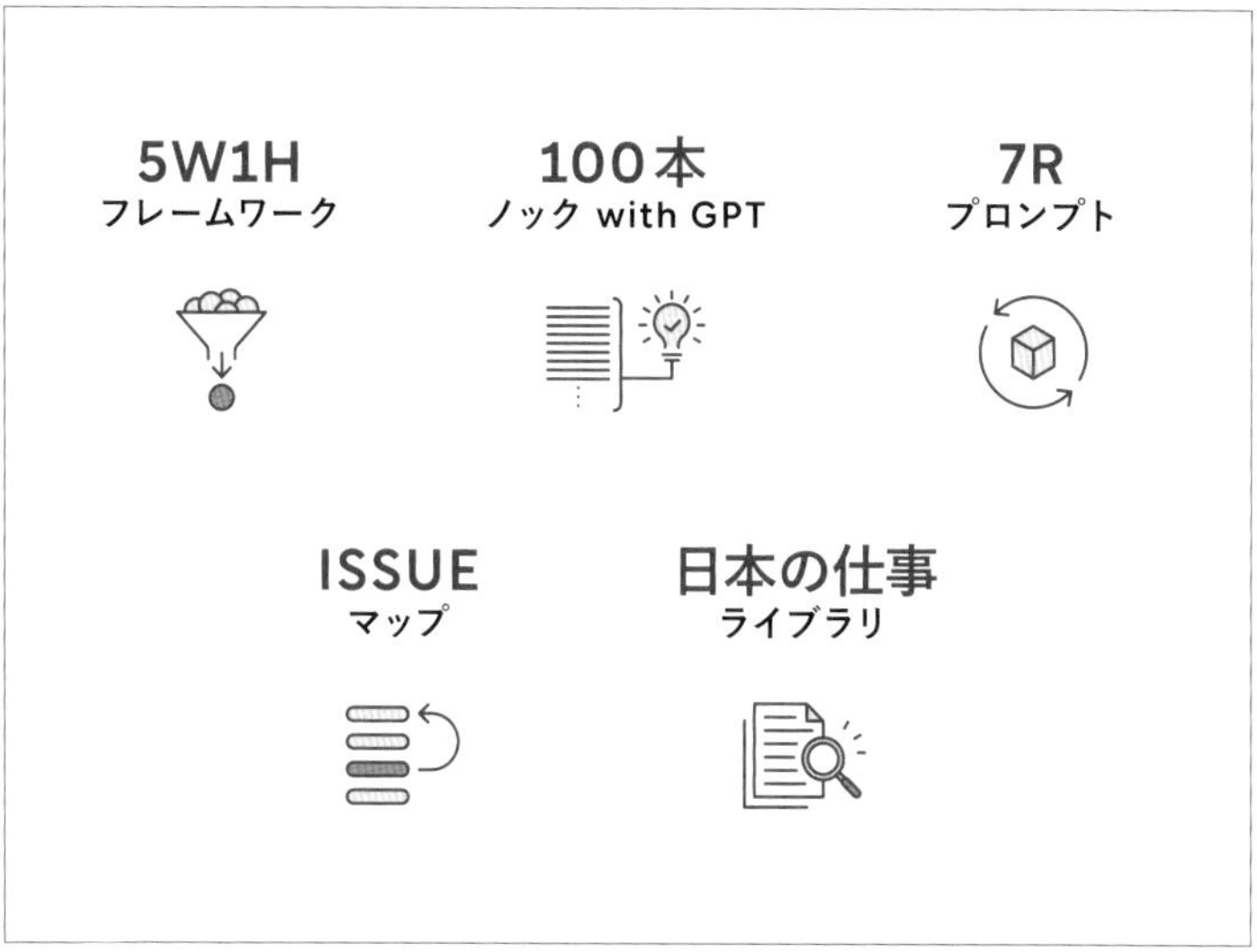


## GPT時代の「5つのAI企画メソッド」

GPT時代のAI企画を考える上で役立つ方法があります。それらを「5つのAI企画メソッド」としてご紹介します（図表4-1）。

まず、**企画精度を上げる「5W1Hフレームワーク」を紹介します。**

これは私の前著『文系AI人材になる』で提唱したAI企画フレームワークを、新たなGPT時代のAIに合わせて大きくアップデートしたものです。GPT時代のAI企画を詳細化し解像度を上げるフレームワークになります。

次に、アイディエーションをGPTととも

に行ない大量のアイデアを生み出す「**100本ノック with GPT**」を紹介します。課題の種類のみを指定するだけでＧＰＴが企画考案を進めていく仕組みです。

　そしてＡＩ企画の実現性をプロンプトで事前に確かめておく「**7Rプロンプト**」です。網羅的なプロンプト入力を行ない、考案したアイデアが実現可能かを確認します。「**ISSUEマップ**」では、「ＧＰＴで解くべき課題なのか？」というアイデアの重要度と、「ＧＰＴでアイデアが実現できるか？」の実現可能性を双方確認しマッピングすることで、取り扱うべき最適なアイデアを絞り込みます。

　最後に、「**日本の仕事ライブラリ**」は、日本に存在する主な仕事をマッピングしたもので、「それぞれの仕事に対してどんなプロンプトが役に立ちそうか？」についてリスト化したものです。「日本の仕事ライブラリ」を起点にして、業務に役立つ新たなアイデアを探し出すことも１つの企画考案方法となるでしょう。

# 手始めに「身近なタスク」の洗い出しから

## 難しく考えず「身近なタスク」から考え始める

「AI企画メソッド」を使う前に、まずは**ウォーミングアップとして、手始めに自分の「身近なタスク」からAIの活用アイデアを考えてみましょう。**難しく考えず「身近なタスク」から考え始めてみるのがよいでしょう（図表4-2）。

まずご自分の業務や作業の中で「もっとも時間を使っているタスク」をあげてみましょう。AIによって効率化されると時間が節約できて嬉しいタスクを洗い出してみるのです。

次に、洗い出したタスクの「タスク実行のおおまかな流れ」を書き出しましょう。タスクを実行する上で、「どの工程をAIに任せられるのか？」を具体的に想像してみましょう。そして、「タスクの実行に必要な情報やデータ」をあげます。「タスクを実行するときに参照している情報やデータは何か？」を思い返してみてください。

最後に、「新人にそのタスクを実施してもらうための具体的な指示文」を書き出してみましょう。AIも新人と同じように、具体的な指示がないと動けないため、この工程が非

図表4-2　AIに置き換えられる身近なタスクの洗い出し

STEP1　業務の中で【もっとも時間を使っているタスク】をあげてください。

STEP2　それぞれの【業務のおおまかな流れ】を書いてください。

STEP3　タスク実行に【必要な情報やデータ】をすべてあげてください。

STEP4　新人にそのタスクを実施してもらうための【具体的な指示文】を200文字程度で書いてみてください。

常に重要です。

もし仕事をしていない学生の方でしたら、仕事以外でも日々行なっている作業でアイデアを作ってもいいですし、仕事の内容を想像しながら書いてみるのもよいでしょう。身近なタスクから考え始めることで、AIの活用が現実味を帯び、具体的なアイデアが生まれやすくなります。

## 新人へのタスク指示文がそのまま「AI用のプロンプト」になることも

自分や周りで1日のうちに多くの時間を使っているタスクを2〜3個特定してみましょう。タスクによっては、GPT時代のAIで簡単に解決できるものや、条件さえ揃えば解決できるもの、そして解決が難しいものに分かれるでしょう。

ＡＩでタスクが解決可能かどうかを素早く確かめる方法があります。書き出してもらった「新人へのタスク指示文」をＧＰＴにプロンプトとして入力してみましょう。「必要な情報やデータ」がなくても実行できるタスクであれば、ＧＰＴの出力も一定の精度のものになることがあります。**新人へのタスク指示文は、そのまま「ＡＩ用のプロンプト」になりえる**のです。

新人へのタスク指示文をプロンプトとして入力した際、そのまま業務で使用できそう、もしくは少し手直しを加えるだけで使える出力が得られるとしたら、そのタスクはＡＩでこなせるという証明になります。ＡＩがこなすことができるタスク、かつ、複数の人が時間を使っているタスクをたくさん洗い出してみましょう。

そして、集めたアイデアを「解像度の高い企画」へと進化させるため、「ＡＩ企画の５Ｗ１Ｈ」を始めとした企画メソッドを活用しましょう。

実際に、Ｄ２Ｃ家具ブランド（ＫＡＮＡＤＥＭＯＮＯ　https://kanademono.design）のスタッフ70名で行なった「ＡＩアイディエーション」のシートの例が図表４-３、図表４-４、図表４-５、図表４-６です。

図表4-3　**業務で使えるAIのアイデアを考えよう①**

**STEP1　業務の中で【もっとも時間を使っているタスク】をあげてください。**
広告バナー、テキストの作成。

**STEP2　それぞれの【業務のおおまかな流れ】を書いてください。**
訴求内容を決める→コピーを考える→画像を探す→配置する→デザイン調整をする

**STEP3　タスク実行に【必要な情報やデータ】をすべてあげてください。**
訴求したい商品・内容、バナーサイズ、コピーの文字数と内容、パターン数、画像。

**STEP4　新人にそのタスクを実施してもらうための【具体的な指示文】を200文字程度で書いてみてください。**

広告配信用のバナー作成をお願いします。

訴求したい商品は新しい天板です。

バナーサイズは○○○×○○○px、コピーは○○文字以下で商品を訴求する内容を複数パターンをお願いします。

画像は△種類の中から使ってください。

図表4-4　**業務で使えるAIのアイデアを考えよう②**

**STEP1　業務の中で【もっとも時間を使っているタスク】をあげてください。**
打ち合わせとその調整、指示出し

**STEP2　それぞれの【業務のおおまかな流れ】を書いてください。**

【スケジュール調整】参加者を決めて、社内メンバーの可能スケジュールの洗い出し。先方へ打診。必要あれば再調整。FIX後オンラインMTG設定。カレンダー招待。

【MTG】事前アジェンダ作成。MTG進行。議事録とラップアップ作成。ネクストアクションとタスク、期限の確認。次回MTGの調整。

【MTG後】社内メンバーへの議事録、内容共有。タスクの担当割り振り。

**STEP3　タスク実行に【必要な情報やデータ】をすべてあげてください。**
社内メンバーのスケジュールと連絡先、先方の連絡先

**STEP4　新人にそのタスクを実施してもらうための【具体的な指示文】を200文字程度で書いてみてください。**
○○さんと△△プロジェクトの進捗状況ついて打ち合わせがしたいです。
社内参加メンバーのスケジュール確認して、1時間オンラインミーティングができる時間を確保して、先方と調整してください。日程が固まったら、オンラインMTGの設定、URL共有。

ミーティング当日は、議事録とラップアップ、タスク整理の作成お願いします。

ミーティング後には、社内メンバーへの議事録共有と社内タスクの割り振りもしてください。

社内メンバー：Aさん、Bさん、Cさん

### 図表4-5　業務で使えるAIのアイデアを考えよう③

**STEP1　業務の中で【もっとも時間を使っているタスク】をあげてください。**

商品を掲載する前の商品ページチェック。

**STEP2　それぞれの【業務のおおまかな流れ】を書いてください。**

① MDチームに新規商品の情報を決定してもらう。
② メンバーが、①の情報を元に商品ページを作成する。
③ ①と②で齟齬がないか目視でチェックする。

**STEP3　タスク実行に【必要な情報やデータ】をすべてあげてください。**

① 新規商品のデータ
② ECサイトに入力し商品情報

**STEP4　新人にそのタスクを実施してもらうための【具体的な指示文】を200文字程度で書いてみてください。**

ECサイトに掲載する前に、新規商品ページに記載の情報に齟齬がないかチェックしていただきたいです。こちら（掲載予定の商品データCSVのリンク）が明日掲載予定の○○○○○の商品ページのCSVデータです。このデータが、こちら（MDが用意した商品情報シート）と齟齬がないかチェックをお願いします。2つのシート間で齟齬があったらあげてください。

### 図表4-6　業務で使えるAIのアイデアを考えよう④

**STEP1　業務の中で【もっとも時間を使っているタスク】をあげてください。**

お客様対応

**STEP2　それぞれの【業務のおおまかな流れ】を書いてください。**

① お客様からお問い合わせをいただく。
② お問い合わせ内容を確認する。
③ ご回答を作成する。
④ お客様に返信する。

**STEP3　タスク実行に【必要な情報やデータ】をすべてあげてください。**

公式サイトの在庫数、公式サイトのお届けの目安、入荷予定、社内チャット内の情報確認、在庫数、Shopifyの注文情報、お支払い状況。

**STEP4　新人にそのタスクを実施してもらうための【具体的な指示文】を200文字程度で書いてみてください。**

お問い合わせ内容を選別してください。
内容に応じて情報を検索してください。
回答文章を作成してください。
お客様に返信してください。

# 「5W1H」フレームワークで解像度上げ

## 「AI企画の5W1H」は万能フレームワーク

「身近なタスク」からＡＩのアイデアを洗い出してみたら、その後はアイデアを「解像度の高い企画」へと引き上げていきましょう。「解像度の高い企画」を作る際に役に立つ、「ＡＩ企画の５Ｗ１Ｈ」フレームワークについて解説していきます（図表４-７）。「ＡＩ企画の５Ｗ１Ｈ」は、次の６つの要素で企画を具体化します。

①誰のためのＡＩなのか（ＷＨＯ）
②なぜＡＩが必要なのか（ＷＨＹ）
③どのデータを参照するか（ＷＨＩＣＨ）
④どこのＡＩで行なうか（ＷＨＥＲＥ）
⑤どんなＡＩなのか（ＷＨＡＴ）
⑥どう分業するか（ＨＯＷ）

図表4-7　AI企画の5W1Hフレームワーク（図表1-11再掲）

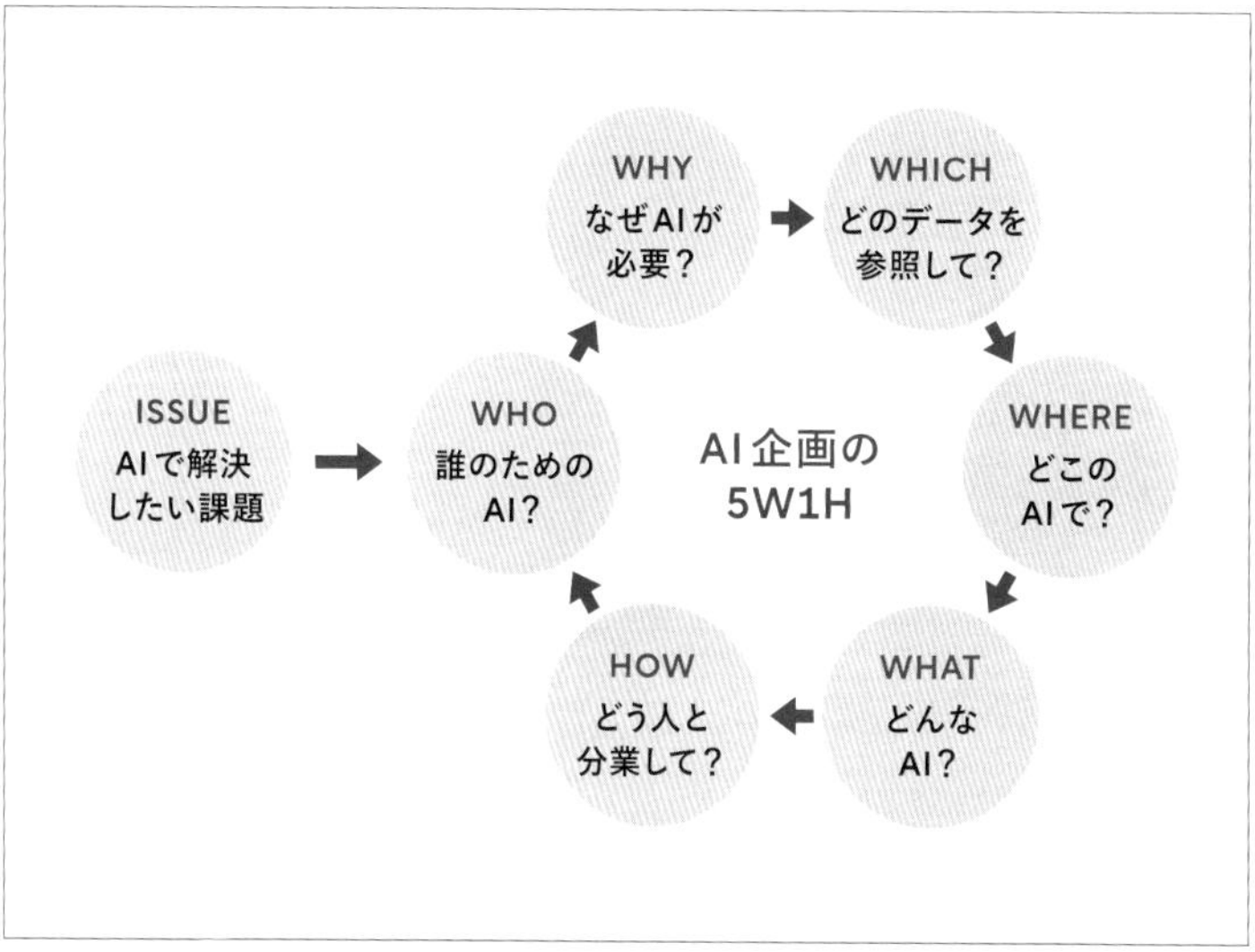


筆者の前著『文系ＡＩ人材になる』でも「ＡＩ企画の５Ｗ１Ｈ」は紹介しているのですが、ＧＰＴ時代のＡＩ、特にＧＰＴやGoogle Bardなどの言語ＡＩを活用するにあたり、このフレームワークをリニューアルしました。

この「ＡＩ企画の５Ｗ１Ｈ」を活用すれば、複数の観点でアイデアを精査することができ、企画の具体化につながります。ＷＨＯ、ＷＨＹ、ＷＨＩＣＨ、ＷＨＥＲＥ、ＷＨＡＴ、ＨＯＷの各観点から企画を深掘りすることで、単なるアイデアから具体的な企画へと昇華させることができるのです。

「ＡＩ企画の５Ｗ１Ｈ」を利用するにあたっては、まず「ＡＩによって解決したい課題は何か？」という起点から考えてみましょう。「何の課題を解決するためにＡＩを活用したいのか？」という問いからスタートし、ＷＨＯ、ＷＨＹ、ＷＨＩＣＨ、ＷＨＥＲＥ、ＷＨＡＴ、ＨＯＷを順に明確にすることで、アイデアは具体的な形になっていきます。

このフレームワークは言語ＡＩの企画作りに大いに役立ちます。具体的な問題解決を目指すあらゆるＡＩ企画に対し、この「ＡＩ企画の５Ｗ１Ｈ」は有効にお使いいただけるはずです。

## ＷＨＯ：誰のためのＡＩ？

「何の課題を解決するためにＡＩを活用したいのか？」という問いに対して考えたら、「ＷＨＯ：誰のためのＡＩ？」を明確にしましょう。まずこの企画のターゲットが「従業員」なのか、「取引先」なのか、「消費者」なのか、ＡＩの利用主体となる存在を明らかにします（図表４－８）。

そして、「具体的なターゲット像」も鮮明に描いてみましょう。**「従業員全員」というような広すぎる定義よりも、たとえば「新規取引の営業を行なっている新入社員」といった具体的なターゲットの設定**が有効です。具体的なターゲットをもつことで、課題の解像度

図表4-8 【WHO】誰のためのAI？

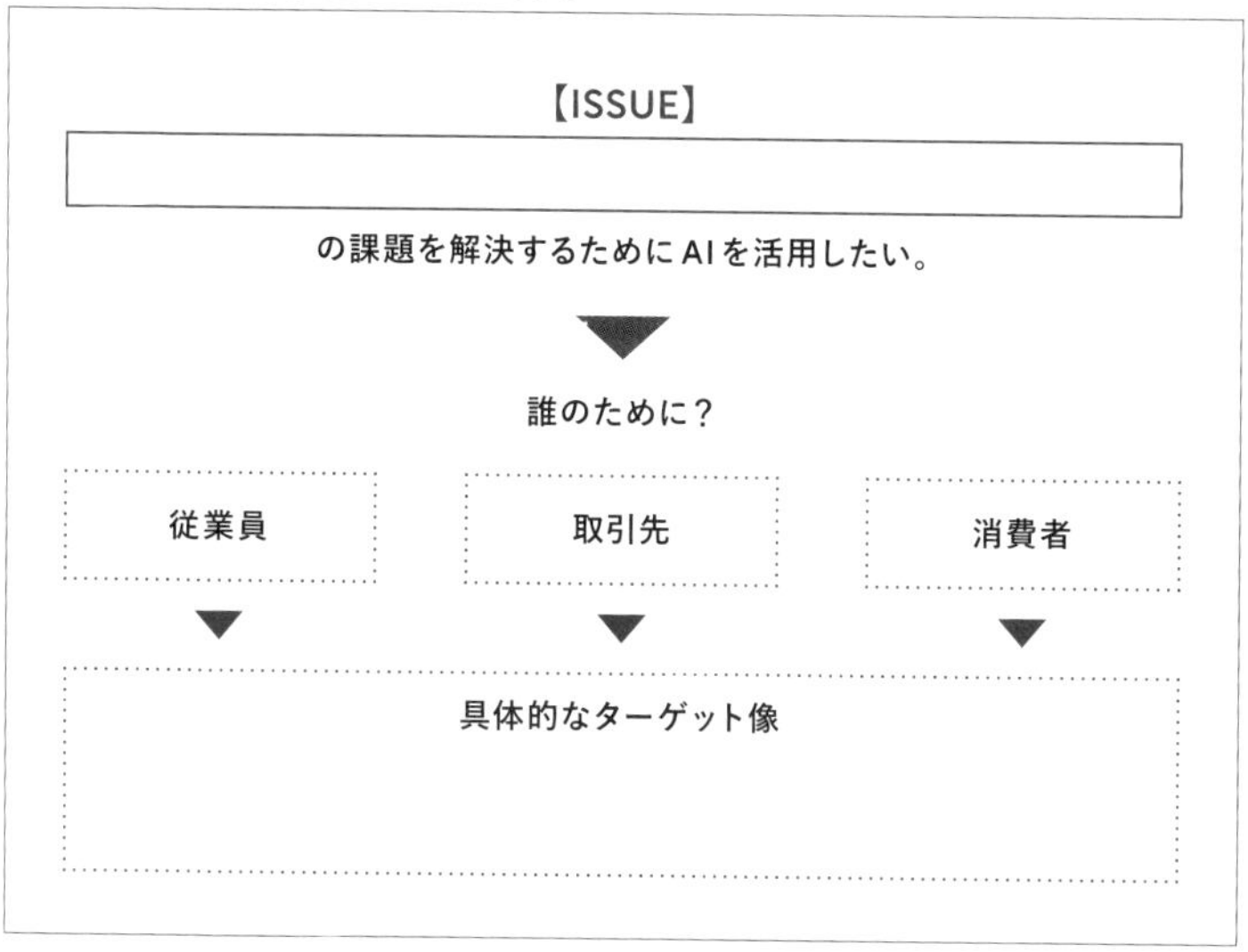


が上がり、具体的なアイデアが生まれ、それが実際に活用される可能性も高まります。

具体的なターゲット像を描くにあたっては、**「ターゲットのペルソナ作成」**をおすすめします。ペルソナは、ターゲットを具体的な人物像として描き出すもので、年齢や性別、職業、居住地、家族構成、趣味、関心、悩み、目標など、人物のさまざまな側面を詳細に設定します。これにより、課題の解決策をより具体的に、かつ効果的に考えることが可能になります。

## WHY：なぜAIが必要か？

「WHO：誰のためのAI？」を定めた後は、「WHY：なぜAIが必要か？」につい

図表4-9　【WHY】なぜAIが必要？

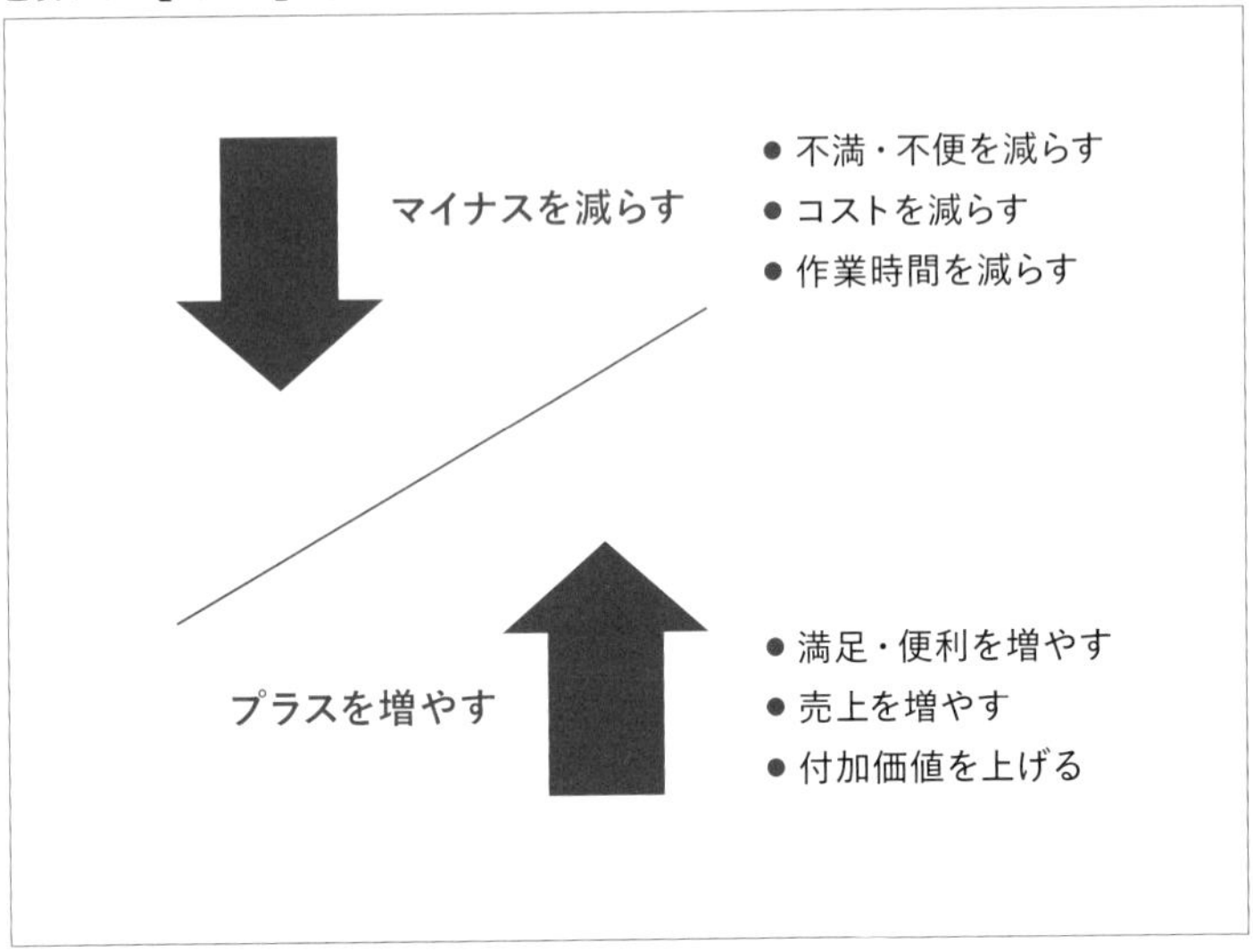


て考えていきましょう。ここで大切なのは、具体的なターゲット像がなぜＡＩを必要とするのか、その理由をはっきりさせることです。

技術を活用する企画を考えるとき、技術の可能性にばかり着目してしまい、本来の目的が見えづらくなることがあります。しかし、「なぜＡＩが必要か？」を明確にすることで、そのような視点のズレを防ぐことができます。

**「なぜＡＩが必要か？」を考える際には、「マイナスを減らす」ためなのか、「プラスを増やす」ためなのか、をまず考えてみましょう**（図表４-９）。「マイナスを減らす」場合、具体的には「不満・不便を減らす」「コストを減らす」「作業時間を減らす」のどれを目指すのか？　また、「プラスを増やす」のであれば、「満足・便利を増やす」「売上を増や

図表4-10 【WHICH】どのデータを参照して？

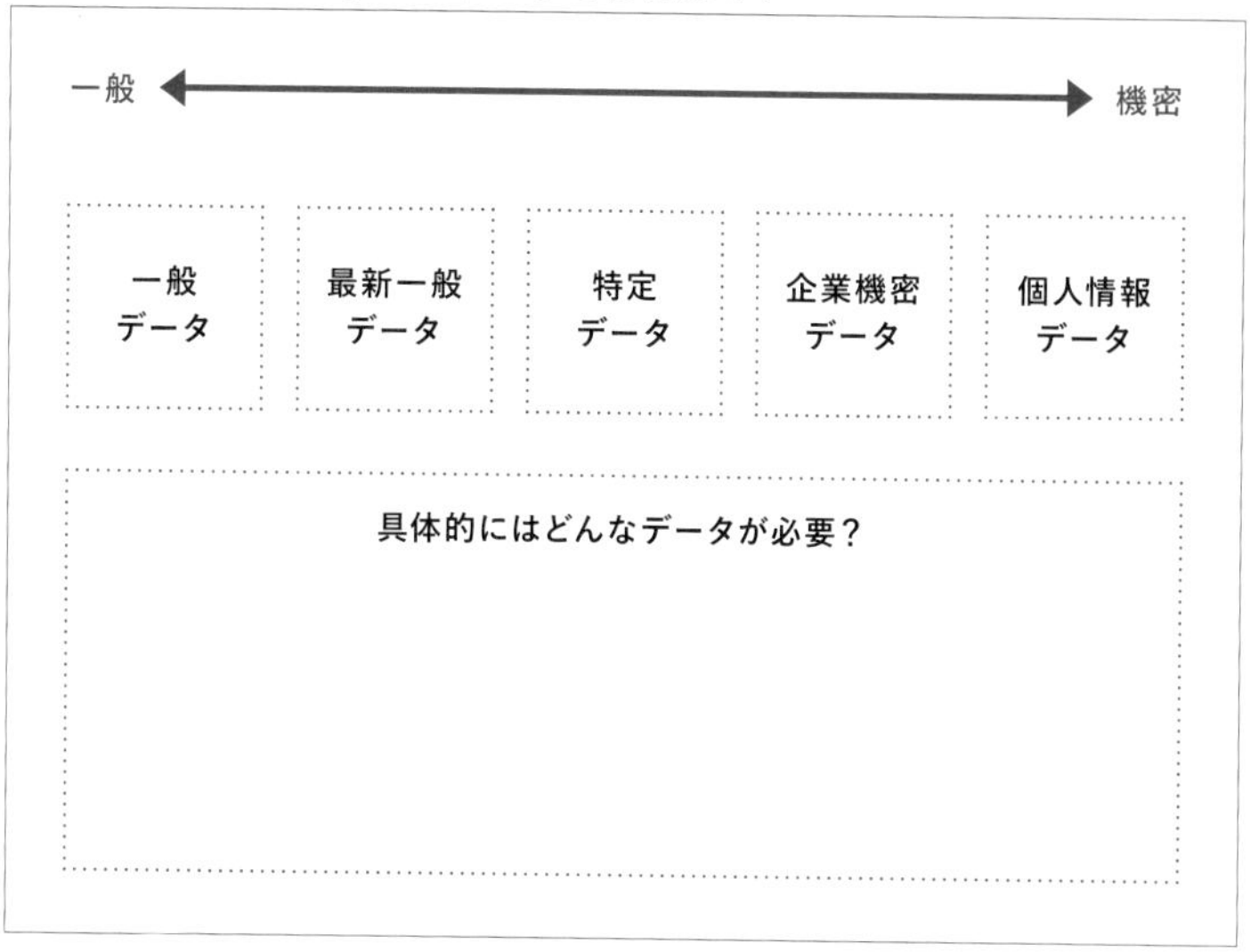


す」「付加価値を上げる」のどれを目指すのかを考えてみましょう。

大切なことは、技術を駆使するためではなく、ターゲットにとって本当に必要なことを達成するためにＡＩを利用するという、目的思考のスタンスを忘れないことです。

## ＷＨＩＣＨ：どのデータを参照して？

「ＷＨＯ：誰のためのＡＩ？」や「ＷＨＹ：なぜＡＩが必要か？」を明確にした後、次に考えるべきは「ＷＨＩＣＨ：どのデータを参照して？」という問いになります。

「ＷＨＩＣＨ」の段階では、ＡＩが仕事をこなすためにどのデータを必要とするのかを具体的に考えていきます。ＧＰＴ時代のＡＩ

にとって、この「WHICH：どのデータを参照して？」の確認は非常に重要です（図表4-10）。

GPT時代のAIは、非常に高度なタスクをこなす能力をもち、さまざまなタスクに対応する「汎用性」をもっています。しかし、特定の業界や企業、取引先や消費者に合わせた対応をするためには、特有の「参照データ」が必要となります。**人間でたとえると、IQが高い人でも、未経験の業界や企業の業務はすぐにはこなせないはずです。業務タスクを行なう上で、その業界や企業の知識や情報を参照する必要があるというわけです。**

GPTなどに「参照するデータ」は主に次の5つに分類できます。

- 一般データ：公開されている情報。AIの事前学習にも使われているデータ
- 最新一般データ：最新の公開情報。AIの事前学習には使われていないデータ
- 特定データ：特定の業界や企業、取引先や消費者に関するデータ。機密情報は含まれない
- 企業機密データ：企業等が取り扱う機密情報を含んだデータ。たとえば、営業取引や商品に関する非公開データなど
- 個人情報データ：個人に紐づく各種の情報

これらのデータの取り扱い方は、それぞれのデータの性質によって変わります。「一般」度合いの高いデータは比較的自由に扱えますが、「機密」度合いの高いデータは取り扱いに注意が必要です。「企業機密データ」や「個人情報データ」は、法律やプライバシーポリシーによって厳密に管理されているため、ＡＩに入力する際にはその取り扱いを十分に確認する必要があります。

「ＷＨＩＣＨ：どのデータを参照して？」では、ＡＩにどのタイプのデータを参照させる必要があるのか、そして**具体的にどんなデータが必要かを明確にする**ことが重要なのです。参照すべきデータは必ずしも1つに限らず、複数の種類のデータが必要な場合もあります。

これらのことを考えると、ＡＩを活用する企画の企画段階で必要な「参照データ」が何かを明確にすることができ、企画の解像度を高めることができます。

## WHERE：どこのAIで？

「ＷＨＩＣＨ：どのデータを参照して？」を解明した後に考えるべきは、「ＷＨＥＲＥ：どこのＡＩで？」の問いです。これはＡＩにデータを入力する際、そのデータの種類に

図表4-11　【WHERE】どこのAIで？

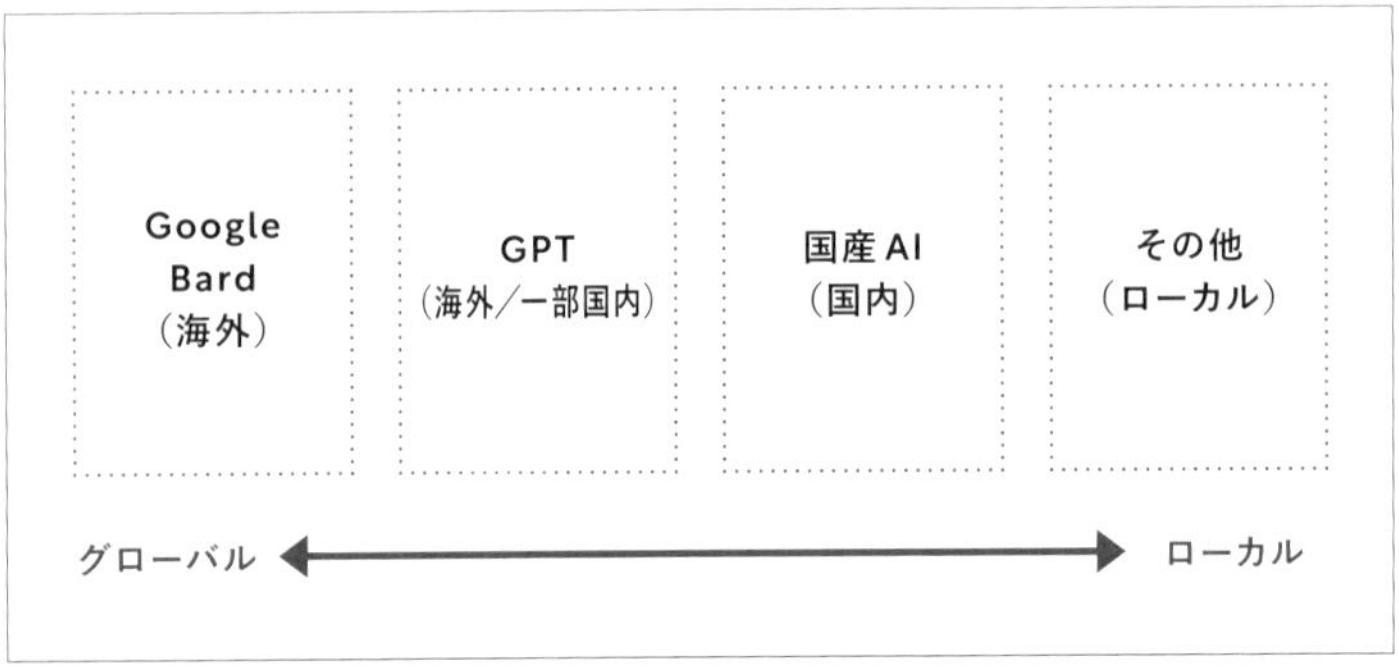


よって、「使用できるＡＩのサービス」が変わってくるからです（図表4-11）。

具体的に言えば、「企業機密データ」はその情報の安全性が確保されているサービスでのみ入力が許されます。

また、「個人情報データ」は、特定の個人を特定できる情報なので、海外サーバーに基づくサービスへの入力は慎重になるべきです。

これらの事項は個人情報保護法や組織のプライバシーポリシー、セキュリティポリシーを確認し、**各データの種類ごとに、どのサービスを使用できるのかを明らかにする必要があります。**

「どのＡＩサービスを利用して、企画を実現するのか」について、企画の段階で目処をつけておきましょう。

図表4-12　【WHAT】どんなAI？

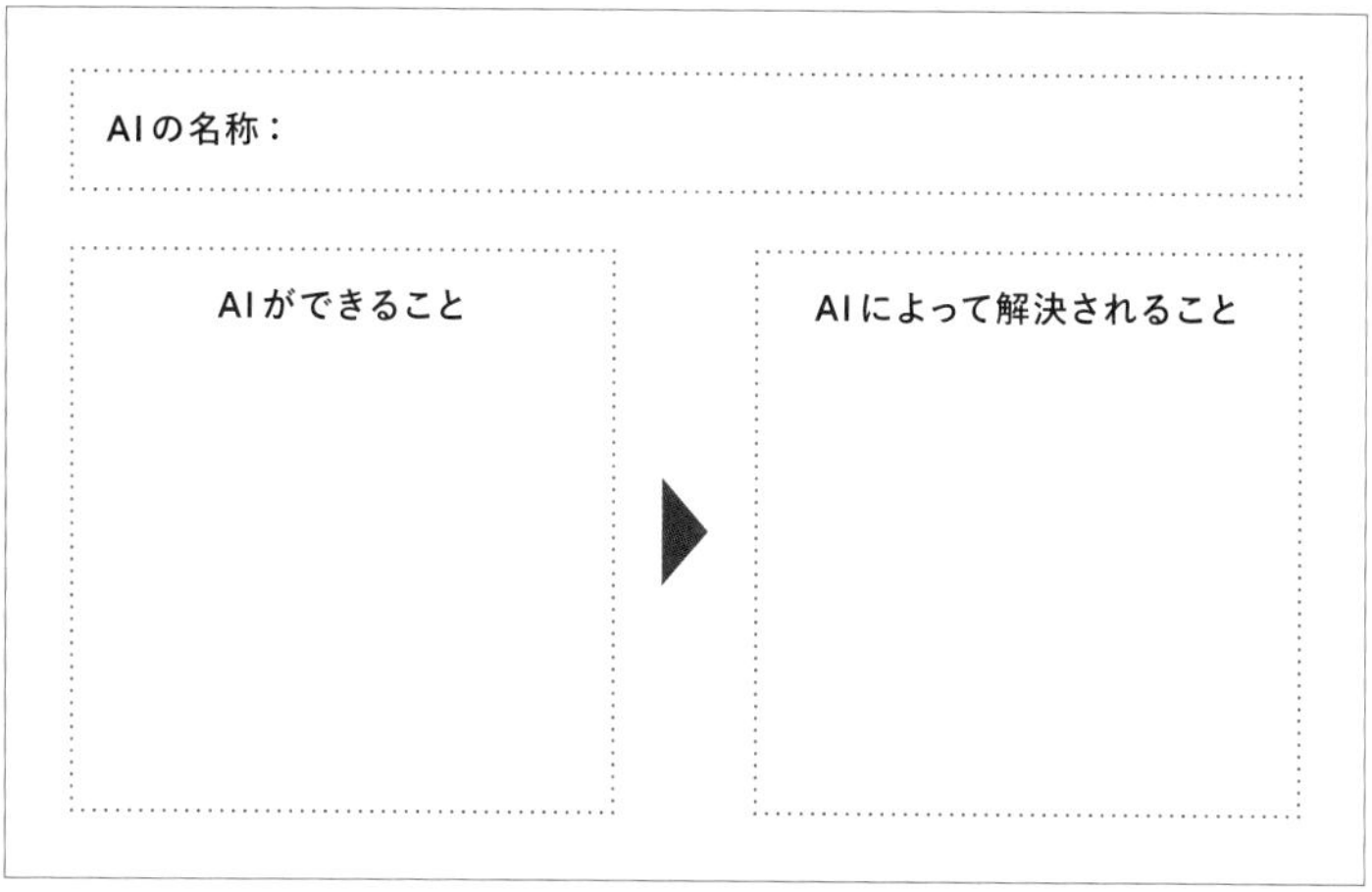


## WHAT：どんなAI？

「WHO、WHY、WHICH、WHERE」を整理した後は、「WHAT：どんなAI？」を具体化します（図表4-12）。

まずは「AIの名称」を決めてみましょう。**名前は親しみやすく、覚えやすいものを考案**してみましょう。インパクトのある名前なら、社内や属する組織内で話題となり、そのAI企画が広く認知されやすくもなるでしょう。

AIの名称を決めたら「AIができること」をリストアップします。あわせて「AIによって解決されること」も書き出していきます。

図表4-13　【HOW】どう人と分業して？

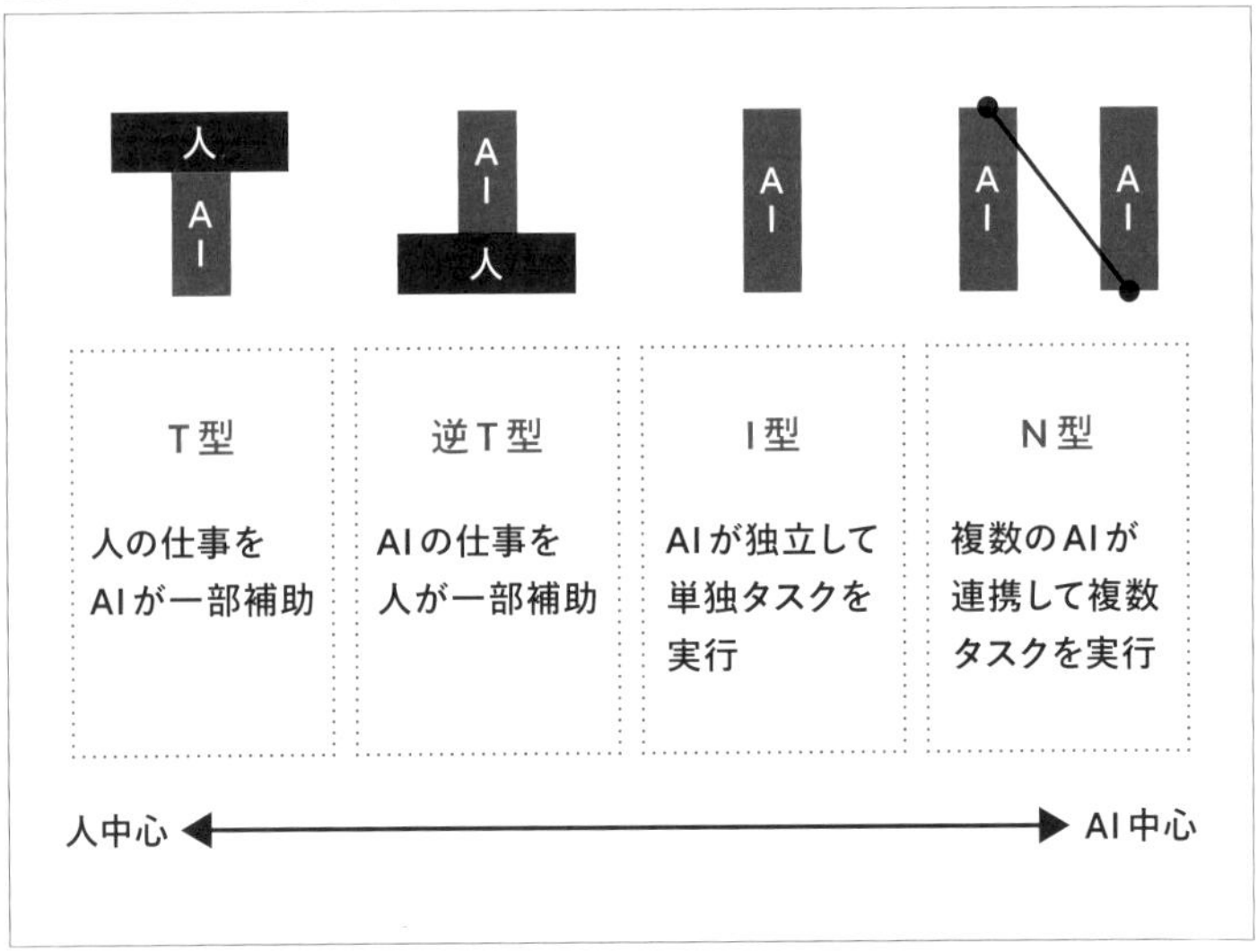


## HOW：どう人と分業して？

「HOW：どう人と分業して？」という最後の問いでは、私たち人間とAIの分業について考えていきます。AIは知的なタスクを驚異的な速度でこなす力をもっていますが、それにより「AIが人間の仕事を奪ってしまうのでは？」という声があがることもあります。AIに任せられるタスクはAIに任せながら、「**品質水準やクリエイティビティを磨くために、人がどのパートを受けもつべきか？**」について考えを固めていきます。「**人とAIがどのようにともに働くか？**」を定義していくのです。

人とAIの分業タイプは4つに大別できます（図表4-13）。

- T型：人の仕事をＡＩが一部補助
- 逆T型：ＡＩの仕事を人が一部補助
- I型：ＡＩが独立して単独タスクを実行
- N型：複数のＡＩが連携して複数タスクを実行

「T型」は人の仕事をＡＩが一部補助する形、「逆T型」はＡＩの仕事を人が一部補助する形を指します。さらに「I型」はＡＩが独立して単独のタスクを実行する形、「N型」は複数のＡＩが連携しながら複数のタスクを実行する形を意味します。

「T型」は人を横棒、ＡＩを縦棒に見立て、ＡＩが人の仕事を支えるイメージ、「逆T型」はその逆で、人がＡＩの仕事を支えるイメージです。「I型」はＡＩが独立して任務を遂行する様子を、そして「N型」は複数のＡＩがつながっている様子を表しています。

これらの形態は「T型」から「N型」へと進むにつれて、人中心からＡＩ中心へと移行します。ＡＩ企画の段階で、どのタイプの分業スタイルを採用するのかまで想定をしておきましょう。そうすることで、実際の運用に入る場合に、ＡＩと人間の役割分担を想定しておくことができるようになります。

図表4-14　言語AI企画の5W1Hフレームワークから考える

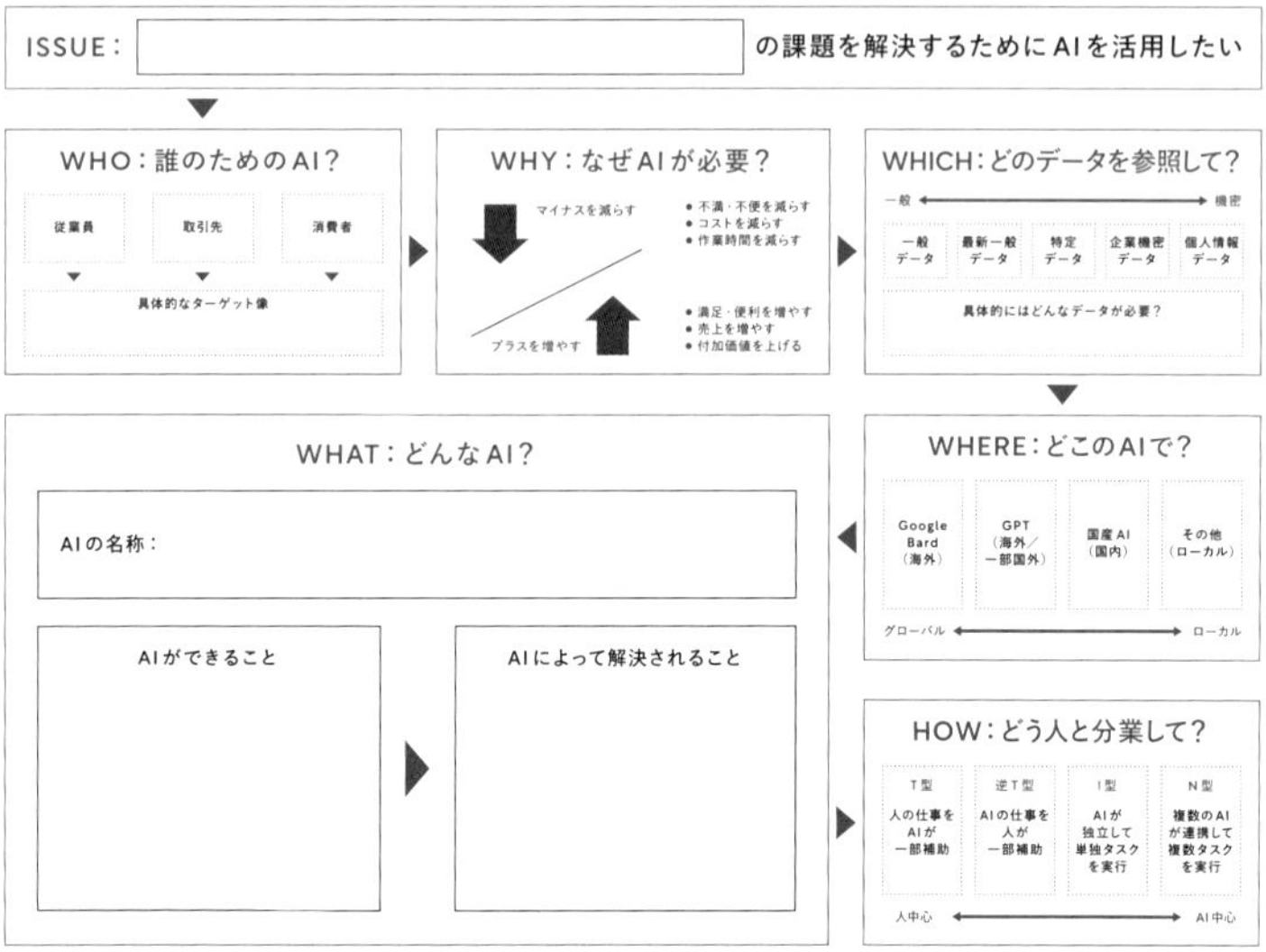


## 粗いアイデアを5W1Hで「解像度の高い企画」へ

これまでWHO、WHY、WHICH、WHERE、WHAT、HOWという5W1Hを使って、粗いアイデアを「解像度の高い企画」へとブラッシュアップする方法をお伝えしてきました（図表4-14）。

GPT時代のAIは知的能力が飛躍的に向上し、多種多様なタスクを高精度でこなせるようになりました。GPT以前のAIでは実現可能性に疑問が残っていたようなアイデアでも、今では実現性が急速に上がっているのです。

だからこそ、思いついたアイデアをどんどん出すことが大切です。**思いつきのアイデア**

**でも、ＧＰＴ時代のＡＩの力を借りれば、現実の解決策に変えることができる可能性が高いのです。**アイデアをどんどん量産して、そのアイデア群を「ＡＩ企画の５Ｗ１Ｈフレームワーク」に落とし込んでいくことで、「解像度の高い企画」が量産され、ＡＩによる課題解決が力強く進んでいくはずです。

## 「１００本ノック with ＧＰＴ」でアイデア量産と解像度上げ

### 解決したい課題をもとにして「ＡＩとアイデア量産」しよう

これまでは人が自力でＡＩ企画を磨いていく方法を解説してきました。以前であれば、私はＡＩ企画１００本ノックと題して、ＡＩ企画アイデアを「自力で１００本」考えてくださいとリクエストしていたのですが、ＧＰＴ時代のＡＩをうまく使って効率よく「ＡＩとアイデアを量産」することも可能です（図表４-15）。

図表4-15　AIをパートナーとして、AIアイデアを量産し解像度を上げていく

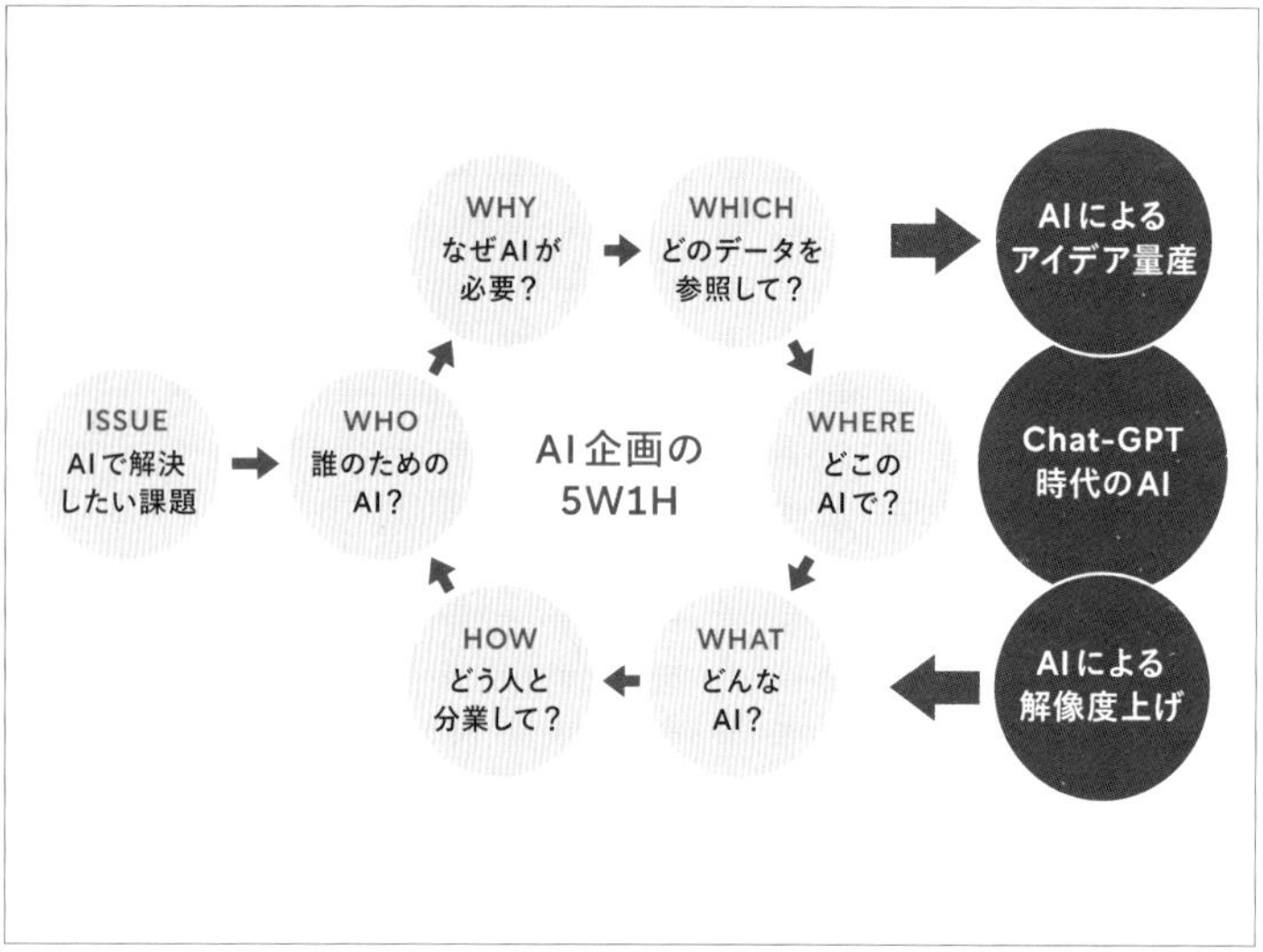


ＧＰＴ時代のＡＩは、アイデアを量産したり人と壁打ちをすることがとても得意です。ＡＩをパートナーとして、ＡＩアイデアを量産し解像度を上げていく技もぜひ身につけていただければと思います。

　ＡＩ企画はまず「量」を生み出すことが重要です。「アイデア・企画の量」を確保することによって、本当に重要なアイデア・企画が見逃されてしまう可能性を低くすることができるのです。解決したい課題をもとにしながら「ＡＩとアイデア量産」をしましょう。

「ＧＰＴ時代のＡＩ」はアイデア・企画の量を生み出す際の、「最強の壁打ち相手」になってくれます。**ＧＰＴ時代のＡＩをパートナーとしてしたがえることができれば、アイデアを１００本、なんなら１０００本考え出**

**すこともまったく苦ではなくなります。「解決したい課題」さえ明確であれば、ＧＰＴ時代のＡＩを使って、適したアイデアを誰でも量産できます。**これからの時代、ＡＩとともにアイデアを磨き、課題解決に取り組みましょう。

## ＡＩによるアイデア量産の「実例」

**ＡＩによるアイデア量産の「実例」**をご紹介しましょう。ＧＰＴに企画のもとになるアイデアを作ってもらう具体例です。「大企業における営業が非効率」の課題をＡＩを使って解決したいという設定で、次のプロンプトをＧＰＴに入力してみました（図表４-16）。

「あなたはＡＩ活用プランナーです。｛大企業における営業が非効率｝である課題を解決するために、生成ＡＩを使って新しい価値を生み出すユニークな「企画アイデア」を10個考えてください。企画について１００点満点の自己評価をつけてください。また、各企画アイデアの推しポイントを解説してください」

| | 必要な知識データ | 対象となるターゲットの具体像 | 推しポイント |
|---|---|---|---|
| | 営業員のスケジュールデータ、顧客データ、地理データ | 営業活動で多くの顧客を訪問する営業員 | 営業員の時間を節約し、効率を大幅に向上させます。 |
| | 営業員のパフォーマンスデータ、トレーニングデータ | スキルアップを求める営業員 | 個々の営業員の能力向上を支援します。 |
| | 顧客の購買履歴、行動データ、営業データ | 顧客の深耕を求める営業チーム | 既存の顧客からの新しいビジネスチャンスを最大限に引き出します。 |
| | 顧客問い合わせデータ、製品情報、FAQ | 24時間顧客サポートを必要とする企業 | 営業チームの問い合わせ対応負荷を軽減します。 |
| | 売上データ、市場データ、競合情報 | データ駆動の意思決定を求める経営陣 | データ駆動の意思決定を可能にします。 |
| | 顧客の購買履歴、製品データ、行動データ | 個々の顧客に対するパーソナライズされた営業を求める営業員 | 個々の顧客に対するパーソナライズされた営業を実現します。 |
| | 営業活動データ、レポートテンプレート | レポート作成に時間を費やす営業員 | 営業員のアドミニストレーション業務の負担を軽減します。 |
| | 顧客リードデータ、購買行動データ | 新規顧客獲得を目指す営業チーム | 営業リソースの最適化を可能にします。 |
| | 顧客データ、製品データ、マーケティングデータ | 個別の顧客に対応したプレゼンテーションを求める営業員 | 顧客へのパーソナライズされたプレゼンテーションを実現します。 |
| | インターネット上の公開データ、市場データ | 市場動向の迅速な把握を求める営業チーム | 営業チームが市場動向を把握し、戦略を調整するのを助けます。 |

図表4-16　ISSUE（課題）を基にしたAIによる企画アイデア

【Prompt】あなたはAI活用プランナーです。{大企業における営業が非効率}である課題を解決するために、生成AIを使って新しい価値を生み出すユニークな「企画アイデア」を10個考えてください。企画について100点満点の自己評価をつけてください。また、各企画アイデアの推しポイントを解説してください。表の列に「企画アイデアの詳細」「必要な知識データ」「対象となるターゲットの具体像」を追加してください。

| 企画アイデア名 | 企画アイデアの詳細 | 自己評価（100点満点） |
|---|---|---|
| AI営業支援システム | 営業員のスケジュールと訪問ルートを最適化するAIシステム | 90 |
| AI営業トレーニングツール | 個々の営業員のスキル弱点を特定し、個別トレーニングプログラムを提供するAIツール | 85 |
| AI搭載CRM | 顧客行動データを分析し、営業チャンスを特定するAI-CRM | 95 |
| AIチャットボット | 顧客の問い合わせに24時間対応するAIチャットボット | 80 |
| AI営業分析ツール | 営業データを分析し、売上予測や効果的な営業戦略を提示するAIツール | 90 |
| AI製品推奨システム | 顧客の過去の購入履歴や行動データをもとに、AIが適切な製品を推奨するシステム | 85 |
| AI営業レポート生成ツール | 営業員が簡単に日々のレポートを作成できるためのAIによる自動レポート生成ツール | 80 |
| AIリードスコアリングシステム | AIが顧客リードの購買可能性を評価し、最適な営業アプローチを提案するシステム | 90 |
| AI営業プレゼンテーションツール | 顧客の関心や需要に基づいて、AIがリアルタイムで営業プレゼンテーションをカスタマイズするツール | 85 |
| AIマーケットリサーチツール | AIがインターネット上の情報を自動的に収集・分析し、マーケットトレンドや競合情報を提供するツール | 90 |

すると、自己採点付きで、見事に企画アイデアを出してくれました。

ＧＰＴ時代のＡＩ活用人材としては、自らの頭で課題解決のためのアイデアを出すことも大事ですが、アイデア創出の時点でもＡＩを活用することをおすすめします。ＡＩにアイデアを出してもらう際にも、出力をみながら追加の条件や自己評価、改良などを促していくと、より良いアイデアをより多くＡＩと作り出すことができるでしょう。

これを活用すれば、さまざまな問題を解決するためのアイデアが次々と生まれ、企業や組織の成長や改善に寄与できるでしょう。ぜひみなさまもＧＰＴ時代のＡＩを活用して、アイデア量産を試みてください。

## 「究極奥義」5W1HをAIで自動生成し企画解像度を上げる

ＡＩを活用して大きな課題を解決するには、アイデアの「量」だけでなく、「企画の質」も向上させることが重要です。ここで注目したいのが、「**5W1HをAIで自動生成し、企画解像度を上げる方法**」です。

従来のＡＩ技術では難しかったことですが、最新のＧＰＴなどのＡＩ技術を用いることで、５Ｗ１ＨをＡＩが自ら考え整理することも可能になりました。実際に試してみると、

ＡＩは驚くほどの精度で５Ｗ１Ｈを詳細化してくれることがわかります。ＷＨＯ（誰のためのＡＩか）やＷＨＹ（なぜＡＩが必要か）、ＷＨＩＣＨ（どのデータを参照して）、ＷＨＥＲＥ（どこのＡＩで）、ＷＨＡＴ（どんなＡＩか）、そしてＨＯＷ（どのように人と分業して）といった要素をＡＩが自動生成し、企画のブラッシュアップに役立てることができるのです（図表4-17、4-18、4-19、4-20、4-21、4-22、4-23）。

　企画の解像度を上げる工程でも、ＡＩを使いこなすことで、高速化や量産化を狙うことができるようになりました。みなさまもこの究極奥義、「５Ｗ１ＨをＡＩで自動生成する方法」を習得いただき、ＡＩとともに優れた企画を生み出していくことにチャレンジしてみてください。

　このようにＡＩの力も使いながら、解像度の高いＡＩ企画を量産いただければと思います。ＡＩとの「１００本ノック」でアイデア量産と解像度上げを現代的な方法で実現いただければと思います。

図表4-17 **【WHO】誰のためのAI？**

【Prompt】「AI営業レポート生成ツール」をAIで実現する際に、対象とすべきターゲットの候補をあげてください。ターゲット像をペルソナ（日本人）として詳細に書き上げてください。

「AI営業レポート生成ツール」のターゲットとなるペルソナは以下のようになります。

ペルソナ1　田中 明

- **年齢**　40歳
- **職業**　大手電機メーカーの営業部長
- **チーム**　15人の営業員を管理
- **課題**　営業員からの日々の活動報告の整理と分析に時間がかかり、そのために営業戦略の立案やチームへのコーチングに必要な時間が削られてしまう。
- **AI営業レポート生成ツールへの期待**　効率的にレポートを作成し、時間を節約できること。また、レポートの品質と一貫性を向上させること。

ペルソナ2　佐藤 美咲

- **年齢**　30歳
- **職業**　ITスタートアップ企業の営業担当
- **課題**　多数のクライアントとのやりとりで忙しく、日々の営業活動報告の作成に多くの時間を費やしている。
- **AI営業レポート生成ツールへの期待**　日々のレポート作成時間を削減し、もっと顧客との対話や営業活動に時間を使いたい。また、レポート作成の手間を減らすことで、質の高い営業活動に専念したい。

ペルソナ3　鈴木 大輔

- **年齢**　45歳
- **職業**　中堅製造業の営業マネージャー
- **チーム**　8人の営業員を管理
- **課題**　営業員のレポート内容が一貫していないことから、全体的な営業パフォーマンスを把握するのが難しい。
- **AI営業レポート生成ツールへの期待**　全員が一貫した形式でレポートを作成し、チーム全体のパフォーマンスを容易に把握できるようになること。

図表4-18 【WHY】なぜAIが必要？

【Prompt】「『AI営業レポート生成ツール』はなぜ必要なのか？」について、プラスを増やす観点、マイナスを減らす観点の両方を洗い出してください。先にあげたペルソナ像も考慮して答えてください。

### プラスを増やす観点

①効率性の向上　AIが自動的に営業レポートを生成することで、営業員やマネージャーの時間を節約し、その時間をより価値のある活動に使えるようになります。たとえば、田中さんや佐藤さんはレポート作成にかかる時間を削減し、営業戦略の立案や顧客との対話により多くの時間を使うことができます。

②品質の向上　AIによるレポート生成は一貫性と精度を提供します。鈴木さんのようにチーム全体のパフォーマンスを把握するのが難しいと感じているマネージャーにとって、一貫した形式でのレポートは大きな助けとなります。

③データ駆動の意思決定　AIが生成するレポートは、営業活動に関するデータを効果的に活用することを可能にします。これにより、よりデータ駆動の意思決定が可能となります。

### マイナスを減らす観点

①人間のエラーの削減　AIがレポートを生成することで、人間がレポートを作成する際に生じる可能性のあるエラーやミスを削減することができます。

②アドミニストレーション業務の軽減　AIがレポート作成を担当することで、営業員やマネージャーのアドミニストレーション業務の負担を軽減します。これにより、営業活動やマネージメントに集中することができます。

③ストレスの軽減　レポート作成の手間と時間が削減されることで、営業員やマネージャーのストレスも軽減されます。たとえば、佐藤さんはレポート作成の手間を減らすことで、より質の高い営業活動に専念することができます。

図表4-19 【WHICH】どのデータを参照して？

【Prompt】「AI営業レポート生成ツール」に必要な「参照データ」を洗い出して表にしてください。機密レベルが高いか低いかの記載もお願いします。

| 必要な参照データ | 機密レベル |
| --- | --- |
| 営業員の日々の活動データ<br>（例　訪問数、電話数、メール数等） | 中 |
| 営業成果データ<br>（例　成約数、成約率、売上等） | 高 |
| 顧客情報<br>（例　名前、連絡先、業種等） | 高 |
| 営業員情報<br>（例　名前、所属部署、役職等） | 中 |
| 製品やサービス情報<br>（例　製品名、価格、特性等） | 低 |
| 市場動向データ<br>（例　競合情報、業界のトレンド等） | 低 |

機密レベルについて

**高**　高度に機密な情報で、不適切な取り扱いが業績や評判に大きな影響を及ぼす可能性がある。

**中**　ある程度の機密性があるが、不適切な取り扱いが業績や評判に直接的な影響を及ぼす可能性は低い。

**低**　公開情報またはそれほど機密性の高くない情報。不適切な取り扱いが業績や評判に大きな影響を及ぼす可能性はほぼない。

図表4-20 【WHERE】どこのAIで？

【Prompt】「AI営業レポート生成ツール」に必要な「参照データ」を利用する際、機密情報のレベルごとで、利用できる AI サービスを教えてください。なお、個人情報保護法を踏まえ、日本で利用することを想定してください。

### 高機密レベル

データの機密性が非常に高い場合（例　営業成果データ、顧客情報）、自社内部のプライベートクラウドやオンプレミス環境でAIを実行することを検討することが多いです。これには、IBMのWatson、GoogleのTensorFlow、MicrosoftのAzure Machine Learningなどが適しています。これらのサービスは、ユーザーが自社のセキュリティポリシーに基づいて完全な制御を保つことが可能です。

### 中機密レベル

中程度の機密性をもつデータ（例　営業員の日々の活動データ、営業員情報）の場合、パブリッククラウド内でハイブリッドクラウドを利用することが一般的です。ここでの選択肢には、Google Cloud AI Platform、Amazon SageMaker、Microsoft Azure AI などがあります。これらのプラットフォームは、ユーザーデータのプライバシーとセキュリティを確保しつつ、強力なAIと機械学習機能を提供します。

### 低機密レベル

低機密性のデータ（例　製品やサービス情報、市場動向データ）の場合、パブリッククラウド上のAIサービスが適しています。ここでは、Google Cloud AI、IBM Watson on IBM Cloud、Amazon AI services、Microsoft Azure AI servicesなどが選択肢となります。これらのプラットフォームは、手軽に使えるAI機能を提供し、多くの場合、高度なセキュリティとプライバシー保護機能を提供します。

注意点としては、どのレベルの機密性であっても、個人情報保護法に基づき、個人を特定できる情報の取り扱いには十分注意が必要です。データの匿名化や擬似化を行い、個人情報の利用と保護のバランスを保ち日本の個人情報保護法を考慮に入れた上で、機密情報のレベルごとの AIサービスの利用について以下に示します。なお、各レベルごとのサービス選択は、情報の機密性を保護するためのセキュリティやプライバシーに関する規定を満たしていることが前提となります。

図表4-21 【WHAT】どんなAI？①

【Prompt】「AI営業レポート生成ツール」を実現する親しみのもてるAI名称を10個考えてください。10点満点で点数をつけて、最もおすすめの名称案を推してください。

| 名前 | スコア | 説明 |
|---|---|---|
| Sales Companion AI | 8.5 | 営業担当者が常にサポートを受けていることを示しています。 |
| RepoDo | 7.5 | ReportとDoを組み合わせて、AIが営業レポートを生成できることを示しています。 |
| Report Genie | 8.0 | 「ジーニー」は、AIがあたかも魔法のようにレポートを生成できることを示唆しています。 |
| SalesMate AI | 8.5 | 「メイト」は友達や仲間を意味し、AIが営業担当者の友達やパートナーであることを強調しています。 |
| ReporToru | 9.0 | 「トル（トオル）」は日本の一般的な男性の名前で親しみやすさを提供し、「レポートをとる」という意味合いも含まれています。 |
| ReportPal | 8.0 | 「パル」は友だちを意味し、AIが営業担当者の友だちであることを示しています。 |
| SmartRep AI | 7.5 | 「スマート」はAIの高度な能力を示し、「レップ」はレポートを意味します。 |
| ReporTomo | 9.0 | 「トモ」は日本語で友だちを意味し、AIが営業担当者の友だちであることを示しています。また、「レポートをともに作る」という意味合いも含まれています。 |
| EasyReport AI | 8.0 | 「簡単」は、AIがレポート作成を容易にすることを強調しています。 |
| ReporTaro | 9.5 | 「タロ」は日本の一般的な男性の名前で親しみやすさを提供し、「レポートを助ける」という意味合いも含まれています。 |

図表4-22 【WHAT】どんなAI？②

【Prompt】ここまでにあげたペルソナなどのターゲットに対して「AI営業レポート生成ツール」ができることを3つ箇条書きにしてください。
また、{大企業における営業が非効率}であるという課題に対して「AI営業レポート生成ツール」が解決できることをあげてください。

「AI営業レポート生成ツール」は、次のようなことができます。

①自動化されたレポート作成　AIは営業データを自動的に収集し、それをもとに詳細な営業レポートを生成します。これにより、営業員はレポート作成にかかる時間を大幅に削減でき、より営業活動に集中することができます。

②データの視覚化　AIは収集したデータを視覚的に表示することができます。これにより、営業のパフォーマンス、傾向、パターンなどを簡単に理解することができます。

③継続的な最適化　AIは営業のパフォーマンスデータを継続的に分析し、最適な営業戦略や方法を提案することができます。これにより、営業員は自分の営業活動を継続的に改善し、効率を上げることができます。

「AI営業レポート生成ツール」は、次のような大企業における営業の非効率性の問題を解決することができます。

①レポート作成の手間を減らす　大企業の営業員は、多くの顧客を担当しているため、レポート作成に多くの時間を費やすことがあります。AIツールは、営業データを自動的に収集し、詳細なレポートを生成することで、この問題を解決します。営業員はレポート作成から解放され、より多くの時間を顧客との接触に費やすことができます。

②営業活動のパフォーマンスの把握を容易にする　大企業では、多くの営業員が同時に活動しているため、全体のパフォーマンスを把握するのが困難なことがあります。AIツールは、個々の営業員の活動データを収集し、全体のパフォーマンスを視覚化することで、この問題を解決します。これにより、マネージャーは全体のパフォーマンスを一目で把握し、必要な改善策を素早く決定することができます。

③営業戦略の最適化を支援する　大企業の営業活動では、どの戦略が最も効果的であるかを決定するのが難しいことがあります。AIツールは、過去のデータとパフォーマンスを分析し、最適な営業戦略を提案することで、この問題を解決します。これにより、営業員は最適な戦略に基づいて活動を行なうことができ、全体の営業効率を向上させることができます。

図表4-23 【HOW】どう人と分業して？

【Prompt】「AI営業レポート生成ツール」の企画を実行する際、人とAIの分業は次のレベルのうちどれに当たりますか？
①AIが人の仕事を一部補助、②人がAIの仕事を一部補助、③AIが単体タスクをすべて行なう、④AIが複合タスクを自律的に行なう。また、その背景も教えてください。

「AI営業レポート生成ツール」の企画は、主に「①AIが人の仕事を一部補助」に該当します。

この企画では、AIは主に営業レポートの生成という特定のタスクを支援する役割を担っています。AIは営業活動のデータを収集し、それをもとにレポートを作成します。しかし、それらのレポートは最終的には人間の営業員やマネージャーによって解釈、分析、行動に移されます。

また、営業レポートの生成というタスクは、営業活動全体の一部に過ぎません。営業員との直接の交渉、顧客との関係構築、戦略的な判断など、AIがまだ十分に対応できないタスクも多く存在します。そのため、AIは営業活動全体を自律的に行う（④ 複数のAIが連携して複数タスクを実行）という段階にはまだ達していません。

したがって、この企画ではAIが営業員の仕事を一部補助する形で活用されることが最も適しています。AIの能力を活用しながらも、営業という人間の判断や経験が重要な業務において、人間の役割を維持することが重要であると考えられます。

# 「7Rプロンプト」で実現性の確認

## 企画段階で「プロンプト」も考案しておこう

考えた企画が実現できるものなのかを確かめるために、プロンプトですぐ試すことが重要です。どんなプロンプトを書けばよいか迷った際は、「7Rプロンプト」を活用してみてください（図表4－24）。

次の章で詳細に解説しますが、**「7Rプロンプト」とは、AIに指令を送る際に漏れがないようにするための方法**で、図表4－24の要素を網羅しています。

5W1Hの企画シートに簡易プロンプトの欄を追加して、企画の詳細化を行なうのもよいでしょう（図表4－25）。AIへの指令（プロンプト）が明確であればあるほど、AIに何をしてもらうのかの要件がはっきりします。プロンプトのコツについては後の章でくわしく説明するので、ぜひ参考にしてみてください。企画段階で実現性の確認を「簡易プロンプト」を使って行なうことで、企画の成功率が高まることでしょう。

図表4-24　**7Rプロンプト**（図表1-12再掲）

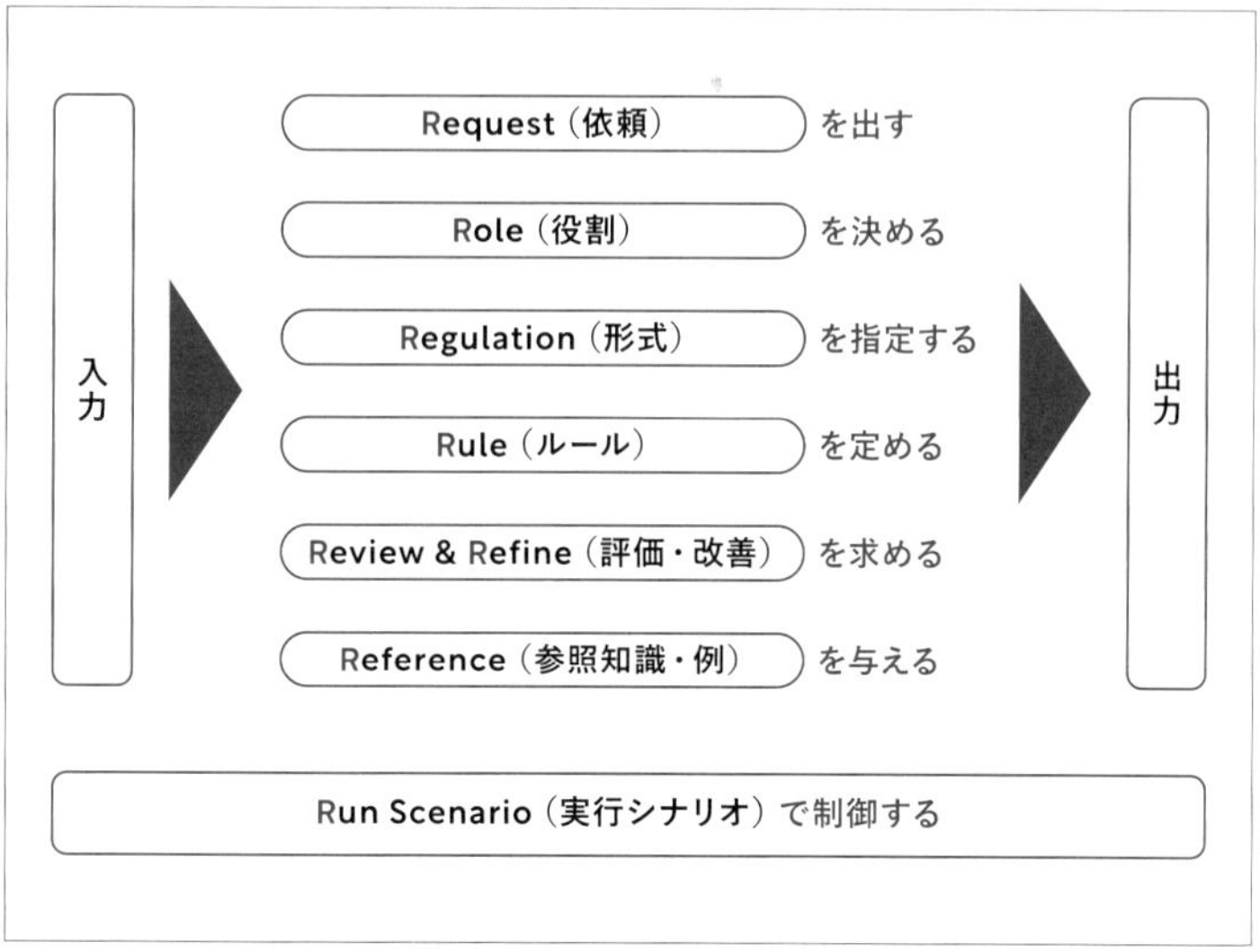


図表4-25　**5W1H＋簡易プロンプト**

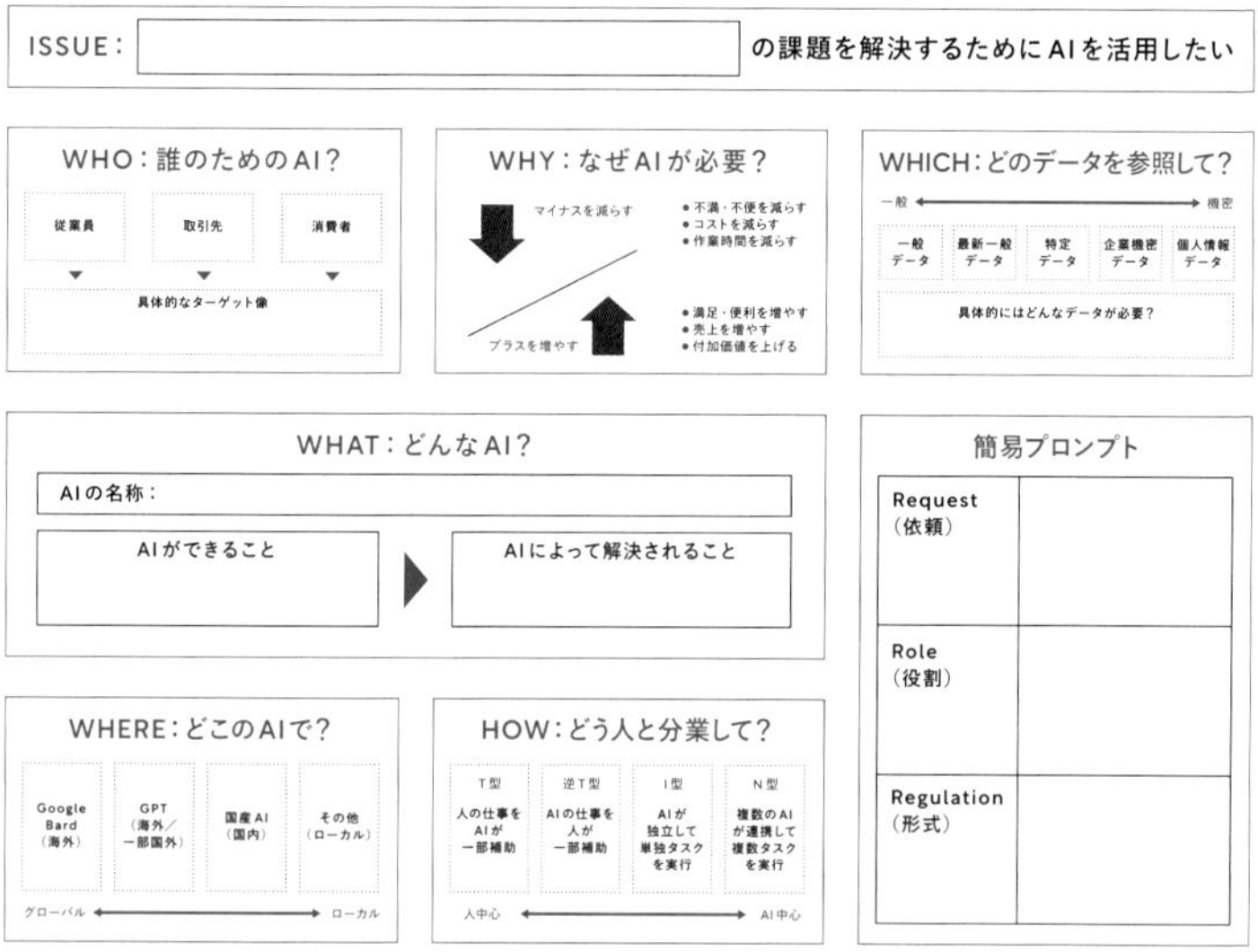

# 「ISSUEマップ」で重要度×実現性の確認

## 「重要度」の選定で企画を絞り込む

プロジェクトを成功させるためには、良質な企画案を生み出すことが大切です。アイデアを量産し、企画の解像度を上げることで、より優れた企画が生まれるはずです。しかし、いざ実行に移すにあたっては、**抱えている企画アイデアの中からさらに絞り込みを行なう**必要があります。

**絞り込みを行なう際には、「重要度」と「実現性」の2つの観点を使うとよい**でしょう。

まず「重要度」については、その企画アイデアが解決すべき課題（イシュー）なのかどうかを判断する基準となります。具体的には、「解くべきでない」「解いてもよい」「必ず解くべき」の3つの選択肢から評価します。この重要度は、課題解決にともなうリターンがどれくらい大きいのかを示す指標とも言えるでしょう。

特に**新しい技術を用いた企画では、技術視点が先行しやすいため、企画アイデアが本当に解決すべきイシューであるかどうかを、絞り込みの段階でしっかりとチェックすること**

**が重要**です。こうした選定を行なうことで、無駄のない有益なプロジェクトを実現できるでしょう。

## 「実現性」も事前にチェックする

イシュー解決に取り組む際、「実現性」も事前にチェックすることが重要です。解くべきイシューであっても、現実的に解決できないのであれば、意味がありません。ＧＰＴ時代のＡＩの精度は以前に比べると驚くほどに向上していますが、時に得意でないタスクも存在します。現代のＡＩが解ける課題なのかどうかをしっかり確認しておきましょう。

「実現性」のチェックにおいては、それぞれの**企画アイデアが「解ける」、「条件付きで解ける」、「解けない」の3つのいずれに当てはまるのかを確認**していきましょう。なお、紹介した「７Ｒプロンプト」をもとにプロンプトを作成して、ＧＰＴなどに入力して筋の良い出力例が得られるかどうかを確認すると、「実現性」のチェックをより厳密に行なうことができるようになります。

なお、ＡＩの能力が十分だとしても、必要なデータや情報を適切に参照させることができなければ、課題が解決されないことがあることを忘れてはいけません。ＡＩが参照すべ

図表4-26 「解くべきイシューか?」「解けるのか?」を評価する

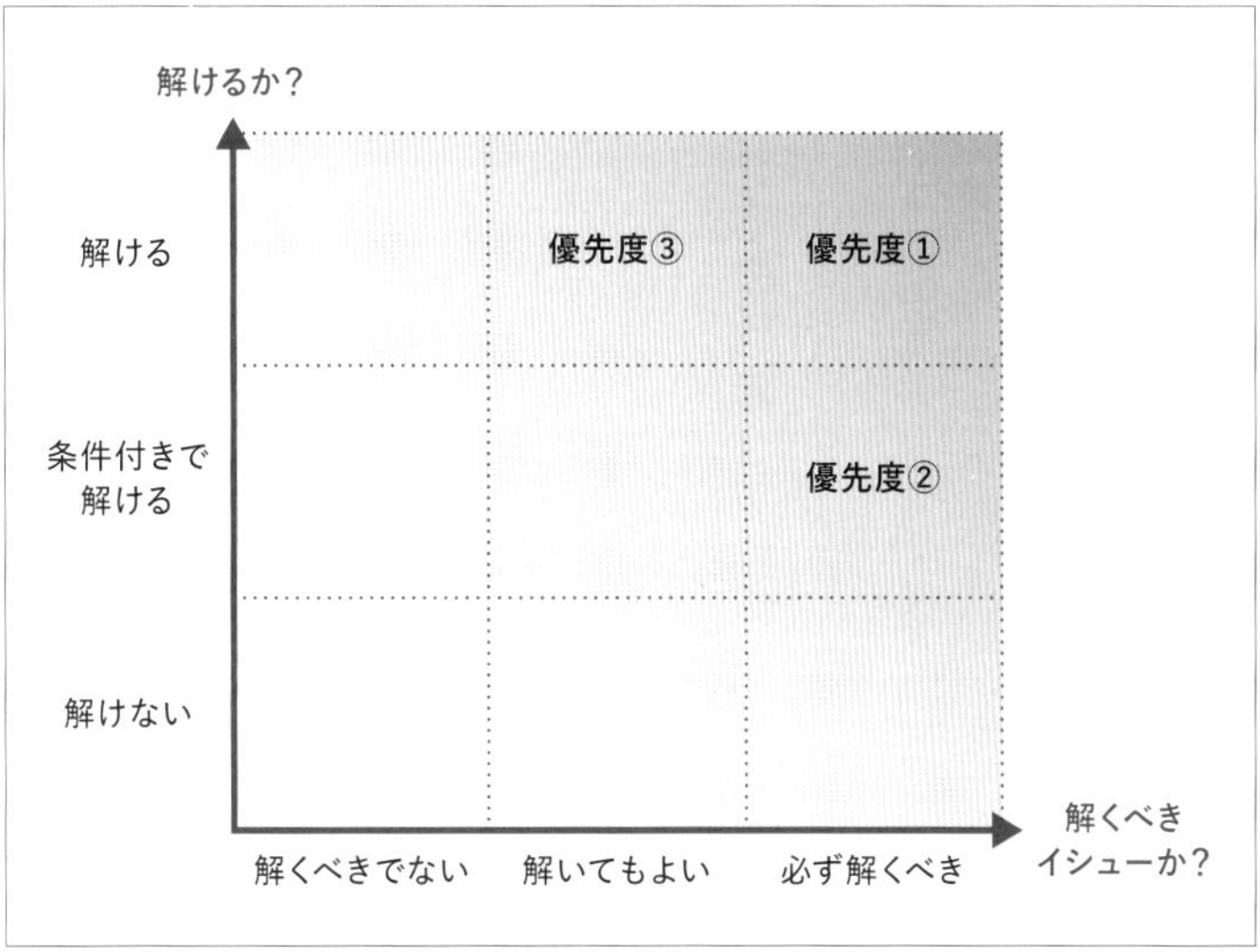


きデータや情報にアクセスできるのかどうかも確認し、実現性のチェックを行なっていきましょう。

## 重要度と実現性を「ISSUEマップ」でマッピング

これまで述べてきたように、企画アイデアを評価する際は「重要度」と「実現性」の確認が重要です。この確認を実際に行なうにあたり、「ISSUEマップ」(図表4-26)を活用して企画アイデアを重要度と実現性の両軸で配置してみましょう。

マップに各企画アイデアをプロットした後は、どの象限にどの企画アイデアが当てはまるのかを確認しましょう。右上の象限に位置する企画は「重要度」と「実現性」が高いため、これらにフォーカスするとよいでしょう。
一方、左下の象限にあたる企画アイデアは、見送りとするか、実際に取り組む前に実現性を上げるアレンジや企画の重要度を向上させるターゲットや目的の再考が必要です。

## 「日本の仕事ライブラリ」からアイデアを探す

### 「日本の仕事」には何がある？

日本の仕事にはどのようなものがあるのでしょうか？　ＡＩ企画を考えるにあたって、まずは**日本にあるさまざまな種類の仕事を把握**するのも役に立つでしょう。厚生労働省の職業情報提供サイトを参考に、日本の仕事を大項目レベルでリストアップしてみました。

事務／マーケティング／コールセンター／管理職／営業／販売／接客・サービス／理美

容・調理／介護・福祉／保育・教育／医療、看護、保健／製造・検査／印刷・製図／建設技術／ＩＴ開発／製品開発／法務／クリエイター／通訳・カウンセリング／建築・土木・電気工事／警備／施設管理・設備運転／運転・運輸・配送／清掃・洗浄／倉庫・包装・軽作業／農業・林業・漁業

「ＡＩがどのように各職種に影響を与えるか？」を考えるアプローチでも具体的なＡＩ企画が生まれてくることでしょう。ＧＰＴ時代のＡＩによって各職種にどのような変化が起こるのかを想像してみることで、新たなＡＩ企画につながるアイデアが湧いてくるはずです。

## 「日本の仕事」でＡＩはどう活用されるのか？

日本の仕事において、ＡＩはどのように活用されるのでしょうか。

たとえば、「事務」では、データ入力やスケジュール管理、さらには事務処理全般がＡＩによって補助されることが考えられます。

また、「マーケティング」分野では、市場調査や消費者分析や多岐にわたるマーケティ

ング業務にＡＩが活用されることが予想されます。「コールセンター」職種であれば、ＡＩチャットボットが一部の問い合わせ対応を担ったり、お客様への回答内容のドラフト作成や顧客の声の分析などを行なうことで、効率化が図られるでしょう。

「管理職」においては、業務効率化や人員配置の最適化やマネジメントに関わる業務全般がＡＩによって補助されるはずです。

「営業」や「販売」では、顧客情報や購買履歴をもとに、ＡＩが効果的なマーケティング戦略を提案することができますし、「接客・サービス」においては、ＡＩが顧客対応や商品推奨をサポートし、サービスの質を向上させることが期待できるでしょう。

「教育」の分野では、ＡＩが個々の子どもの学習進捗や課題を分析し、最適な指導法を提案する役割を果たします。「医療、看護、保健」分野では、ＡＩが診断支援や効率的な治療法の選定に役立つでしょう。

さらに、「製造・検査」や「印刷・製図」職種でも、品質管理や効率化をＡＩがサポートできますし、「建設技術」や「ＩＴ開発」「製品開発」「法務」などの分野でも、ＡＩがプロジェクト管理やリソース最適化に貢献することが見込まれます。

「クリエイター」職種では、デザインや音楽制作のサポートをＡＩが行なっていくことでしょう。その他の多岐にわたる職種でも、ＡＩの活用が見込まれます。

日本の多様な仕事でＡＩが効果的に活用され、業務効率化や質の向上につながるポテンシャルの大きさを感じていただけたのではないでしょうか。

## 「日本の仕事」を分解してＡＩ活用アイデアを生み出す

「日本の仕事」を詳細な中項目のレベルで分解し、それぞれの仕事においてＡＩがどのように活用できるかを見ていくのもおすすめです。これらの**細分化した仕事において「ＡＩで補助できうる業務」をながめることから、活用アイデアを考え始める**こともできるでしょう（図表４‐27）。

ＡＩに補助してもらいたい業務に目星がつけられたら、その業務を実現するためのプロンプトを具体的に考えてみましょう。プロンプトまで考えることで、ＡＩへの指示や必要な情報についてより解像度が高くなります。企画化にあたってリアリティをもち、より実用的で具体的な企画作りにつながります。

いくつかの「ＡＩで補助できる業務」についてのプロンプト例を紹介します（図表４‐28）。一部、データを参照させないと実際には動かないプロンプトも含まれていますが、参考にしてください。

| 仕事の大分類 | 仕事の中分類 | AIで補助できる業務例 |
|---|---|---|
| 理美容・調理 | 美容師 | スタイル提案 |
| | 理容師 | スタイル提案 |
| | エステティシャン、ネイリスト | 施術プラン提案 |
| | 理美容師補助、その他の美容サービス | 美容器具の手入れ |
| | 調理人（日本・西洋・中華料理） | メニュー開発 |
| | 調理人（給食） | 献立作成 |
| | 調理人（食堂、居酒屋、弁当店、その他） | 日替わりメニュー提案 |
| | 調理補助、調理人見習 | 食材準備 |
| | 食堂作業員（洗い場等） | 食器の洗浄・整理 |
| 介護・福祉 | 施設介護員 | 利用者のケアプラン作成 |
| | 訪問介護員、ホームヘルパー | 訪問スケジュールの作成 |
| | 介護支援専門員、ケアマネージャー | ケアマネジメント報告書の作成 |
| | 老人福祉施設指導員 | プログラム企画・運営 |
| | 障害者福祉施設指導員 | 個別支援計画の作成 |
| | 児童福祉施設指導員 | 児童のケアプラン作成 |
| | 福祉相談員、ケースワーカー | ソーシャルワーク報告書の作成 |
| | その他の福祉専門職 | 研修プログラムの企画・実施 |
| | 福祉施設管理者 | 施設運営状況の報告書作成 |
| 保育・教育 | 保育士 | 保育計画の作成 |
| | 保育補助 | 子どもの様子の記録作成 |
| | 学童保育・放課後児童クラブ等指導員 | 週間スケジュールの作成 |
| | 幼稚園教員 | 進行状況報告書の作成 |
| | 小・中・高等学校・特別支援学校等教員 | 試験問題作成 |
| | 専修学校・各種学校教員 | 授業資料の準備 |
| | 職業訓練指導員、研修講師、その他の教員 | 研修プログラムの企画 |
| | 学習塾教師 | 個別指導計画の作成 |
| | スポーツインストラクター | トレーニングプランの作成 |
| | 習い事・その他の講師、インストラクター | 教材の準備 |
| | 図書館司書 | 蔵書リストの作成 |
| | 学芸員 | 展示企画の提案 |
| | 学校カウンセラー | カウンセリング報告書の作成 |
| 医療、看護、保健 | 医師、歯科医師、獣医師 | 診断結果の報告 |
| | 薬剤師 | 処方箋の確認・調剤 |
| | 理学療法士、作業療法士 | リハビリ計画の作成 |
| | 臨床検査技師、診療放射線技師等 | 検査結果の解析 |
| | 歯科衛生士、歯科技工士 | 歯科クリーニング |
| | 歯科助手、歯科受付 | 歯科治療の予約管理 |
| | 栄養士、管理栄養士 | 食事提案 |
| | あん摩マッサージ指圧・鍼灸師 | 施術計画の作成 |
| | 言語聴覚士、その他の保健医療専門職 | 言語聴覚療法の提案 |
| | 動物病院助手、その他の助手等 | 動物のケア |
| | 医療事務・受付、調剤薬局事務 | 患者情報の管理 |
| | 看護師 | 患者のバイタルサインのモニタリング |
| | 准看護師 | 患者の身の回りのお世話 |
| | 看護助手 | 患者の移動支援 |
| | 保健師、助産師 | 健康相談 |

図表4-27 AIで補助できる業務例

| 仕事の大分類 | 仕事の中分類 | AIで補助できる業務例 |
|---|---|---|
| 事務 | 一般事務、事務補助 | 書類の整理・ファイリング |
| | 総務事務、人事事務 | 社員の勤怠管理 |
| | 受付・案内事務、秘書 | 予定・会議の調整 |
| | 医療事務・受付 | 患者情報の管理 |
| | 会計・経理事務 | 請求書の作成・送付 |
| | 営業事務、販売事務 | 顧客からの問い合わせ対応 |
| | 金融・保険事務 | ローン審査のサポート |
| | 貿易事務 | 輸出入手続きのサポート |
| | 運行管理事務、郵便事務、旅客・料金収受係 | 運行スケジュールの管理 |
| | データ入力等PC操作 | データの整理・分析 |
| | 集金・検針・調査等の外勤事務 | 集金スケジュールの管理 |
| | 生産・工程管理事務、出荷・受荷事務 | 出荷手配の手続き |
| マーケティング | 企画事務、マーケティング | 競合分析の実施 |
| コールセンター | コールセンターオペレーター、テレアポ等 | 顧客対応のサポート |
| 管理職 | 法人・団体の役員・管理職等 | 業務戦略の立案・実施 |
| 営業 | 不動産営業 | 物件情報の整理・分析 |
| | 金融・保険営業 | 顧客ポートフォリオの分析・提案 |
| | 飲食料品販売営業 | 売上分析・提案 |
| | 機械器具・電気器具販売営業 | 競合分析・提案 |
| | 自動車販売営業 | 在庫管理・提案 |
| | 製品受注営業 | 受注状況の分析・提案 |
| | 通信・情報システム営業 | 顧客要望の把握・提案 |
| | 化学品販売営業、医薬品営業 | 市場調査・提案 |
| | 広告営業、会員勧誘、その他の営業 | 広告プランの提案 |
| | テレフォンアポインター | アポイントメントの設定 |
| 販売 | スーパー・百貨店販売店員 | 売れ筋商品の分析 |
| | レジ係 | 売上データの集計 |
| | コンビニエンスストア店員 | 棚卸しの実施 |
| | 衣料品販売店員 | コーディネート提案 |
| | 飲食料品販売店員 | 売れ残り商品の活用提案 |
| | 医薬品・化粧品販売店員 | 商品説明の作成 |
| | 自動車販売店員 | 見積もりの作成 |
| | 電気機器販売店員 | 製品比較の提案 |
| | ガソリンスタンド販売員 | ガソリン価格の調査 |
| | その他の小売店販売員 | 顧客ニーズの把握 |
| | 小売店作業員 | 陳列計画の作成 |
| | 店長（小売、卸売） | 売上目標の設定 |
| | 不動産仲介・売買 | 物件情報の提供 |
| | 訪問販売、卸売、その他の販売 | アポイントメントの設定 |
| 接客・サービス | 飲食店のホールスタッフ | 予約管理 |
| | 飲食店店長 | 売上分析 |
| | ホテル・旅館のフロント、接客、客室係 | 宿泊予約管理 |
| | 娯楽施設・スポーツ施設・その他の接客 | イベント企画 |
| | クリーニング等の生活衛生サービス | 洗濯物の仕分け |
| | 保育・介護補助、冠婚葬祭、その他サービス | イベントサポート |

| 仕事の大分類 | 仕事の中分類 | AIで補助できる業務例 |
| --- | --- | --- |
| 警備 | 施設警備員 | 巡回警備の報告 |
| | 雑踏警備員 | イベント警備報告書の作成 |
| | その他の保安・警備・監視員 | セキュリティチェックの報告 |
| | 道路交通誘導員 | 交通事故の報告書作成 |
| 施設管理・設備運転 | 管理人（マンション、アパート等） | 住民からの苦情対応報告 |
| | 管理人（駐車場、駐輪場） | 駐車場・駐輪場の利用状況報告 |
| | ビル設備管理員、ビル管理人 | 定期点検報告書の作成 |
| | 管理人（寄宿舎、寮、その他） | 寄宿舎・寮の入居者管理報告 |
| | 機械設備運転（クレーン、ボイラー、発電等） | 機械設備の運転状況報告 |
| 運転・運輸・配送 | トレーラー・タンクローリー運転手 | 作業状況の報告 |
| | ミキサー車・ダンプカー運転手 | ごみ収集スケジュールの管理 |
| | ごみ収集・陸送・その他の貨物自動車運転手 | 運行状況の報告 |
| | バス運転手 | 予約状況の確認 |
| | タクシー運転手 | 送迎スケジュールの作成 |
| | 役員車・送迎車等の乗用自動車運転手 | 車両点検報告 |
| | その他の自動車運転手 | 作業状況の報告 |
| | フォークリフト運転作業員 | 作業指示の確認 |
| | 鉄道・船舶・航空機の運転、その他の輸送 | 料金収受報告 |
| | トラック運転手 | 配送状況の報告 |
| | 荷物の配達 | 配達状況の報告 |
| | ルート集配 | 最適な配達ルートの作成 |
| | 郵便の集配、新聞配達等 | 配達報告と問題の対処 |
| | 運行管理事務 | 運行スケジュールの管理 |
| | 出札・旅客・貨物・料金収受係 | 収益報告と問題の対処 |
| 清掃・洗浄 | ビル・建物の清掃、ハウスクリーニング | 清掃スケジュールの作成 |
| | ごみ収集、産業洗浄、その他の清掃・洗浄 | ごみ収集ルートの最適化 |
| 倉庫・包装・軽作業 | 倉庫作業 | 在庫の整理 |
| | 梱包作業 | 梱包指示の確認 |
| | 包装、ラベル・シール貼付 | ラベルデザインの作成 |
| | 商品等の選別・ピッキング | 注文対応 |
| | 運搬・積卸・引越作業、港湾荷役作業 | 荷役スケジュールの作成 |
| | 工場労務作業員 | 作業スケジュールの作成 |
| | 食堂作業員（洗い場等） | 食器管理 |
| | 小売店作業員（商品の陳列・補充等） | 商品陳列計画の作成 |
| | 学校・病院の用務員、その他の作業員 | 整備スケジュールの作成 |
| 農業・林業・漁業 | 稲作、畑作、園芸等 | 作物の生育状況レポート |
| | 養畜、動物飼育等 | 家畜の健康状態管理 |
| | 植木職、造園師 | 植栽計画の作成 |
| | その他の農業 | 農業機械のメンテナンススケジュール管理 |
| | 林業 | 森林の状態調査 |
| | 漁業 | 水産資源の管理 |
| | 農業・畜産・林業・水産技術者 | 技術開発の進捗報告 |
| | 農学・林学・水産学研究者 | 研究成果の報告 |

図表4-27 **AIで補助できる業務例**（続き）

| 仕事の大分類 | 仕事の中分類 | AIで補助できる業務例 |
| --- | --- | --- |
| 製造・検査 | 金属材料製造、金属加工、溶接 | 溶接作業の品質チェック |
| | 自動車組立、輸送用機械組立・整備 | 部品の在庫確認 |
| | 自動車整備工 | 点検・整備報告書の作成 |
| | 電気・電子・通信機器等組立・修理 | 修理報告書の作成 |
| | 光学機械、その他の機械組立・修理 | 組立作業の手順確認 |
| | 食料品製造・加工 | 品質検査報告 |
| | 衣服・繊維製品製造、パタンナー | パターン作成指示 |
| | 化学製品、窯業・土石製品の製造・加工 | 製品の性能試験報告 |
| | プラスチック製品、その他の製造・加工 | 製造工程の最適化提案 |
| | 製品検査 | 不良品の原因分析 |
| | 生産設備オペレーター（制御・監視） | 生産ラインの監視・報告 |
| | 工場労務作業 | 労働者の勤怠管理 |
| 印刷・製図 | DTP オペレーター、印刷、製本 | 印刷データの確認・修正 |
| | CAD オペレーター、製図、写図、現図 | 図面の作成・修正 |
| | 塗装、看板制作、その他生産関連 | 看板デザインの提案 |
| 建設技術 | 建築技術者（工事監督、設計技術者等） | 建築プランの確認・修正 |
| | 土木技術者（工事監督、設計技術者等） | 進捗報告の作成 |
| | 測量技術者（測量士、測量士補） | 測量データの解析・報告 |
| IT 開発 | ソフトウェア開発技術者、プログラマー | コードのレビュー・修正 |
| | その他の情報処理・通信技術者 | システムの監視・報告 |
| 製品開発 | 電気・電子・電気通信の開発・製造技術者 | 回路設計の確認・修正 |
| | 機械・自動車等の設計・製造技術者 | 製品設計の確認・修正 |
| | 食品・その他の技術者、研究者 | 製品開発の提案・評価 |
| 法務 | 経営、法務 | 契約書の作成・確認 |
| | 司書、その他の専門職 | 資料の整理・提供 |
| クリエイター | ウェブデザイナー | ウェブページのデザイン改善 |
| | デザイナー（ウェブを除く） | デザイン作品の確認・修正 |
| | カメラマン、記者・編集者、その他芸術 | 記事の執筆・編集 |
| 通訳・カウンセリング | 通訳、翻訳 | 翻訳文の作成・校正 |
| | カウンセラー（医療・福祉施設を除く） | 相談内容の分析・アドバイス |
| 建築・土木・電気工事 | 大工 | 材料手配の提案 |
| | 配管工 | 見積もり作成 |
| | 左官、タイル張・内装・防水工等 | 施工計画の立案 |
| | とび工、型枠大工、鉄筋工（建設躯体工事） | 安全対策の提案 |
| | 建設機械・クレーン等運転工、玉掛 | 機器点検報告 |
| | 建築技術者（工事監督、設計技術者等） | 建築プロジェクトの進捗報告 |
| | ダンプカー・ミキサー車運転手 | 運行スケジュール作成 |
| | 建設・土木作業員 | 進捗報告 |
| | 舗装・線路工事・掘削等作業員 | 作業報告書作成 |
| | 採掘 | 採掘計画の立案 |
| | 土木技術者（工事監督、設計技術者等） | 土木プロジェクトの進捗報告 |
| | 測量技術者（測量士、測量士補）等 | 測量報告書作成 |
| | 電気工事作業員 | 電気設備点検報告 |
| | 通信設備作業員、送電線等架線・敷設作業員 | 敷設計画の作成 |

| | プロンプト例 |
|---|---|
| | あなたは｛一般事務、事務補助｝です。｛書類の整理・ファイリング｝を行なうため、直近1カ月の社内書類を調査して各部署別の書類数と内容をまとめてください。｛表形式｝の形式で出力してください。 |
| | あなたは｛総務事務、人事事務｝です。｛社員の勤怠管理｝を行なうため、直近1ヶ月の各社員の出勤・退勤時刻や欠勤・遅刻記録を参照して、今月の出勤日数・欠勤日数・遅刻回数を報告してください。｛表形式｝の形式で出力してください。 |
| | あなたは｛受付・案内事務、秘書｝です。｛予定・会議の調整｝を行なうため、｛該当社員｝のスケジュールを参照し、直近1カ月の会議室予約状況を確認し、利用可能な日時を見つけて｛連絡先｝へ提案してください。丁寧な｛メール本文｝の形式で出力してください。 |
| | あなたは｛受付・医療事務｝です。｛患者情報の管理｝を行なうため、直近1ヶ月の患者情報を調査し、患者数や来院回数、年齢層別の内訳をまとめてください。｛表形式｝の形式で出力してください。 |
| | あなたは｛会計・経理事務｝です。｛請求書の作成・送付｝を行なうため、直近1ヶ月の取引情報を参照し、顧客ごとに請求データを作成してください。{CSV} の形式で出力してください。 |
| | あなたは｛営業事務｝です。｛顧客からの問い合わせ対応｝を行なうため、｛日本の不動産営業｝における顧客からのよくある問い合わせ内容をウェブで調査し、それぞれの問い合わせに対する回答例を作成してください。{FAQ 形式｝の形式で出力してください。 |
| | あなたは｛金融・保険事務｝です。｛ローン審査のサポート｝を行なうため、ウェブで調査し、日本の主要な銀行や金融機関が提供する住宅ローンの利率、返済期間等の条件を比較検討し、顧客に最適なローンプランを提案できるように準備してください。｛表形式｝の形式で出力してください。 |
| | あなたは｛貿易事務｝です。｛輸出入手続きのサポート｝を行なうため、ウェブで調査し、GDP のトップ5カ国についての輸出入規制や関税、必要な書類や手続き等の情報を把握し、円滑な貿易業務が行なえるようサポートしてください。｛チェックリスト形式｝の形式で出力してください。 |
| | あなたは{JR 山手線の運行管理事務｝です。｛運行スケジュールの管理｝を行なうため、ウェブで調査し、現在の交通状況や天候情報を把握し、運行スケジュールに影響があるかどうか判断した上で、必要に応じて運行スケジュールの調整案を作成してください。｛タイムテーブル形式｝の形式で出力してください。 |
| | あなたは｛データ入力等 PC 操作担当者｝です。｛データの整理・分析｝を効率的に行なうためのおすすめの TIPS を3つ調べてください。TIPS を利用する際のポイントも記載してください。｛リスト｝の形式で出力してください。 |
| | あなたは｛集金担当者｝です。｛集金スケジュールの管理｝を行なうため、顧客リストを確認し、顧客の支払い期日や集金エリアごとの最適なルートを把握して集金スケジュールを作成し、効率的な集金業務ができるようにしてください。｛カレンダー形式｝の形式で出力してください。 |
| | あなたは｛出荷・受荷事務｝です。｛出荷手配の手続き｝を行なうため、ウェブで調査し、日本の主要な運送会社の国内における発送方法や送料、発送に必要な書類や手続きを把握し｛表｝の形式で出力してください。 |
| | あなたは｛女性週刊誌のマーケティング担当者｝です。｛競合分析の実施｝を行なうため、ウェブで調査し、業界内の主要な競合企業についての情報を収集し、それらの企業の製品・サービス、価格設定、販売戦略等を比較検討し、自社のマーケティング戦略をブラッシュアップするための具体的なアクションプランを提案してください。｛表形式｝の形式で出力してください。 |
| | あなたは｛テレアポ担当者｝です。｛顧客対応のサポート｝を行なうため、ウェブで調査し、効果的なテレアポのコツや成功要因、リピーター顧客を獲得するためのポイントを把握してください。また、顧客からのよくある質問や懸念事項に対する回答例も作成してください。｛リスト形式｝および{FAQ 形式｝の形式で出力してください。 |
| | あなたは｛法人・団体の役員・管理職｝です。｛業務戦略の立案・実施｝を行なうため、｛小売業界｝の主要な課題を把握し、その課題に対抗するための戦略を立案してください。｛フローチャート｝の形式で出力してください。 |

図表4-28　AIで補助できる業務を実現するプロンプトの例

| 大分類 | 中分類 | AIで補助できる業務例 | 必要な参照データ | 参照データの種類 |
|---|---|---|---|---|
| 事務 | 一般事務、事務補助 | 書類の整理・ファイリング | 書類一覧・担当者情報 | 機密情報 |
| | 総務事務、人事事務 | 社員の勤怠管理 | 勤怠データ・社員情報 | 機密情報 |
| | 受付・案内事務、秘書 | 予定・会議の調整 | 出席者情報・予定・会議室情報 | 機密情報 |
| | 医療事務・受付 | 患者情報の管理 | 患者情報・予約データ | 個人情報 |
| | 会計・経理事務 | 請求書の作成・送付 | 取引先情報・過去の取引履歴 | 機密情報 |
| | 営業事務、販売事務 | 顧客からの問い合わせ対応 | 問い合わせ内容 | 一般情報 |
| | 金融・保険事務 | ローン審査のサポート | 申込者情報・書類一覧・担当者情報 | 一般情報 |
| | 貿易事務 | 輸出入手続きのサポート | 関税・輸送コストデータ | 一般情報 |
| | 運行管理事務、郵便事務、旅客・料金収受係 | 運行スケジュールの管理 | 運行スケジュールデータ・遅延・天気データ | 一般情報 |
| | データ入力等PC操作 | データの整理・分析 | – | 一般情報 |
| | 集金・検針・調査等の外勤事務 | 集金スケジュールの管理 | 集金スケジュールデータ・顧客情報 | 個人情報 |
| | 生産・工程管理事務、出荷・受荷事務 | 出荷手配の手続き | 運送会社情報 | 一般情報 |
| マーケティング | 企画事務、マーケティング | 競合分析の実施 | 競合企業情報 | 一般情報 |
| コールセンター | コールセンターオペレーター、テレアポ等 | 顧客対応のサポート | – | 一般情報 |
| 管理職 | 法人・団体の役員・管理職等 | 業務戦略の立案・実施 | 業界情報 | 一般情報 |

第5章

# AIプロンプト力を上げる

# 「みんなの必須スキル」プロンプト力

## プロンプト力＝「ＡＩをことばで操るチカラ」

ＧＰＴ時代のＡＩ企画を立案する方法を習得いただけたら、次はＡＩを操る「ＡＩプロンプト力」を身につけていただきたいと思います。

かつて、プロンプトとはコンピューターに対して具体的な命令を出すための言葉であり、「コマンドプロンプト」などと表現されていました。具体的には、Ｗｉｎｄｏｗｓのようなシステムの詳細な設定や特殊な機能を操作する際に、あらかじめ定められたルールに基づくコマンドを打ち込むことで指示を出す行為を指していたのです。

ＣｈａｔＧＰＴの登場とともに、「プロンプト」という言葉の使われ方が大きく変化しました。現在では、ＧＰＴやＭｉｄｊｏｕｒｎｅｙのようなＡＩへの自然な言葉による指示を「プロンプト」と称することが多くなりました。ＧＰＴ時代の「プロンプト」は、生成ＡＩへの指示や質問を指す言葉になったのです。

ＣｈａｔＧＰＴのようなチャット型ＡＩサービスや、Ｍｉｄｊｏｕｒｎｅｙのような画像生成サービスでは、ユーザーがＡＩに要望や質問をプロンプトという形で伝え、ＡＩはその指示に基づいて適切な文章や画像を生成して応答します。

**ＡＩの操作はプログラミングやＧＵＩを介した方法から、「ことばによる指導」へと大きく進化**しました。その結果、「プロンプト力」すなわち「ＡＩをことばで操るチカラ」が重要になり、プロンプトの能力開発が求められる時代になったのです。

## 「ヒトの能力差」はプロンプトで決まる

ＡＩの活用は、プロンプトの内容やそのクオリティに大きく依存します。「ＡＩがうまく動くときもあれば、思い通りに動かないときもある」。その差は、入力の仕方によって左右されます。

ここで重要なのが、**「指示上手＝ＡＩ活用上手」という法則**です。指示がうまい人ほどＡＩの能力を十分に引き出すことができ、ＧＰＴ時代の能力差が生まれます。この「ＡＩをことばで操るチカラ」つまり「プロンプト力」は、アフターＧＰＴ時代における自己の生産性やクリエイティビティを左右する重要な力になるのです。

たとえば、仕事を依頼する際、**人に対して「的確な指示」が出せる人は、同様にＡＩへ**

**も的確な指示を出せる素質をもっています。**「どんな条件で、どんなタスクを、どんな手順で行なうのか」「誰のために、何のために行なうのか」などを明確に伝える力は、人とＡＩ、どちらに対しても同等に重要になるのです。

プロンプト力が「ヒトの能力差」を生み出す時代に入りました。本章を通じてプロンプト力を磨いていきましょう。

## プログラミングよりもプロンプト!?

ＧＰＴ時代のＡＩが私たちの生活や職場に深く浸透してくるにあたり、**プロンプト力は「みんなの必須スキル」**になっていくはずです。これまで、学校教育ではプログラミングの重要性が強調され、小学校から大学まで幅広くプログラミング教育が強化されてきました。これにより、社会には高度なシステム開発能力をもつ人材が生まれ、大きな価値を創出してきたと思います。

しかしながら、そのような教育を受けてきたすべての人がプログラマーやシステムエンジニアになるわけではありません。一部の人にとっては、「プログラミングを学んだが、実際の仕事でまったく使わない」という状況が生まれることも少なくないのが実態です。

私自身もプログラミングの教育を受けたものの、仕事でプログラムを作成した経験はほとんどありません。

プログラミングの基本的な理解は、基礎教養として重要な知識であることは間違いありません。しかし、「ＡＩをことばで操る」ＧＰＴ時代においては、プログラミング能力の習得の必要性は相対的に減少するかもしれません。

プロンプトは日常的に使っている言葉で入力が可能です。そのコツさえ掴めば、驚くべき成果を生み出すこともできます。そして、「ことばで操るＡＩ」は、世代にかかわらず、たとえば小学校の低学年の子どもでも動かすことができるのです。そして何より、ＧＰＴ時代のＡＩは「ことばの指示でプログラムを書く」ことも可能です。

それゆえに、私は社会人研修だけでなく、学校でもプロンプト教育を早期に充実させるべきだと考えます。言葉で動くＡＩと共生する未来を想像するならば、**プログラミングよりもＡＩを操る「プロンプト力」を磨くべき**であることが、自然なことだと感じていただけるのではないでしょうか。

# 良いプロンプト・ダメなプロンプト

## 「良いプロンプト」とは？

良いプロンプトとはどういったものでしょうか？　良いプロンプトとは、まず「あいまいさがなく解釈にブレが生まれない適切な指示」を与えるものだと言えます。そして「思い描いた出力」が得られていることも重要です。その上で、出力の「再現性」が高く「間違いの出力」を極力抑えることができるプロンプトが求められます。

**「指示の意図を汲んで例外が少なく高い精度の出力」をするプロンプトは良いプロンプト**と言えます。また、対話タスクをＡＩにオーダーする場合には「ＡＩが思った通りのシナリオで動作する」かどうかも良いプロンプトの指標となります。

どのようにプロンプトを書くべきなのかについては、その具体的なポイントを後ほど解説していきます。

## 「ダメなプロンプト」とは？

**ダメなプロンプトには、さまざまな形があります。**

「あいまいで、解釈が広すぎる」プロンプトは、ＡＩに混乱を招き、期待通りの出力を得られない可能性が高くなります。

「ＡＩの種類やバージョンで対応していない範囲で要求する」プロンプトは、ＡＩの機能を超えた指示であり、適切な結果を得ることはできません。

「参照知識が必要なのに無視して要求する」プロンプトもまた、ＡＩが良い回答を出せない可能性が高いです。

さらに、「個人情報や機密情報をむやみに入れる」プロンプトは、プライバシーの侵害や情報漏洩につながるため、確実に避けるべきです。

「悪用を目的とする」プロンプトは、社会倫理に反し、法的な問題にもなりえます。「著作権侵害」も同様に、法的な問題となり、倫理的にも問題があります。また、「○○に似せる」などと指示し、生成画像を出力させる行為は、著作権侵害に該当する可能性があります。

図表5-1　**プロンプト上手になるための7つのポイント**

| | |
|---|---|
| **①明確な質問** | 曖昧な質問ではなく明確な質問をすることで、より良い回答が得られます。 |
| **②具体性** | トピックや要求に具体的な詳細を提供することで、適切な回答を引き出すことができます。 |
| **③プロンプトの構造** | 質問を構造化して、抜け・漏れをなくします。 |
| **④文脈の提供** | 重要な文脈や背景情報を提供します。 |
| **⑤複数の質問** | 必要に応じて、複数の質問を連続して投げます。 |
| **⑥ステップバイステップ指示** | 段階的に考えさせます。 |
| **⑦校正とフィードバック** | 得られた結果を評価し、精度向上を促します。 |

## プロンプト上手になるために

「ダメなプロンプト」を防ぐためには、社会全体でのルール作りが必要で、特に企業内での利用においては、利用ガイドラインの策定や教育が重要となります。

なお、マイクロソフトは、ＯｐｅｎＡＩの技術を自社製品に組み込む際、社会的な悪用を防ぐため、「責任あるＡＩ」という視点を重視しています。ＡＩは人間が想像を超える知能をもち、その能力が悪用されると大きな問題を引き起こします。だからこそ、使う側のモラルや社会の仕組みが重要となるのです。

我々がＡＩを使う際には、「ダメなプロンプト」を避け、適切な使い方を心掛けるべきです。そのためには、ＡＩの性能や機能を理解し、その範囲内で要求をすること、個人情報や機密情報を適切に管理すること、悪用を避けること、そして著作権を尊重することなどがポイントになります。

良いプロンプトとダメなプロンプトの傾向はおわかりいただけたと思います。その上で**「プロンプト上手になるための7つのポイント」**（図表5-1）を押さえていただければと思います。

## プロンプトは「3つの型」を使い分ける

### プロンプトの「3つの型」

プロンプトの概要はつかんでいただけたと思いますので、次は、ChatGPTやPlaygroundに入力するプロンプトをより具体的に見ていただければと思います。まず、

図表5-2　3つのレベル別プロンプト

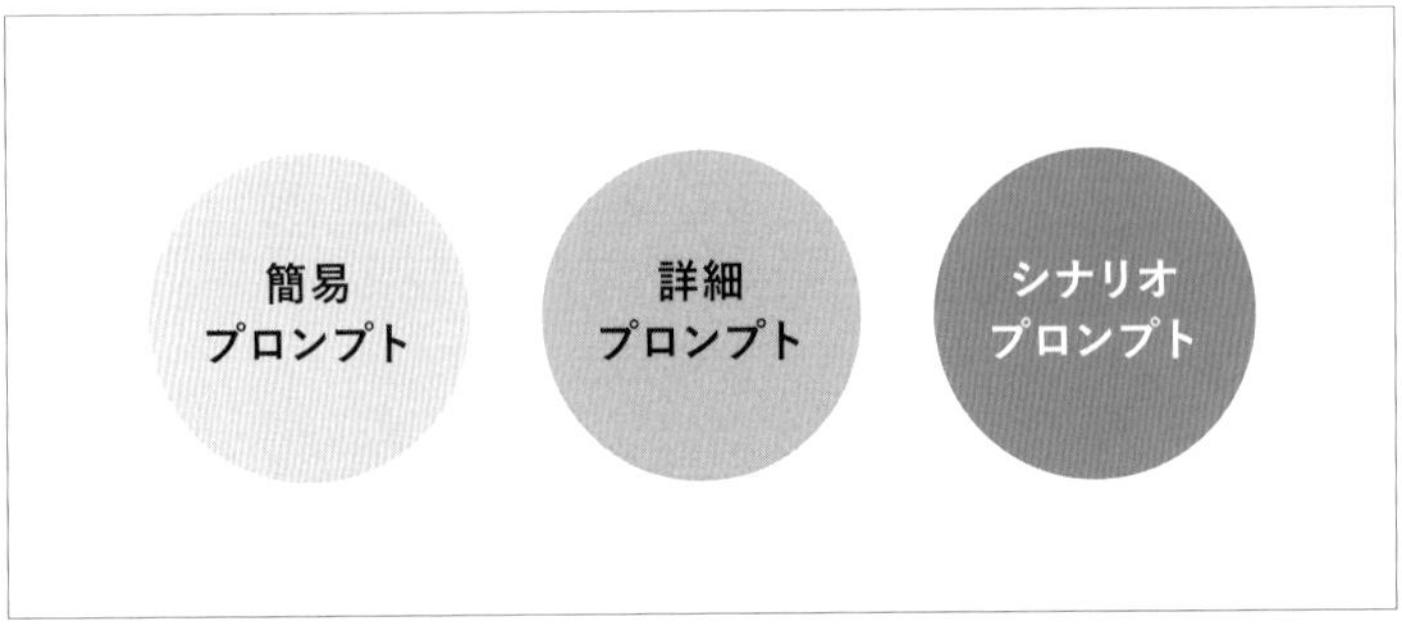


プロンプトは主に**「簡易プロンプト」「詳細プロンプト」「シナリオプロンプト」の3つ**に分けられます（図表5－2）。

それぞれのプロンプトについてくわしく見ていきましょう。簡易プロンプトは短くシンプルにAIに要求を伝える手法、詳細プロンプトは具体的な指示をくわしく伝える方法、そしてシナリオプロンプトはAIに対話の流れを指示する方法です。これから1つずつ解説していきます。

## シンプルに指示する「簡易プロンプト」

簡易プロンプトは、AIにシンプルで明瞭な指示を出す手法です。まるで日常の会話のように、自然な口語で要求を伝えます。その際、特に以下の3点、「依頼」「役割」「形式」を意識してプロンプトを作成するようにしてください（図表5－3）。

「Request（依頼）」は、**AIに具体的に何を実行してほしいのかを明示します。あいまいな指示ではなく、具体的なタスク**

図表5-3　簡易プロンプト

**を伝えることが大切です。**

「Role（役割）」では、**指示を実行するＡＩの立ち位置を示します。たとえば、「あなたは歴史の先生です」「あなたは科学者です」「あなたは法律の専門家です」のように、ＡＩに具体的な役割を想定させます。**

「Regulation（形式）」では、**ＡＩが出力する情報の形式を決定します。**デフォルトはテキスト形式ですが、表形式やリスト形式、マークアップ形式などを要求することも可能です。また、特定のスクリプトで答えてほしい、マインドマップ形式で示してほしいなど、具体的な出力形式を指定することもできます。

簡易プロンプトの基本形は、次のとおりです。

**あなたは｛役割｝です。**
**｛依頼｝を実行して、｛形式｝の形式で出力してください。**

図表5-4　**簡易プロンプトの例**

> あなたは{役割}です。
> {依頼}を実行して、{形式}の形式で出力してください。
>
> 例：
> あなたは「広報担当者」です。
> 以下の「プレスリリース」への想定質問と回答例をあげて、「表形式」の形式で出力してください。

図表5-4に例を1つ示していますが、それ以外の例も示していきましょう。

**例1**

あなたはプロのライターです。

「AI時代に学生が学ぶべきこと」というテーマについて、300文字で箇条書きしてください。リストの形式で出力してください。

**例2**

あなたは企画プランナーです。

「AIを使った新しい家電製品」のお題に対して、「企画アイデア名とアイデア概要」を10個あげてください。表の形式で出力してください。

図表5-5　詳細プロンプト

## 細かに指示する「詳細プロンプト」

「詳細プロンプト」は、AIへの指示が漏れないよう、網羅的な観点から指示を出す方法です（図表5-5）。簡易プロンプトにある「Request（依頼）」「Role（役割）」「Regulation（形式）」に加え、「Rule（ルール）」「Review & Refine（評価・改善）」「Reference（参照知識・例）」の要素を用いて詳細な指示をAIに伝えます。

「Rule（ルール）」では、**具体的な出力条件を設定**します。ここでは「背景」「ターゲット」「含めること」「禁止すること」「スタイル」「量」「抽象度」「順番」など8つのルールを明示します（図表5-6）。

**「背景」は出力を求める理由、「ターゲット」は出力の対象者、「含めること」「禁止すること」はそれぞ**

図表5-6　8 Rules

**れ出力内容の範囲を明示します。「スタイル」は口語や文語、特定の調子で、また絵文字の有無などを決定し、「量」で文字数、「抽象度」で具体性、「順番」で要素の並び順などを指定することができます。**この8つのルール以外にも出力にあたっての条件や制約を記載してあげることもできます。

「Review & Refine（評価・改善）」では、**AIが自己評価を行ない、さらなる改善を目指します。**自己評価や他者評価、フィードバックによる改善、問いによる気づきを促す指示、質問によるフィードバック要求などを用いて、AIの出力の精度を高めます。

「Reference（参照知識・例）」では、**AIが依頼事項を実行する際に参照すべき情報や具体例を提供します。**

図表5-7　**ウェブから情報を探すためのプラグイン**

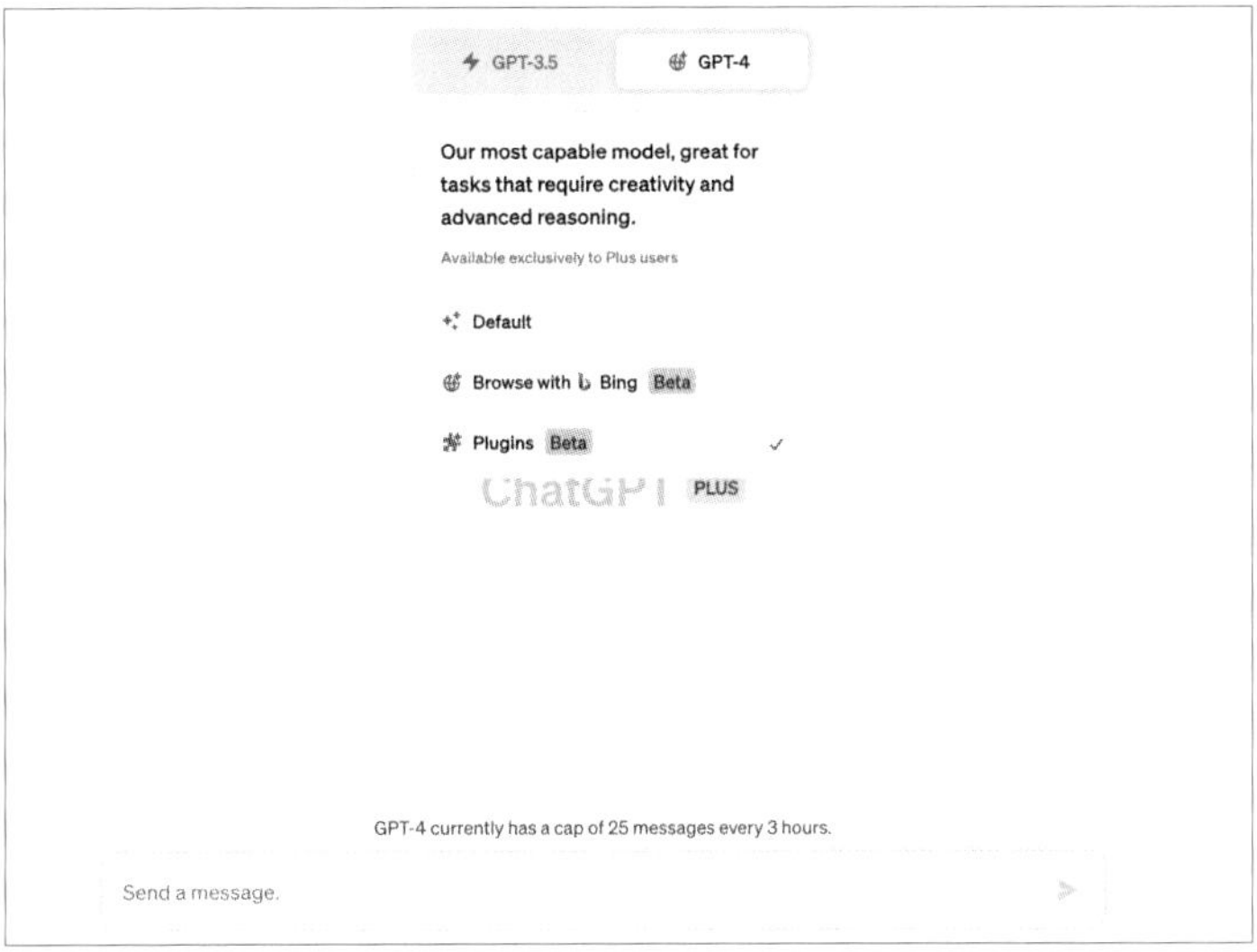


たとえば、社内ルールについて答える必要がある場合は社内ルールの文章を提供します。ウェブで検索可能な情報については、ChatGPTのプラグインやウェブサーチ機能プラグインなどを指定して必要な情報を取得させます（図表5-7）。Google Bardの場合も「ウェブで検索して」と指示することで確実に情報を得られます。

また、具体例をAIに渡すことで出力の内容を例に沿わせることができます。これはAIに数個の例を与え、求める出力に寄せるアプローチで、「フューショットプロンプティング（Few-shot Prompting）」と呼ばれるものになります（「フューショットプロンプティング」については第2章の用語解説も参照してください）。

図表5-8　**詳細プロンプト**

```
# 依頼
  あなたは{# 役割}です。{# ルール}を必ず守り、以下の「プレスリリース」
  への想定質問と回答例を挙げて、{# 形式}の形式で出力してください。

# 役割
  広報担当者

# ルール
  - 想定質問と回答例を3個ずつあげてください。
  - {# 評価}の方法で評価し、出力に含めてください。
  - {# 参照}を例にして、出力してください。

# 形式
  - 表形式
  - 列は「想定質問」「回答例」「聞かれる可能性」

# 評価
  - 想定質問が聞かれる可能性を5段階で評価

# 参照
  なし
```

これらの項目は必要に応じて利用し、プロンプト実行時に必要かどうかを見極めることが重要です。**出力が思い通りにいかない場合には、入力項目を追加する**ことでより詳細な指示を出すことが可能です。詳細プロンプトは、ＡＩに対する具体的な要求と期待を明確に伝え、より高品質な出力を得るための重要な方法となります。具体例は、図表5-8に示しておきます。

## シナリオ実行まで指示する「シナリオプロンプト」

簡易プロンプトや詳細プロンプトの実行に慣れてきたら、次のステップとして「シナリオプロンプト」に挑戦してみましょう（図表

5-9）。これは、**GPTなどのAIに対して、事前に設定したシナリオに沿った会話を連続的に実行させるものです。**たとえば、「プレスリリース対応のエージェントAI」をGPTで作る場合を考えてみましょう（図表5-10）。

AIに「以下の実行シナリオに沿って私とやり取りをしてください」と指示し、その後「1回目の出力を行ない『どの案がよろしいですか?』と私に聞く」「私が選んだ案の傾向を把握して、依頼を再度実行する」「私に『このタスクを終了させてよろしいですか?』と聞き、終了してよければタスクを完了させる」というような流れを設定します。このようなシナリオに沿った動作を行なわせるためのプロンプトを入力することにより、さまざまなタイプのエージェントAIを作ることができます。

1つ注意点があります。「シナリオプロンプト」は、AIのバージョンによっては安定した動作を保証できないことがあります。GPTであれば、GPT-4以降のバージョンを利用するのがおすすめです。

図表5-9　**シナリオプロンプト**（図表1-12再掲）

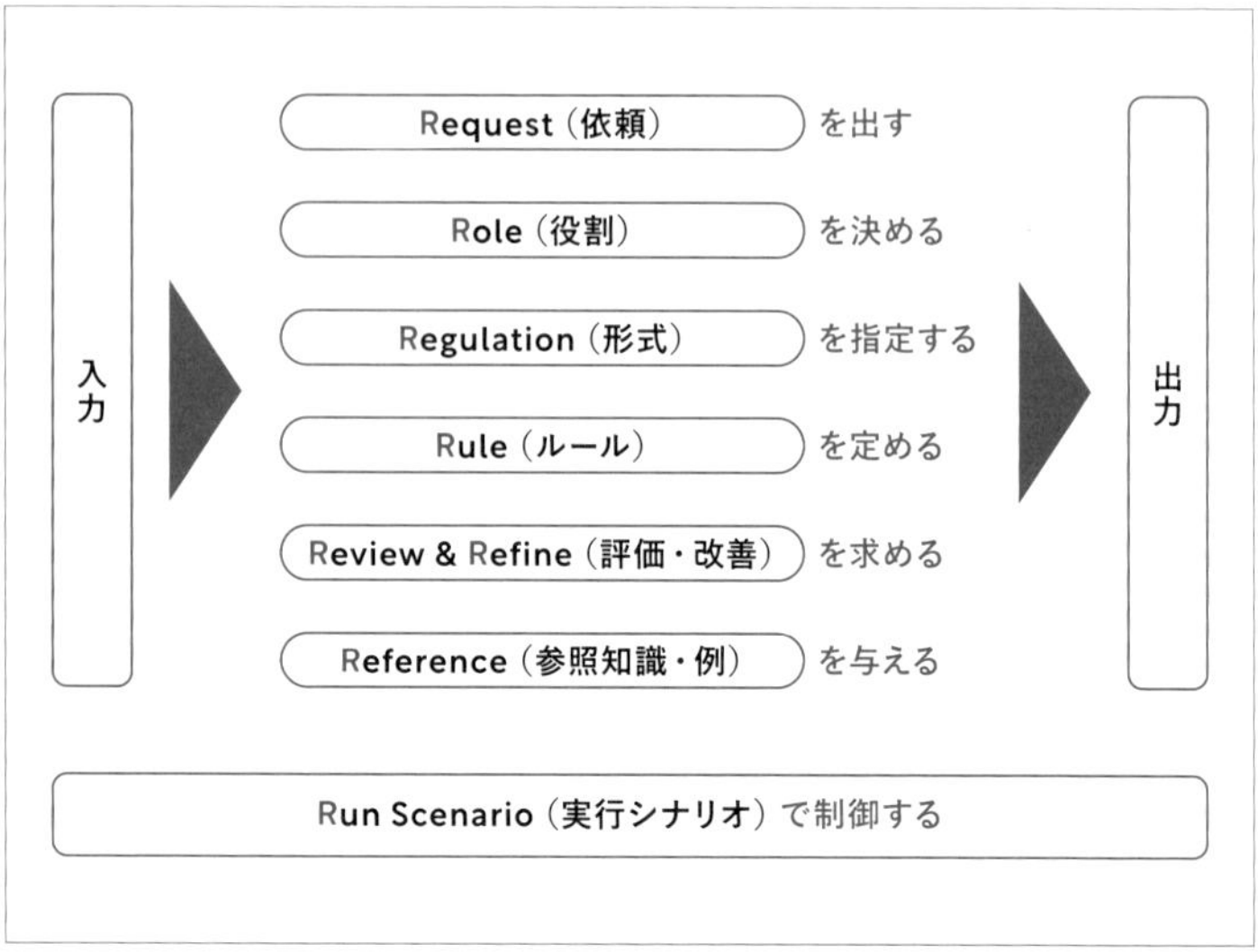


図表5-10　**シナリオプロンプト**

```
# 依頼
  あなたは{# 役割}です。次の{# ルール}を必ず守り、以下の「プレスリリース」への想
  定質問と回答例をあげて、{# 形式}の形式で出力してください。
# 役割
  広報担当者
# 形式
  - 表形式
  - 列は「想定質問」「回答例」「聞かれる可能性」
# ルール
  - 想定質問と回答例を3個ずつあげてください。
  - {# 評価}の方法で評価し、出力に含めてください。
  - {# 参照}を例にして、出力してください。
  - {# 実行シナリオ}に沿って私とやり取りをしてください。
# 評価
  - 想定質問が聞かれる可能性を5段階で評価
# 参照
  - なし
# 実行シナリオ
  1. 1回目の出力を行い「どの案がよろしいですか？」と私に聞く
  2. 私が選んだ案の傾向を把握して、{# 依頼}を再度実行する
  3. 私に「このタスクを終了させてよろしいですか？」と聞き、終了してよければタスクを
     完了させる。終了してはいけなければ再度{# 依頼}を実施する
```

# 文系AI式「7Rプロンプト」フレームワーク

## 7つの「R」でプロンプト完成度を上げる

これまでに「簡易プロンプト」「詳細プロンプト」「シナリオプロンプト」の「3つの型」を紹介し、プロンプトの利用を進める中で7つの入力項目を紹介してきました。これら**7つの項目のそれぞれの英語の頭文字をとり、「7Rプロンプト」**と呼ぶことにします（図表5-11）。これを活用することで、より利用しやすいフレームワークとしてプロンプトを実行することが可能になります。

①Request：「依頼」を出す
②Role：「役割」を決める
③Regulation：「形式」を指定する
④Rule：「ルール」を定める
⑤Review & Refine：「評価・改善」を求める

図表5-11　文系AI式「7Rプロンプト」フレームワーク（図表1-12、5-9再掲）

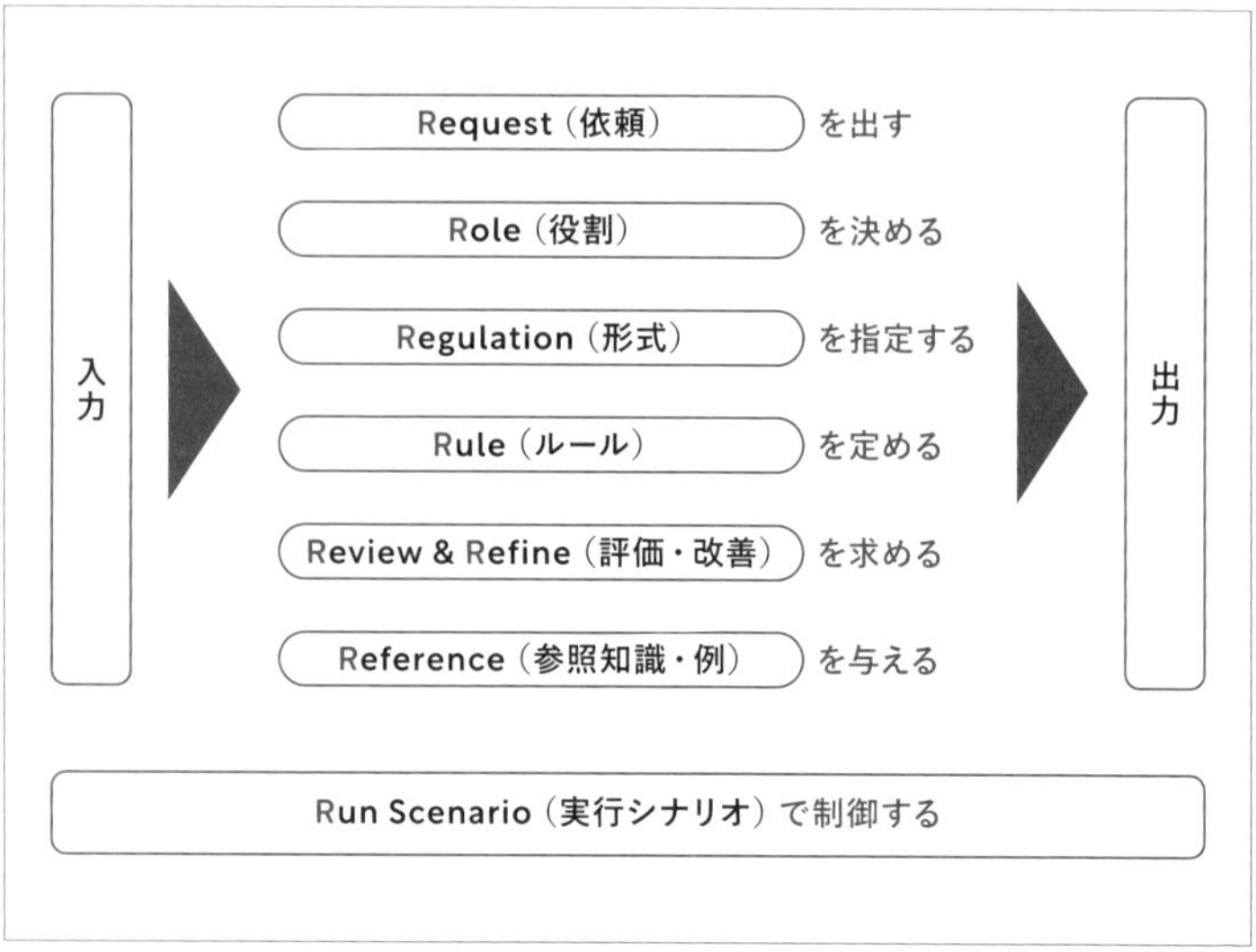


⑥ Reference：「参照知識・例」を与える
⑦ Run Scenario：「実行シナリオ」で制御する

## 7Rプロンプト早見表と「魔法のキーフレーズ」

7Rプロンプトを使っていただくための早見表をまとめております（図表5-12-1、図表5-12-2）ので、実際にプロンプトを行なう際に、参考にしていただければと思います。

「7Rプロンプト」が基本形となりますが、そのほかにも**AIの出力精度を上げる魔法のように効果のあるフレーズ**があります。

図表5-12-1　**7Rプロンプト早見表①**

| プロンプト種類 | 概要 | 詳細や例 |
| --- | --- | --- |
| Request<br>（依頼） | AIへの「依頼」文。この依頼内容は曖昧さをできるだけなくし、簡潔にタスクを定義する。 | •アイデアを10個出してください。<br>•商品のレビューを作成してください。<br>•入力した文章を清書してください。 |
| Role<br>（役割） | AIの役割設定。「何にくわしい人なのか？」「誰として答えるのか？」を指定する。 | •あなたは経営のプロです。<br>•あなたは心理学にくわしい学者です。<br>•あなたはダーウィンです。<br>•あなたは30代の都内に住む主婦です。 |
| Regulation<br>（形式） | 出力形式の定め。プレーンテキストやプログラム・スクリプト、構造化系などを指定する。 | プレーンテキスト系<br>•プレーンテキスト<br>•絵文字入りテキスト<br>•質問と回答<br>•ダイアログ<br>構造化系<br>•階層的データ<br>•リスト形式<br>•表形式<br>•CSV<br>プログラム・スクリプト系<br>•マークダウン<br>•HTML<br>•XML<br>•JSON<br>•JavaScript コード<br>•SQL<br>•Python コード<br>•Java コード<br>その他<br>•マインドマップ用のソース<br>•グラフ |

図表5-12-2　**7Rプロンプト早見表②**

| プロンプト種類 | 概要 | 詳細や例 |
|---|---|---|
| Rule<br>（ルール） | 依頼を実行する上での詳細の条件指定。背景やターゲット、文体などを定める。 | 「Background：背景」を伝える<br>• 出力を求めている背景は～です。<br>「Target：ターゲット」を与える<br>• 出力の対象ターゲットは～です。<br>「Included：含めること」を伝える<br>• 出力に～は含めてください。<br>「Prohibited：禁止すること」を伝える<br>• 出力に～は含めないでください。<br>「Style：スタイル」を決める<br>• 文体で<br>• 口語で<br>• 文語で<br>• ～風で<br>• 絵文字も入れて<br>「Amount：量」を指定する<br>• 日本語で100文字で<br>「Abstract：抽象度」を指定する<br>• 抽象的にして答えて / 具体的に答えて<br>「Order：順番」を指定する<br>• ～の順で並び替えて |
| Review &<br>Refine<br>（評価・改善） | AIの出力を自分で評価し、自己改善を行なう。 | 「自己評価」させる<br>• 出力について自己採点して<br>• 出力について意見を述べて<br>「他者評価」を渡す<br>• 出力に対しての評価を求めて<br>「改善」させる<br>• フィードバックをもとに改善して<br>「問い」による気づきを与える<br>• ～を行なうにあたっての重要なポイントは？<br>• ～の専門家が持っている観点は？<br>• それらのポイントを踏まえて、自己評価し改善を行なってください。<br>「質問」させる<br>• 出力について、私に質問させて |
| Reference<br>（参照知識・例） | 依頼を実行するために必要な情報（参照する知識）や出力のための具体例を提示する。 | • ～を参照して<br>• 例を参考にして |
| Run Scenario<br>（実行シナリオ） | 決められたシナリオに沿って会話を実行する。 | 1. 1回目の出力を行い「どの案がよろしいですか？」と私に聞く<br>2. 私が選んだ案の傾向を把握して、タスクを再度実行する<br>3. 私に「このタスクを終了させてよろしいですか？」と聞き、終了してよければタスクを完了させる。終了してはいけなければ再度タスクを実施する |

図表5-13　**精度を上げる「魔法のキーフレーズ」**

- 「小学生でもわかるように」
- 「その理由も添えて」
- 「ステップバイステップで」
- 「最良の手順をまず考えてから、その手順通りに実行してください」
- 「良い出力のために必要なことを私に質問してください」
- 「自信がなければ答えないでください」
- 「間違ったら大変なことが起こるので慎重に」
- 「良い出力になるプロンプトに書き換えて」

●「小学生でもわかるように」
●「その理由も添えて」
●「ステップバイステップで」
●「最良の手順をまず考えてから、その手順通りに実行してください」
●「良い出力のために必要なことを私に質問してください」
●「自信がなければ答えないでください」
●「間違ったら大変なことが起こるので慎重に」
●「良い出力になるプロンプトに書き換えて」

図表5-13にまとめてあります。ぜひ1つずつプロンプトに加えて試してみてください。

第6章

# AIマネジメント力を身につける

# GPT時代のAIを「マネジメント」する

## 2つの「AIマネジメント力」を身につけよう

AIプロンプト力を磨いていただいたら、GPT時代のAIを最大限に活かすための「AIマネジメント力」をつけていきましょう。**「AIマネジメント力」を身につけるには、「AI操作力」と「AI導入力」の2つ**のマネジメントの力の習得が必要となります（図表6-1）。それぞれについてくわしく解説していきます。

まず、「**AI操作力**」についてです。これは、**AIの能力を十分に引き出し、開花させるためのスキル**です。

ただし、これまで学んでいただいたプロンプトの操作力だけでなく、より広範な視点が求められます。たとえば、AI利用の際どのようなインターフェースを利用するか、どのようにインプット情報をコントロールするか、アウトプット形式はどうするか、といった考慮が求められます。さらに、AIに適切な参照知識を提供する技術や、AIに自動処理を行なわせる操作方法も重要となります。

図表6-1　AI操作力とAI導入力

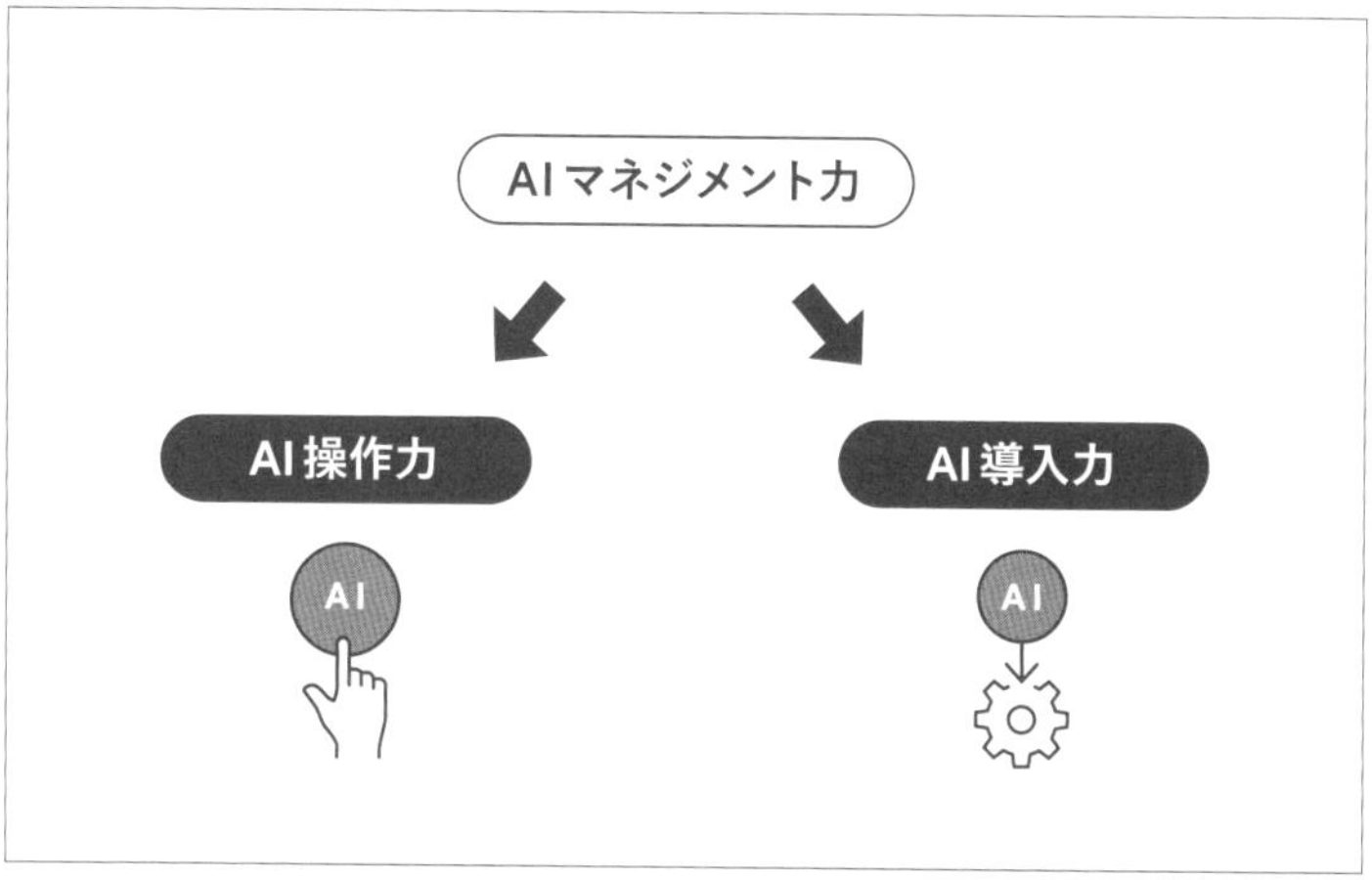


また、企業内のルールや専門用語に対応した出力を行なわせるために、ＡＩに個別の学習をさせるスキルも必要になってきます。

そして、ＧＰＴだけでなく、Ｇｏｏｇｌｅ Ｂａｒｄなどの新たなプラットフォームも登場してきているため、それらの選定や使い分けにも配慮が必要です。これらすべてが組み合わさった「ＡＩ操作力」が、ＡＩの活用促進やマネジメントには欠かせないと言えるでしょう。

次に、「**AI導入力**」です。これは**AIを業務に導入し、定着させるためのスキル**を指します。具体的には、どのタスクをＡＩに任せるのか、どのくらいの分量をＡＩに任せるのか、ＡＩを正しく評価するにはどうすればよいか、そして実際にＡＩを導入し、そして運用するにはどうすればよいか、といったスキルになります（くわしくは後述します）。

これらの**「AI操作力」**と**「AI導入力」**を合わせた**「AIマネジメント力」**を身につけることで、現場でのＡＩの運用レベルを上げ、ビジネスやサービスの成果を最大化することが可能となります。それぞれのスキルを理解し、身につけることで、ＡＩを効果的に管理し活用することができるのです。

# 「AI操作力」を伸ばす7つのTips

## 「AI操作力」を身につけよう

「ＡＩ操作力」の強化のための7つのＴｉｐｓを紹介します（図表6-2）。

まずＴｉｐｓ1、ＡＩの**「利用インターフェース」**選び。次にＴｉｐｓ2、ＡＩに与える**「インプット」**情報のコントロール。そしてＴｉｐｓ3、**「アウトプット形式」**の操縦。Ｔｉｐｓ4では、ＡＩに**「参照知識」**を与えること。Ｔｉｐｓ5、**「コード実行・オート処理」**

図表6-2　AI操作力を伸ばすための7つのTips

**Tips 1**　最適な「利用インターフェース」を選ぶ

**Tips 2**　「インプット」情報をコントロールする

**Tips 3**　「アウトプット形式」を操る

**Tips 4**　「参照知識」を与える

**Tips 5**　「コード実行・オート処理」をさせる

**Tips 6**　「個別学習」をさせて賢くする

**Tips 7**　ChatGPT「だけじゃない」GPT時代のAIを使い分ける

を有効に活用する方法。Tips6ではAIに**「個別学習」**をさせる。最後にTips7、**ChatGPTだけでなく、**GPT時代のA**Iを適切に使い分ける方法。**これらを理解し、具体的に実践することでAI操作力は飛躍的に伸びるでしょう。

## Tips1　最適な「利用インターフェース」を選ぶ

最適な「利用インターフェース」を選ぶために、まずGPTをどのように活用したいかを考えましょう（図表6-3）。

シンプルに会話形式で利用するなら、OpenAIの純正のChatインターフェース「ChatGPT」がおすすめです。また、新

図表6-3　GPTの利用インターフェース

しいアイデアを試行錯誤したい場合は、ブラウザから手軽に利用できる「Ｐｌａｙｇｒｏｕｎｄ」が適しています。

さらに、ＧＰＴ機能を連携させたＣｈｒｏｍｅブラウザプラグインや、有償のＧＰＴ搭載市販アプリも利用の選択肢としてあります。

企業内での利用を考慮する場合、独自の仕様に対応できる「ＧＰＴ搭載カスタムアプリ」の開発がおすすめです。これにより、企業独自のニーズに合わせてＧＰＴを活用することが可能になります。そして、既存システムにＧＰＴのＡＰＩを連携させることで、システムをパワーアップさせることもできます。

以上のように、**利用シーンや目的に応じて最適な「利用インターフェース」を選ぶ**こと

図表6-4　入力情報の種類

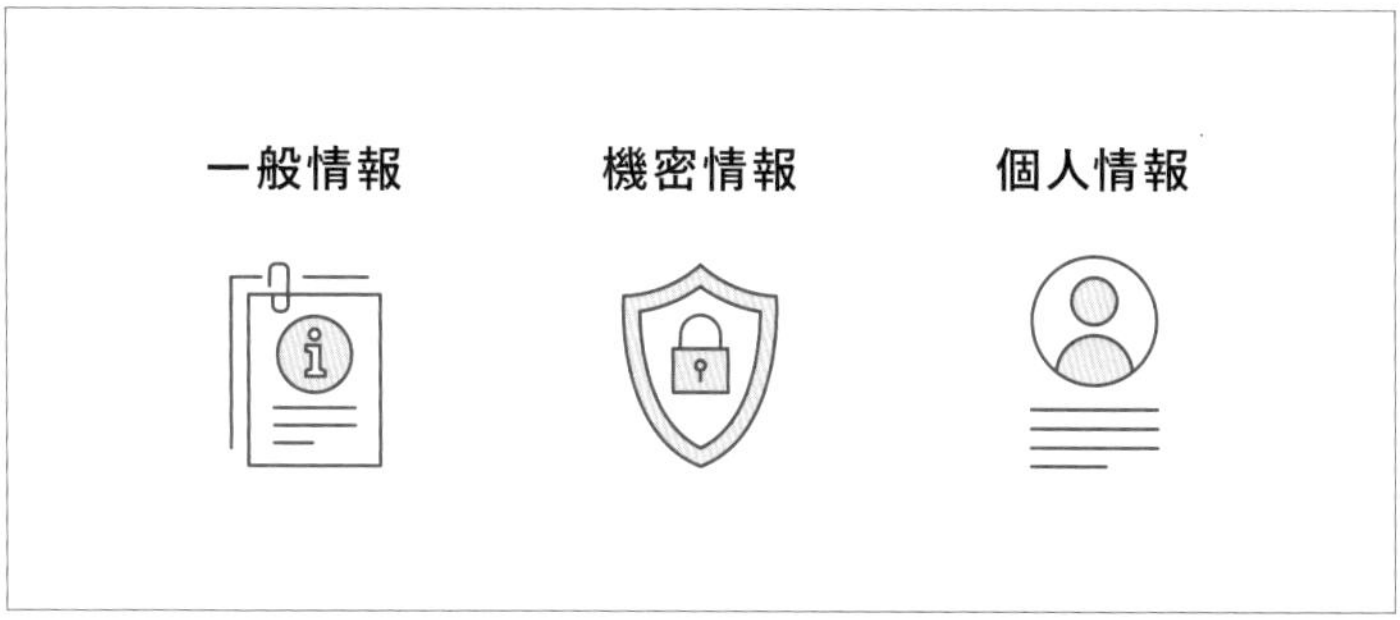


が、ＧＰＴを効果的に活用するためのポイントとなります。

## Tips2　「インプット」情報をコントロールする

ＧＰＴを利用する際には、インプットするデータの種類に注意が必要です。**情報の種類は大きく「一般情報」「機密情報」「個人情報」の3つ**に分けられます（図表6-4）が、その他にも他者が権利を有している情報も存在します。ＧＰＴなどにインプットする際には、情報種類ごとに対応が変わってきます。

２０２３年５月時点において、ＣｈａｔＧＰＴの規約ではユーザーから提供されたデータを同社のモデルを改善するために使用することがあるとされています。入力したデータを使用されたくない場合は、「オプトアウトフォーム」が用意されており、情報の提供を許可しない方法もあります。ただし、「機密情報」を送信することのハードルは低くはありません（なお、ＧＰＴのＡＰＩ利用時はその限りではありません）。

また、ＣｈａｔＧＰＴをはじめとするＧＰＴサービスは、海外サーバー上で動いています。個人情報保護法の観点から、個人を特定できるレベルの「個人情報」を海外サーバーに送ることは難しいです（なお、マイクロソフトのＡｚｕｒｅ ＯｐｅｎＡＩサービスでは、国内サーバ利用を選択することも可能になりました）。

家庭での利用も同様ですが、企業でのＣｈａｔＧＰＴなどの利用においては、サービス規約をしっかり把握した上で、入力する情報の種類をコントロールする必要があります。企業においては、入力情報についての取り決めのガイドラインを用意することが求められます。

インプットデータについてのガイドも含む生成ＡＩのガイドラインについては、著者も所属する日本ディープラーニング協会がドキュメントを無料公開しています。ぜひ参考にしてください（図表６－５）。

## Ｔｉｐｓ３　「アウトプット形式」を操る

「アウトプット形式」を操ることは、ＧＰＴをより効果的に活用するための重要なスキルです（図表６－６）。ＧＰＴの出力形式は多岐にわたり、主に「プレーンテキスト系」

図表6-5　**日本ディープラーニング協会の生成AIの利用ガイドラインのデータ入力に際しての注意事項一覧**（2023年5月公開）

【データ入力に際して注意すべき事項】
生成 AI に入力（送信）するデータは多種多様なものが含まれますが、知的財産権の処理の必要性や法規制の遵守という観点からは以下のデータを入力する場合、特に注意が必要です。

| 情報の種類 | 解説 |
| --- | --- |
| (1) 第三者が著作権を有しているデータ（他人が作成した文章等） | 単に生成 AI に他人の著作物を入力するだけの行為は著作権侵害に該当しません。<br>もっとも、生成されたデータが入力したデータや既存のデータ（著作物）と同一・類似している場合は、当該生成物の利用が当該著作物の著作権侵害になる可能性もありますので注意してください。具体的には「6 (2) 生成物を利用する行為が誰かの既存の権利を侵害する可能性がある」の部分を参照してください。<br>また、ファインチューニングによる独自モデルの作成や、いわゆるプロンプトエンジニアリングのために他者著作物を利用することについても原則として著作権侵害に該当しないと考えられます。 |
| (2) 登録商標・意匠（ロゴやデザイン） | 商標や意匠として登録されているロゴ・デザイン等を生成 AI に入力することは商標権侵害や意匠権侵害に該当しません。<br>もっとも、この点は著作物と同様、あくまで「入力行為」に関するものである点に注意が必要です。故意に、あるいは偶然生成された、他者の登録商標・意匠と同一・類似の商標・意匠を商用利用する行為は商標権侵害や意匠権侵害に該当します。<br>すなわち、生成 AI にロゴやデザインを入力する際には登録商標・意匠の調査の必要性は乏しいですが、生成物を利用する場合には調査が必要です。 |
| (3) 著名人の顔写真や氏名 | 著名人の顔写真や氏名を生成 AI に入力する行為は、当該著名人が有しているパブリシティ権の侵害には該当しません。<br>ただし、生成 AI を利用して生成物された著名人の氏名、肖像等については、それらの氏名や肖像等を商用利用する行為はパブリシティ権侵害に該当しますので注意してください。 |
| (4) 個人情報 | 【ChatGPT】においては入力したデータが【OpenAI 社】のモデルの学習に利用されることになっていますので、【ChatGPT】に個人情報（顧客氏名・住所等）を入力する場合、当該個人情報により特定される本人の同意を取得する必要があります。そのような同意取得は現実的ではありませんので、個人情報を入力しないでください。<br>【ただし、利用する生成 AI によっては、特定の条件を満たせば個人情報の入力が適法になる可能性もあります。詳細は【セキュリティ部門】にお問い合わせください。】 |
| (5) 他社から秘密保持義務を課されて開示された秘密情報 | 外部事業者が提供する生成 AI に、他社との間で秘密保持契約（NDA）などを締結して取得した秘密情報を入力する行為は、生成 AI 提供者という「第三者」に秘密情報を「開示」することになるため、NDA に反する可能性があります。<br>そのため、そのような秘密情報は入力しないでください。 |
| (6) 自組織の機密情報 | 自【社】内の機密情報（ノウハウ等）を生成 AI に入力する行為は何らかの法令に違反するということはありませんが、生成 AI の処理内容や規約の内容によっては当該機密情報が法律上保護されなくなったり特許出願ができなくなったりしてしまうリスクがありますので、入力しないでください。 |

（出所）https://www.jdla.org/document/#ai-guideline

<table>
<tr><th></th><th>出力の例</th></tr>
<tr><td></td><td>人工知能は技術の進歩によりますます発展しています。</td></tr>
<tr><td></td><td>こんにちは 😀★✨</td></tr>
<tr><td></td><td>Q：人工知能の定義は何ですか？<br>A：人工知能は、人間の知能を模倣するコンピューターシステムです。</td></tr>
<tr><td></td><td>A：どんな映画が好きですか？<br>B：私は SF 映画が好きです。</td></tr>
<tr><td></td><td>- 人工知能<br>  - 機械学習<br>    - 教師あり学習<br>      - 分類<br>      - 回帰</td></tr>
<tr><td></td><td>1. 人工知能<br>2. 機械学習<br>3. ディープラーニング</td></tr>
<tr><td></td><td>| 名前 | 年齢 | 職業 |<br>|--------|------|----------|<br>| Alice | 30 | エンジニア |<br>| Bob | 25 | デザイナー |</td></tr>
<tr><td></td><td>id, name, age Alice, 30</td></tr>
<tr><td></td><td># 人工知能の歴史 人工知能は ...</td></tr>
<tr><td></td><td><h1> 人工知能の歴史 </h1><p> 人工知能は ...</p></td></tr>
<tr><td></td><td><person><id>1</id><name>Alice</name><age>30</age></person></td></tr>
<tr><td></td><td>function hello(name) {console.log("Hello, " + name + "!");}</td></tr>
<tr><td></td><td>INSERT INTO users (id, name, age) VALUES (1, 'Alice', 30);</td></tr>
<tr><td></td><td>def hello(name):print(f"Hello, {name}!")</td></tr>
<tr><td></td><td>@startmindmap<br>+ かぐや姫<br>++ 見つかる<br>+++ おじいさん<br>@endmindmap</td></tr>
<tr><td></td><td># サンプルデータ<br>x = [1, 2, 3, 4, 5]<br>y = [2, 4, 6, 8, 10]<br><br># グラフの作成<br>plt.plot(x, y)<br><br># 軸ラベルの設定<br>plt.xlabel('X-axis')<br>plt.ylabel('Y-axis')</td></tr>
</table>

図表6-6 **GPTの出力形式の例**

| カテゴリー | 形式名 | 説明 |
|---|---|---|
| プレーンテキスト系 | プレーンテキスト | 一般的な文章やフレーズ |
| | 絵文字入りテキスト | 絵文字の入ったテキスト |
| | 質問と回答 | 質問に対する回答を生成 |
| | ダイアログ | 会話のやりとり |
| 構造化系 | 階層的データ | 階層をもつデータ |
| | リスト形式 | 項目のリストをテキスト形式で表示 |
| | 表形式 | データを行と列に整理した形式 |
| | CSV | カンマ区切りのデータ形式 |
| プログラム・スクリプト系 | マークダウン | 軽量マークアップ言語での記述 |
| | HTML | ウェブページのマークアップ言語 |
| | XML | 汎用的なマークアップ言語 |
| | JavaScript コード | JavaScript プログラム |
| | SQL | データベース操作用の言語 |
| | Python コード | Python プログラム |
| その他 | マインドマップ | マインドマップ用の PlantUML |
| | グラフ | スクリプトなどを通じて<br>グラフ化するための出力 |

図表6-7　**マインドマップ形式の出力例**

| プロンプト例 | 出力例 | マインドマップツールに貼りつけた際の標準例 |
|---|---|---|
| かぐや姫のストーリーについてマインドマップにまとめて、PlantUMLで出力してください。 | @startmindmap<br>+ かぐや姫<br>++ 見つかる<br>+++ おじいさん<br>+++ おばあさん<br>+++ 竹取の翁<br>++ 成長<br>+++ 美少女<br>+++ 五人の求婚者<br>+++ 課題<br>+++ 財宝<br>++ 輝く竹<br>+++ 金<br>+++ 生活<br>++ 真実の姫<br>+++ 月の都<br>+++ 親族<br>+++ 帰還<br>++ 記憶喪失の薬<br>+++ 飲まされる<br>+++ おじいさんとおばあさんとの別れ<br>@endmindmap | 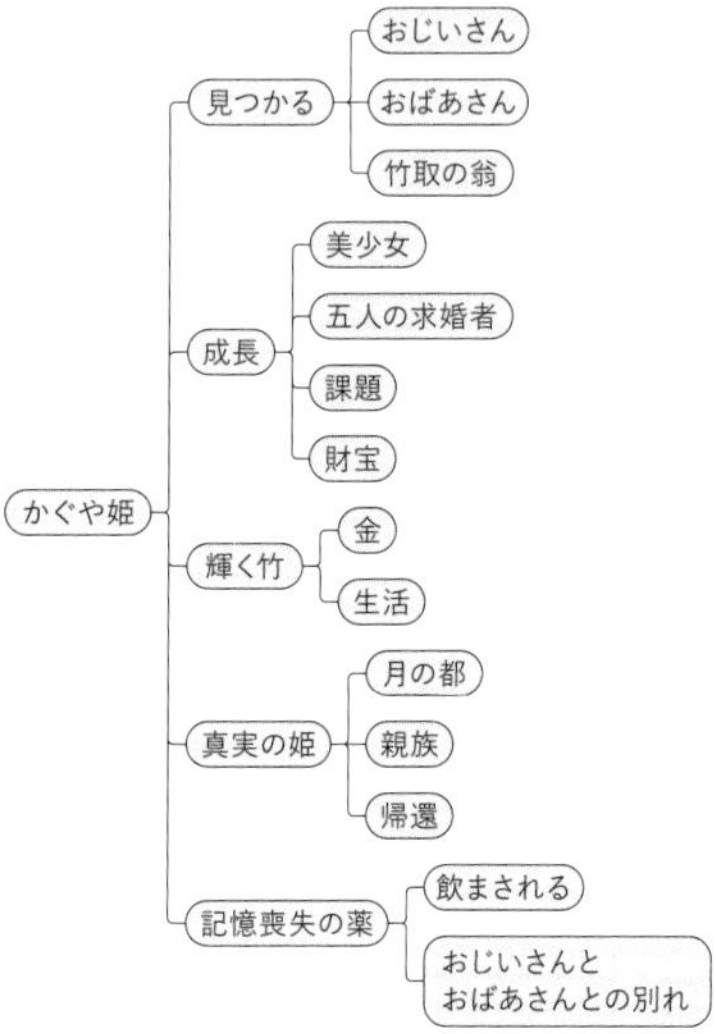 |



「構造化系」「プログラム・スクリプト系」「その他」の4つのカテゴリーに分けられます。

「**プレーンテキスト系**」には、シンプルなプレーンテキストや絵文字入りテキスト、質問と回答、ダイアログなどが含まれます。

「**構造化系**」では、階層的データ、リスト形式、表形式、CSVなど、情報を整理しやすい形で出力されます。

さらに、「**プログラム・スクリプト系**」としては、マークダウン、HTML、XML、JSONなどの構造化されたテキストや、JavaScriptコード、SQL、Pythonコード、Javaコードなどのプログラミング言語で記述された出力が得られます。

最後に**「その他」**としては、マインドマップ用のソースやグラフ（図表6-7）など、一般的なカテゴリーに当てはまらない出力形式が含まれます。

出力形式の例を示すことで、ＧＰＴに間違いが少なく、厳密な出力を求めることができます。これにより、あなたのニーズに応じた最適なアウトプットを得ることができるでしょう。

## Tips4 「参照知識」を与える

ＣｈａｔＧＰＴの利用において、学習時に与えられた知識だけでは足りないことがあります。たとえば、最新の情報やより専門的な知識、企業内の独自の情報やルールなどです。こうした**「少量の知識」**は、**プロンプトの中に含めて「参照知識」を提供すること**ができます。たとえば、１つの商品に関する短いマニュアルをプロンプトに入れることで、そのテキストを参照知識として活用できます。

また、参照知識の提供を簡単に行なうために、「プラグイン」を利用することもできます。ＣｈａｔＧＰＴのプラグインを使えば、「検索」や「情報参照」「連携サービス」と

図表6-8　マイクロソフトの知識参照のためのサービス On Your Data

https://www.youtube.com/watch?v=6SNfeVop4zM

いった機能をつなげて出力することが可能です。また、Google Bardもプラグインネットワークをもっています。

ただし、**大量の参照情報、企業内の独自の情報などは、GPTなどと連携するシステムを用意する必要**があります。個別の知識をGPTなどと連携するシステムを組み上げることで、参照知識とリンクしたGPTのサービスを実現することができます。

マイクロソフトのクラウド環境の上で動くGPTに任意のドキュメントを読み込ませて回答を得られる「Azure OpenAI Service On Your Data」（図表6-8）もGPTに「参照知識」を与えるためのサービスの1つです。

図表6-9　ChatGPTのコード実行プラグインの仕組み

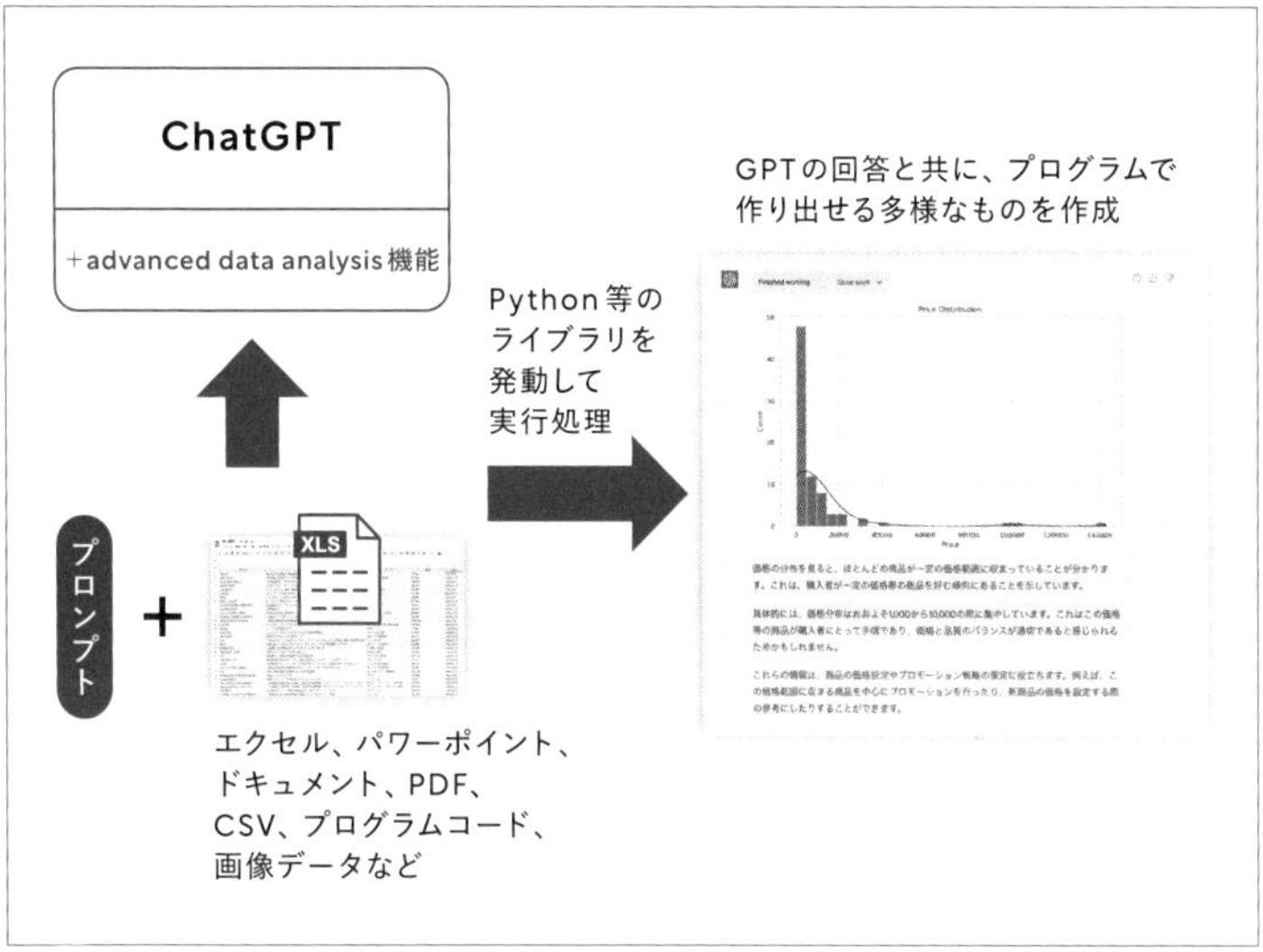


## Tips5
## 「コード実行・オート処理」をさせる

ChatGPTの有料版に、コード実行プラグイン「advanced data analysis」が2023年7月にベータ版としてリリースされました（図表6-9）。

このコード実行プラグインでは、エクセルやワード、PDF、CSV、プログラムファイル、画像などさまざまな形式のデータを読ませながら、言葉の指令だけでコードを実行させることができます。また、次のようなことが可能になります。

- ●データを読み込んで、処理をして出力
- ●データを読み込んで分析・グラフ作成

●画像内文字の認識（英語のみ）
●画像情報への処理
●プログラムファイルの分析と修正

たとえば、ChatGPT「Code Interpreter」にエクセルファイルをアップロードして、処理する内容をプロンプトで指示すると、データのチェックや修正・加工などを行ない、処理後のエクセルをダウンロード可能な状態で出力してくれます。

具体的に説明しますと、ChatGPT「Code Interpreter」にEコマースサイトでの購買データをアップロードし、次のプロンプトで指令すると、必要なデータの整形も自動で行なってくれた上で、グラフ生成も行ないます（図表6-10）。次のようなプロンプトで可能になります。

アップロードしたのはファッションECサイトの1人のユーザーの購買履歴です。データを読んで以下をグラフにしてください。
●アイテムカラーの色分布図

図表6-10　コード実行プラグインの出力例

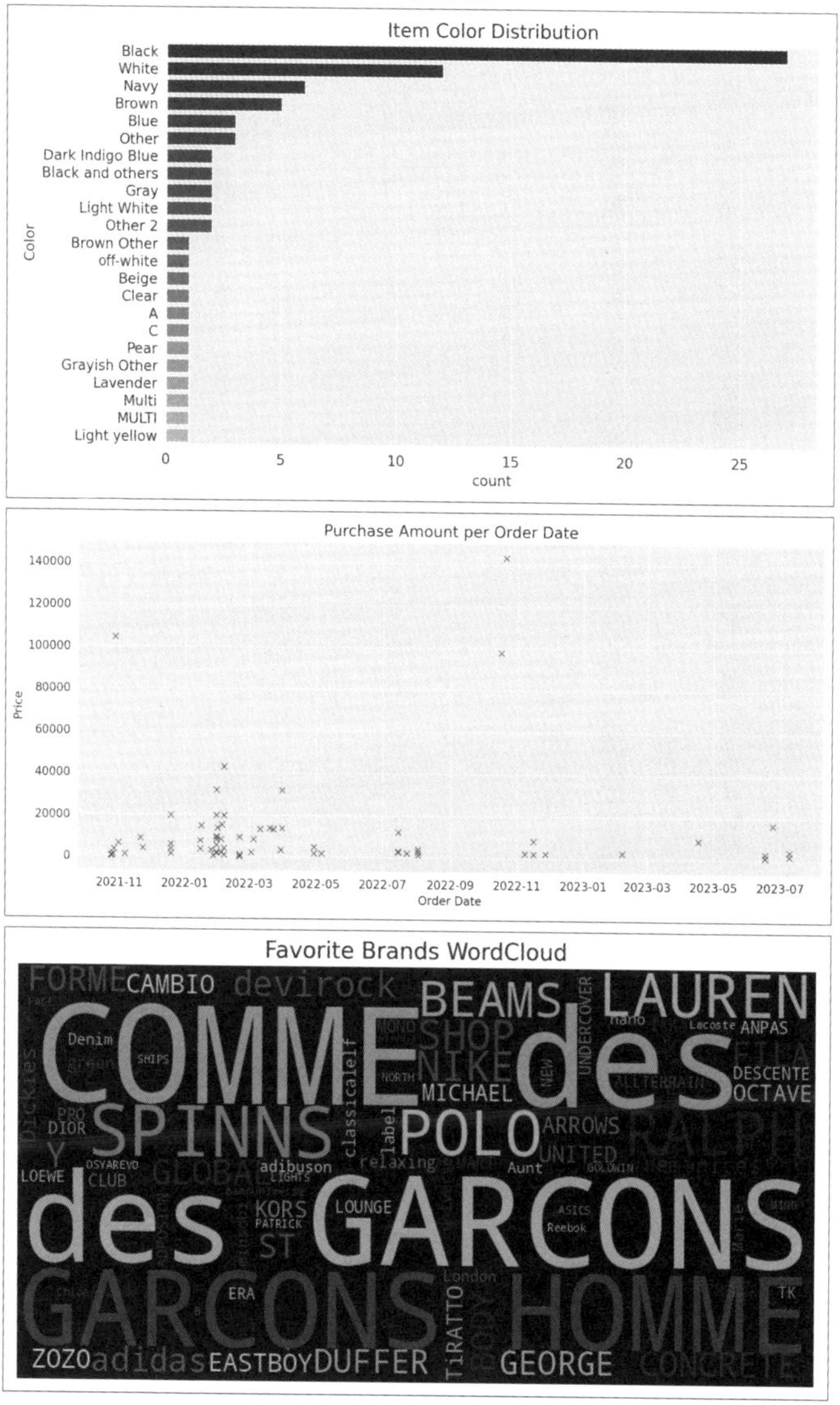

●注文日別の購入金額の散布図
●好みのブランドのワードクラウド

アップロードしたデータを読み込んで、グラフ生成のコードを実行する処理を、言葉の指令で発動させることができます。

その他、現在は英語のみの対応を確認していますが画像に含まれる文字を認識したり、アップロードした画像に対して加工の処理を行なうこともできます。プログラムコード一式をアップロードして、そのコードの分析や間違いの修正の指摘も行なってくれます。あくまでの使い方の１つの例ですが、入力データや何を実行させたいかのアイデアは無数に存在すると思います。

また、ＧＰＴを利用した派生系のサービスを使うことで、単発タスクだけではなく、**「目標を達成するまでの連続的なタスク」も実行できる**ことをご存じでしょうか。連続的なタスクを自動的に行なう「オート処理」を実現するには、たとえば**「Ａｕｔｏ－ＧＰＴ」というオープンソースのサービスを利用するとよいです。**

「Ａｕｔｏ－ＧＰＴ」を使えば、「〇〇の情報を得られるまで、複数の参照元を探索してください」といった目標を設定することで、そのために必要なアクションをＡＩが自律的に繰り返すことが可能です。たとえば「ツイッターアカウントの影響力を増やす」「複数のビジネスを開発し管理する」「純資産を増やす」といった目標も設定できると言われています。

もちろん、ＡＩが自律的に動いて達成できない目標もあるかもしれませんが、掲げた目標に対して手段を探索しながら自ら動くこの仕組みは、使い方次第で相当な成果を生み出してくれる可能性があります。

## Tips6 「個別学習」をさせて賢くする

ＡＩ技術の進歩によって、多くのタスクが解決されるようになってきましたが、ＧＰＴなどの汎用ＡＩモデルでも、事前学習に含まれていない知識や、企業内部の独自の知識、特別な対応のお作法がわからないと解決できないタスクが存在します。

そういった場合、「参照知識」を与えることで解決することができることもありますが、**「個別学習」が必要となるケース**もあります。

なお、数個の例を与えてプロンプトを行なうフューショットプロンプティング（Few-shot Prompting）の手法も有効な場合がありますが、フューショットプロンプティングのよう

図表6-11　個別学習（ファインチューニング）とは？

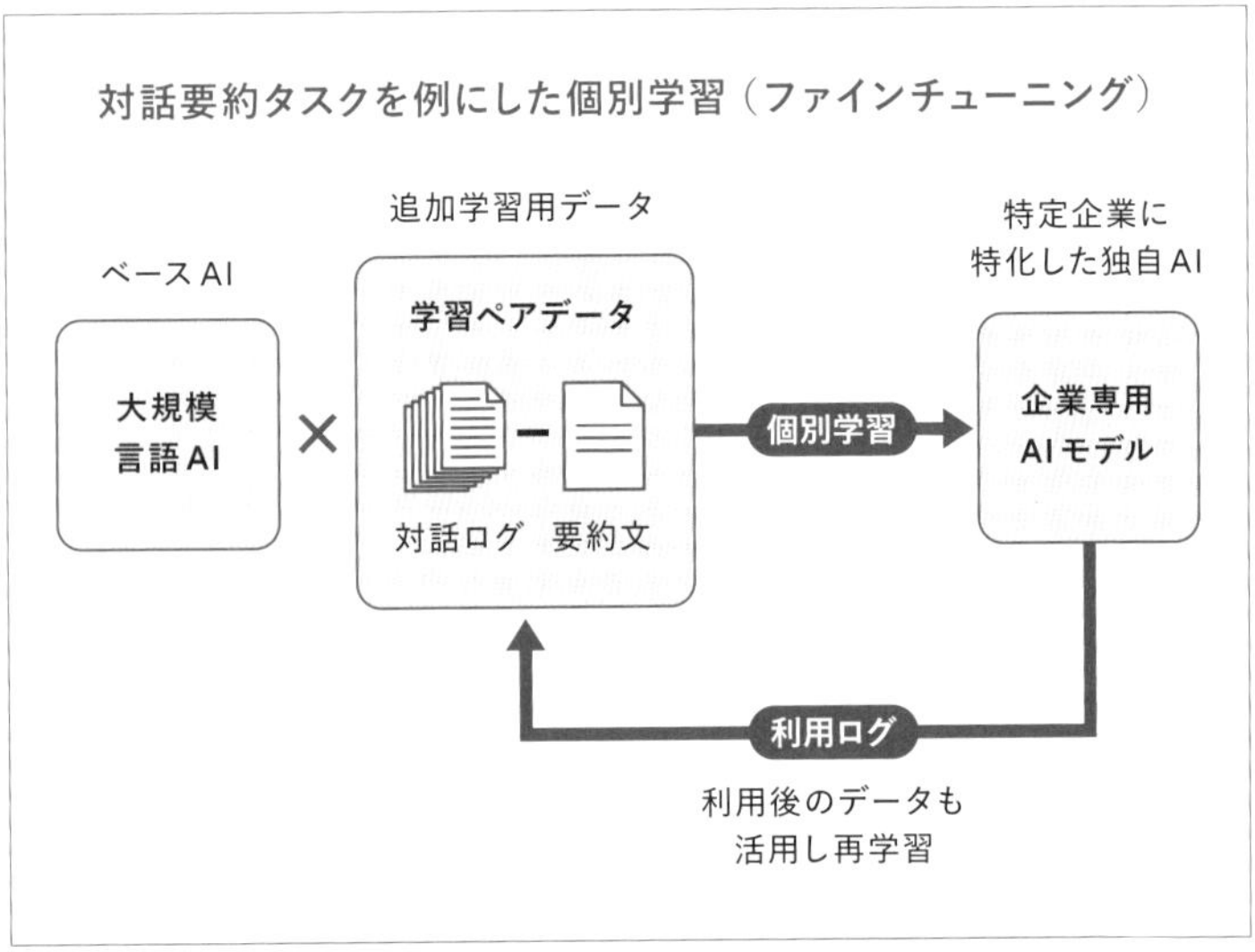


に数例のみの学習では不十分で、数百や数千のレベルでの学習データを提供する必要がある場合、個別学習（ファインチューニング）という手法が用いられます。

**個別学習（ファインチューニング）とは、ＡＩモデルが新しいタスクや特定の目的に適応するために、追加の学習を行なうプロセス**のことを指します（図表6-11）。この手法は、事前学習により身につけた知識や能力を保持しながら、特定のタスクに対する性能を向上させることができるため、効率的にＡＩモデルをカスタマイズすることができます。

こうした個別学習を通じて、大規模な言語ＡＩをより個別環境に対応できるＡＩとして利用することが可能になります。

個別学習を行なう際は、言語ＡＩの専門家

図表6-12　ChatGPT以外のAIサービスも続々と登場（図表0-2再掲）

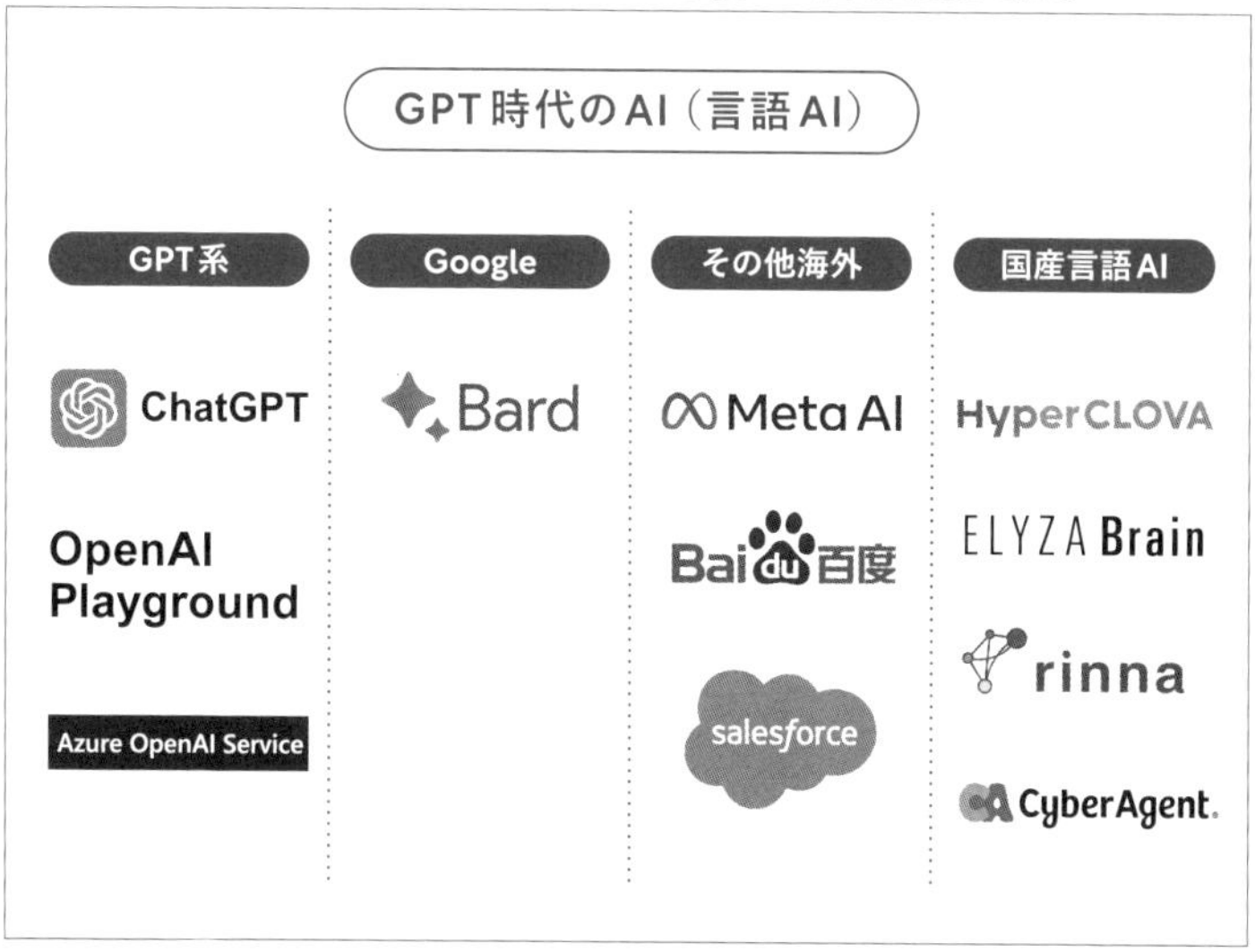


に依頼する必要があります。専門家の手によって適切な学習が行なわれることで、最大限の効果を発揮する個別化されたＡＩの構築が実現されるでしょう。

## Tips7
## ChatGPT「だけじゃない」GPT時代のAIを使い分ける

ＣｈａｔＧＰＴは言語ＡＩの実力を世の中に知らしめ、大きな流れを作り出しました。しかし、生成ＡＩの世界は日進月歩で進化し続けており、ＯｐｅｎＡＩが提供するＣｈａｔＧＰＴやＧＰＴ技術だけでなく、他のプレイヤーもさまざまな優れたＡＩを次々と生み出しています。

たとえば、ＧｏｏｇｌｅＢａｒｄやＭｅｔａ、さらには国産ＡＩなど、多くのＡＩが日々誕生し、着実に成長を遂げているのです（図表６-12）。これらのＡＩの中には、ＧＰＴと並ぶような精度をもつものも出てきています。

**ＣｈａｔＧＰＴ「だけ」にとらわれず、利用目的やコストなどを加味して、さまざまなＡＩを使い分ける**ことが大切です。それぞれのＡＩの特性を理解し、最適なサービスを選ぶことで、より効率的かつ効果的な成果を得ることができるでしょう。このＧＰＴ時代のＡＩの多様性を活かし、柔軟な発想で使い分けることが求められます。

## 「ＡＩ導入力」を伸ばす

### 「ＡＩ導入」の５つのステップ

「ＡＩ操作力」の習得の次に必要なのは、**ＡＩを現場で活用するための「ＡＩ導入力」**

図表6-13　AIを導入するまでの5つのステップ

です。ＡＩを実務に導入する際には、次の5つのステップ（図表6－13）を守りましょう。

まず「**タスク選定**」、つまりＡＩに何を任せるのかを決定します。次に「**分業**」で、ＡＩと人間がどの程度を担当するのかを計画します。続いて「**評価**」、ＡＩのパフォーマンスを確認し、必要な調整を行ないます。そして「**導入**」で、ＡＩを実際の作業に投入します。最後に「**運用**」、ＡＩのパフォーマンスを継続的に監視・管理します。これらを経て、ＡＩを適切に利用し、成果を上げ、継続的な運用の土台を構築しましょう。

## タスク選定――「AIに任せる仕事」を決める

ＡＩを業務に導入するとき、最初のステップは「ＡＩに任せる仕事」、つまり**「タスク選定」を行なう**ことです。ＡＩ企画を立案する際にも必要となるこの選定作業は、企業が効率化を図る上で極めて重要なものです。

まず考えるべきは、多くの時間と人手を要しているタスクが何か、そして、ＡＩによって代替可能な業務が何かを洗い出すことです。これらの課題を解決することで、大幅な業務効率化や新たな付加価値の創出が可能となります。

なお、「ＡＩにどの仕事を任せるか」という選定は、従業員にどの仕事を任せるか決めるのと同様のマネジメントと考えて差し支えありません。ＡＩも人もともに働くパートナーであり、同じように適切な役割分担が求められるのです。

ＡＩに任せるタスクの選定をする際には、次の整理法がおすすめです。

**「一般タスク／専門タスク×1ショットワーク／定期ワーク」**の区分け（図表6-14、図表6-15）に基づいてＡＩのタスクを設計してみましょう。

これは、業務が一般的なものか、それとも専門性が必要なものか、また、その業務が１回限りのものか、繰り返し行なわれるものかを考えることで、どの業務がＡＩに最適かを

図表6-14　一般タスク／専門タスク×1ショットワーク／定期ワーク

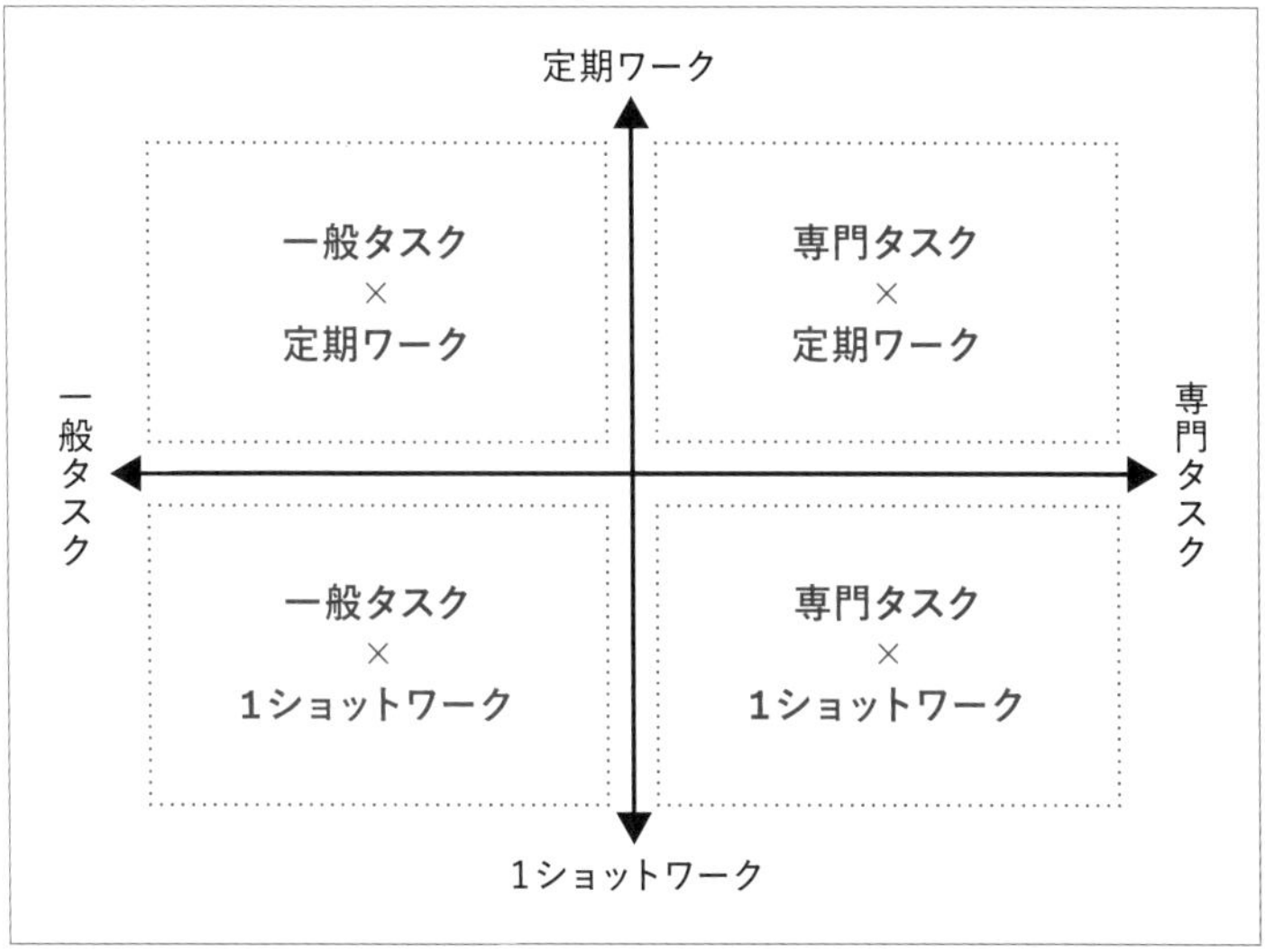


図表6-15　一般タスク／専門タスク×1ショットワーク／定期ワークの具体例

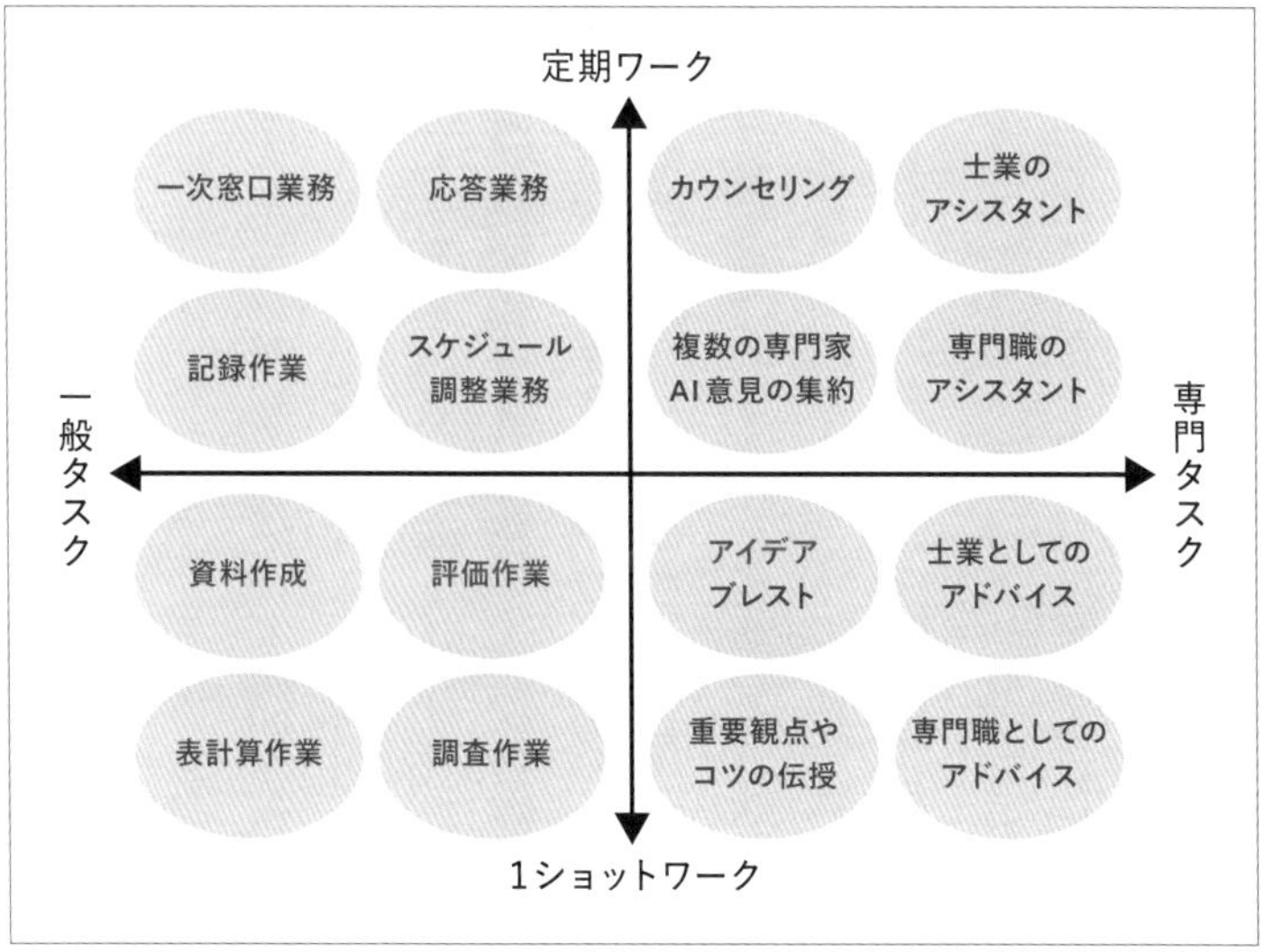

図表6-16　ジブンの得意／不得意×創造ワーク／量産ワーク

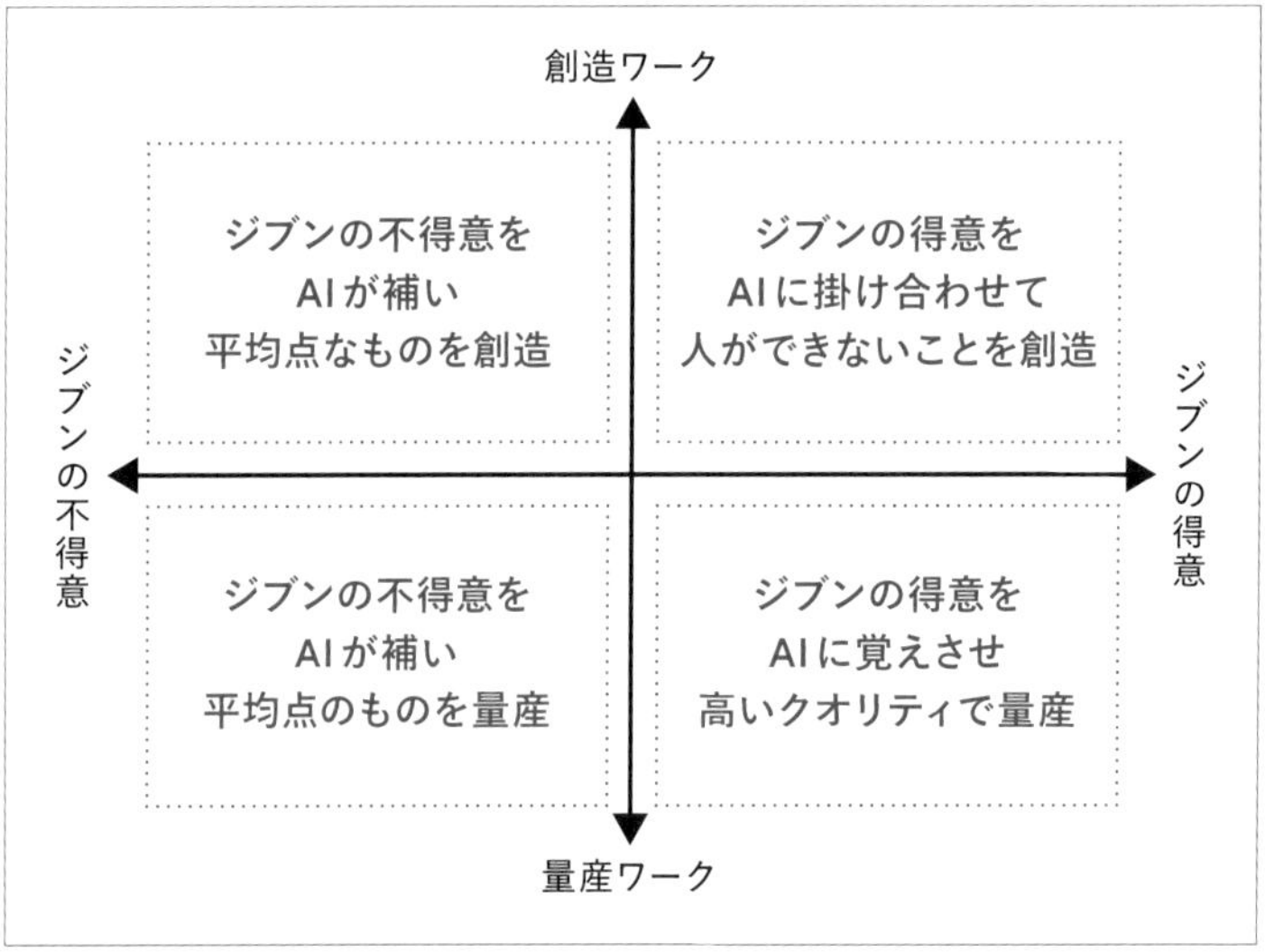


見極めます。この区分けの専門性が必要なタスクも、ＧＰＴ時代のＡＩならば適応可能なものも少なくないでしょう。また、定期的な業務をＡＩに任せることで、１回限りの業務よりもＡＩの活用度を高めることができます。

　さらに、別の考え方になりますが、**「ジブンの得意／不得意×創造ワーク／量産ワーク」**の区分け（図表６-16）に基づいてＡＩのタスクを設計することもできます。

　自分の得意分野をＡＩに任せることで、より高度な業務に注力する一方、自分の不得意分野をＡＩに任せることで仕事の億劫さを解消することができます。また、ＡＩに任せるタスクが創造的なものか、反復的なものかを判断します。たとえば、得意分野で創造的なタスクをＡＩに任せることで、人間が思いつかないような新たな価値を生み出すことができるでしょう。
以上が、タスク選定のポイントです。これらを踏まえ、ＡＩに最適な仕事を選ぶことで、より高度な業務効率化と付加価値の創出が期待できます。

## 分業――「ＡＩにどれくらい任せるか」を決める

ＡＩに任せるタスクを選定した後、次に考えるべきは「どれくらいＡＩに仕事を任せるか」という問題です。

この段階では、**人とＡＩとの分業をどう管理するか、つまり、どのように業務を振り分けていくかという課題に直面**します。これは、会社で新たな人員メンバーが加わったときにどのように業務を分配するかという状況に似ています。

ここで参考になるのが、ＡＩ企画の５Ｗ１Ｈのフレームワークで示される「ＨＯＷ（どう人と分業して?）」という考え方です。これを具体的に実現するためには、「人とＡＩの分業」のマネジメントにおける分業のレベルを理解しておくことが求められます。

具体的には、**人とＡＩの分業形態は４つ**に大別できます（図表６-17）。「Ｔ型」は人の仕事をＡＩが一部補助し、「逆Ｔ型」はＡＩの仕事を人が一部補助します。一方、「Ｉ型」

図表6-17　AI分業の4つの段階（図表4-13再掲）

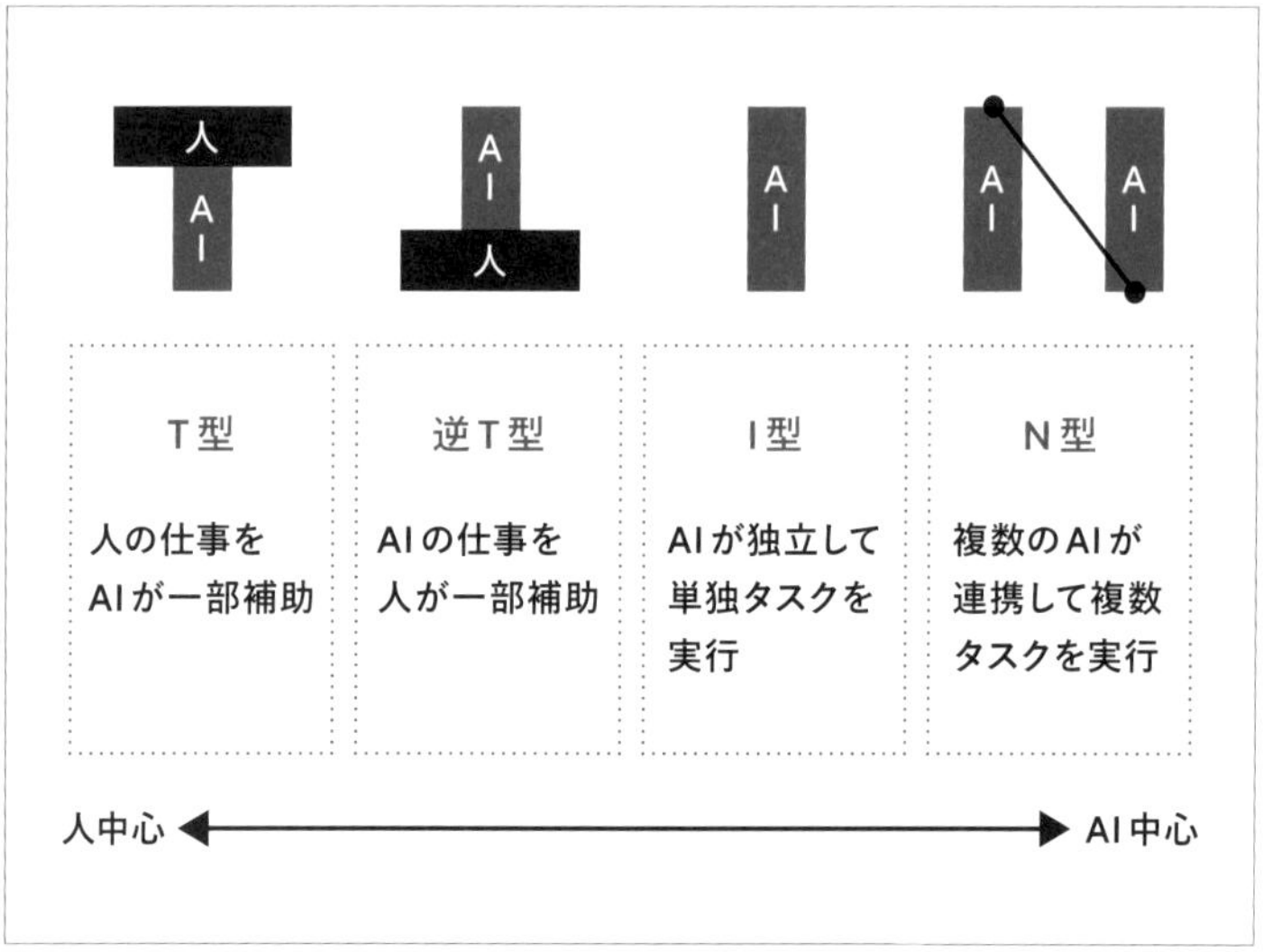


はＡＩが独立して単独のタスクを実行し、「Ｎ型」は複数のＡＩが連携して複数タスクを実行します。

「人中心」の仕事から「ＡＩ中心」の仕事へと移行する際には、この４つの形態のどこから始めるのかを設計します。そして、Ｔ型、逆Ｔ型、Ｉ型、Ｎ型へと順次進化させていく計画を立てるのです。

また、Ｔ型や逆Ｔ型の業務では、先にＡＩが作業をして人が受け取るのか、それとも人が作業をしてからＡＩに渡すのか、その順番も具体的に決めていきましょう。こうしたＡＩを起点としたワークフローをどううまく構築するかが問われることになります。

さらに、**ＡＩとの分業によって業務を自動化するのか、それとも高度化を目指して品質**

**向上を図るのか、その目標によっても分業の方法は変わってきます。**これらを考慮しながら最適な分業を設計していきましょう。

## 評価──「AIの正しい評価」を行なう

**AIと人間の分業を考える上で重要なステップの1つが、「AIの正しい評価」**です。

まず、どのタスクをAIに任せ、次にどのように人と分業させるかを定めたら、次はAIにタスクを実行させ、タスクがうまく行なえるかを確認します。この際に重要なのが、AIの実行結果を「正しく評価」することです。

「正しく評価する力」は、AIが実際に導入できるか、運用し続けられるかを判断するための重要な要素となります。

AIの出力の精度をチェックする際の具体的な評価項目としては、次のような項目をあげることができます（図表6-18）。

### ●生成物の5段階定性評価

そのまま使える／半分ほど修正して使える／微修正で使える／ほぼ使えない／まったく

図表6-18　AI評価のポイント

図表6-19　評価後にタスク・分業を見直す

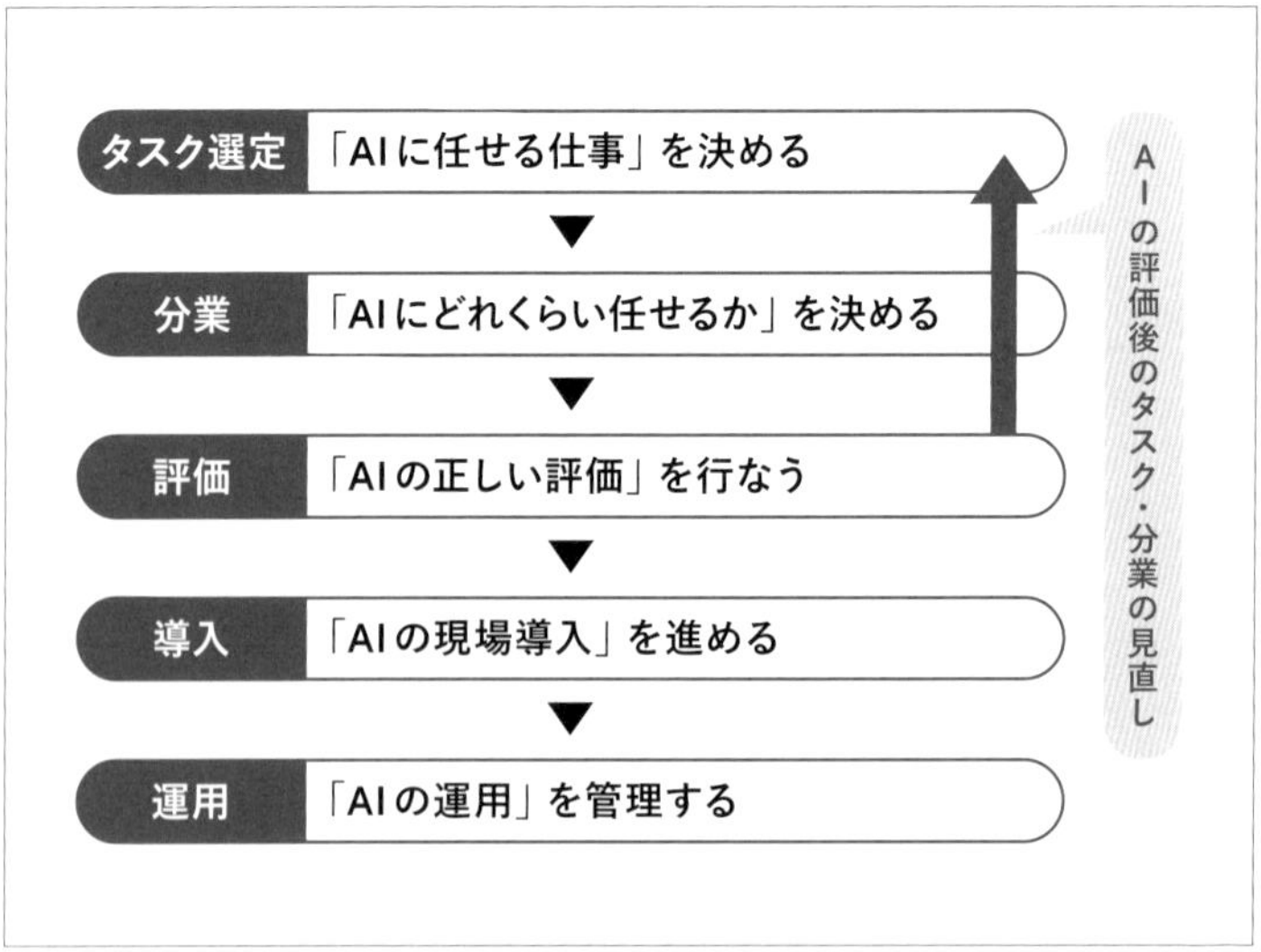

使えない

**●プロンプト再現性テスト**

プロンプトの意図に沿った出力を行なう確率のテスト

**●イレギュラー入力テスト**

正常な入力でなく、意図しない入力だった場合の出力の挙動性のテスト

**●プロンプトインジェクションテスト**

悪意をもって重要情報を抜き出したり、意図した生成をさせる入力に対する反応テスト

ＡＩの評価は細かい注意が必要ですが、それによって出力の精度を保つことができます。もし十分な精度が得られない場合は、プロンプトの見直しや、知識の追加・精査を行ないましょう（図表6-19）。

それでも精度が向上しない場合は、人間との分業の見直しや、別のタスクへの切り替えを検討するとよいでしょう。

## 導入――「AIの現場導入」を進める

「AIの現場導入」についてくわしく説明します。まず、**「AIの現場導入」とは、AIの評価を段階的に行ない、その評価をクリアしながら、導入・運用まで進めていくことを指します。**

今回はChatGPTなどのサービスをそのまま使わず、業務やサービスに合わせてAIをカスタム導入する際の流れとして説明します。導入ステップとしては、プロンプト、AIアプリ構築、現場導入テスト、現場本導入、そして運用、という流れになります（図表6-20）。なお、既存サービスを利用するだけの場合はAIアプリ構築のステップが省略されます。

「**プロンプト**」を毎回入力するだけでもAIは動作しますが、特に**定期的な作業においては、プロンプトを毎回書く手間や知識参照の工程を省くため、アプリ化することを推奨**します。また、**複数の処理をつなげたり、データ検索からタスクを行なうフローが必要な場合も、アプリ化が有用**です。これを「**AIアプリ構築**」と言います。この際、アプリ構築ツールを使うか、専門家に依頼することになります。

AIアプリの構築が完了したら、「**現場導入テスト**」を行ないます。これは、AIが現

図表6-20　AIの現場導入のステップ

場で役立つか、改善が必要かを確認する重要なステップです。その後、テストをクリアしたＡＩを「**現場本導入**」します。すべてのユーザーがＡＩを活用し、業務に取り入れることが求められます。そして、導入がスムーズに行なわれたら「**運用**」のフェーズへと導きＡＩの安定利用を管理します。

「ＡＩ導入力」、つまり、プロンプトから導入・運用マネジメントまでを行なえる人が増えると、ＡＩの活用がより一層進むでしょう。一方、ＡＩ企画やプロンプト作成だけに長けていて、「ＡＩ導入力」が低い場合、実業務へのＡＩ活用が難しくなるかもしれません。

なお、**AI導入にあたり、導入コストと導入によるリターン、つまりROI（リターン・オン・インベストメント）の計算も忘れ**

**てはなりません。**これらを踏まえつつ、スムーズなＡＩ導入を進めていきましょう。

## 運用――「ＡＩの運用」を管理する

ＡＩが現場に導入された後は、ＡＩが安定的に使用されるよう運用管理が重要となります。日々の運用においては、ＡＩへのユーザーからの質問への対応、イレギュラーケース発生時の対処、これらが「ＡＩの運用」における、やるべき基本になります。

また、運用を続ける中で、学習可能なデータが蓄積され、これを用いてＡＩをより高性能にすることが可能です。

１つの学習方法として、ユーザーがＡＩの出力に対する評価（たとえば5段階評価など）をフィードバックし、それを蓄積してＡＩの精度を向上させる方法があります。これは、第2章の用語解説でも紹介したＲＬＨＦ（Reinforcement Learning from Human Feedback）という手法で、**人間からのフィードバックを用いてＡＩモデルを改善する**学習の一種で、**ヒューマンインザループ**とも称されます。

このＲＬＨＦの過程では、特定の業界の**専門家が参加し、ＡＩの強化を支援する**こともあります。これを「**エキスパートインザループ**」と呼び、専門知識を用いたＡＩの質の向

図表6-21　ヒューマンインザループとエキスパートインザループ

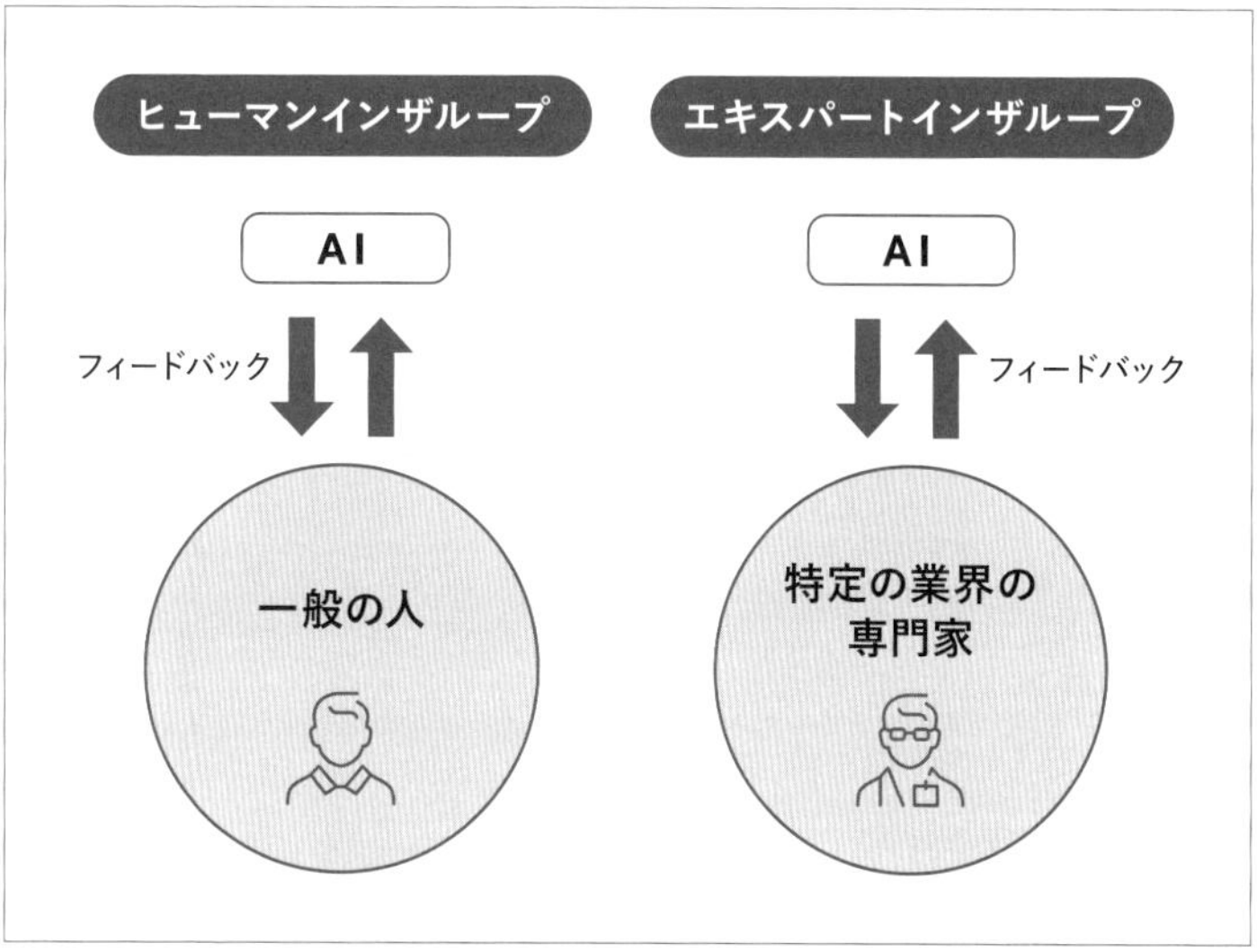


上が期待できます（図表6-21）。

また、フィードバックによる学習だけでなく、**個別にAIを学習させるファインチューニング**も選択肢の1つです。ＡＩの運用を進める中で、ユーザーがスムーズにＡＩを利用できるよう保守することはもちろん、積極的にＡＩの質を向上させる努力も必要です。

なお、ＲＬＨＦやファインチューニングは、既存のサービス利用でなく、ＡＩそのものをカスタムして利用する場合に用いる手法です。そして、これらは上級者のみが可能なタスクであり、ＡＩの専門家や専門企業の助けを借りることになるでしょう。

一般の方でもＡＩの専門家へ提供するためのデータ収集は可能であり、ＡＩ能力向上のためのデータ収集は運用管理において積極的に実施するとよいでしょう。

また、少し視点は違いますが、ＡＩの運用を続ける上で、長期視点でのＲＯＩ（リターン・オン・インベストメント）も考慮しながら、ＡＩ導入の拡大プランの立案も求められます。ＡＩ活用のロードマップを管理し、計画的にＡＩのユースケースを増やしていきましょう。

ＡＩ導入に対応する能力を磨きつつ、日々の運用を通じてＡＩの価値を最大化できるようなマネジメント力を身につけていただきたいと考えています。

第7章

# 最新のAI事例をトコトン知る

# 事例を学んで、自分の仕事に活かしていこう

第7章では、ＧＰＴなどを使ったＡＩ事例を紹介していきます。事例紹介にあたっては「業界」「社会へのインパクト」「国」をはじめ、「事例の概要」「ココがすごい」「置き換わる職業」「事例を表すキーワード」を並べ、事例を深く理解できるようにしています。また、ＡＩ企画でも紹介したＡＩ企画の５Ｗ１Ｈの中から「ＷＨＡＴ」「ＷＨＯ」「ＷＨＹ」「ＨＯＷ」を図でまとめています。

現在、ＧＰＴをはじめとした生成ＡＩの活用が特に盛んな業界は、ＥＣやエンタメ・メディア、人材・教育、そしてインフラ・プラットフォームで、事例も多めにご紹介しています。これから生成ＡＩの取り組みで大きな成果を出しそうなのは、金融やコールセンター、そして業務支援ではないかなと思います。なお、**自身が関わっていない他業界の取り組みについても学んで、自社に活かすことが大切です。**ＧＰＴ時代のＡＩ事例をインプットし、ＡＩができることの把握やＡＩ企画の考案などに活かしていきましょう。

図表7-1　**事例で扱う業界とAIで置き換わる職業**

| 業界 | AI で置き換わる職業 |
| --- | --- |
| EC | ショップ店員 |
| | スーパーマーケットの店員 |
| | 顧客サポート担当者 |
| IT・データ | プログラマー |
| | データアナリスト |
| エンタメ・メディア | コミュニティサポーター |
| | 音楽推薦者 |
| | 歴史上の人物 |
| | 音声広告のクリエイター |
| | ゲームプレイヤー |
| ファッション・クリエイティブ | ファッションモデル |
| | デザイナー |
| スポーツ | トレーナー |
| 人材・教育 | 求人原稿ライター |
| | プロフィールや原稿作成者 |
| | ビジネスコーチ |
| | 英会話教師 |
| | 教師 |
| 金融・保険 | 金融アドバイザー |
| | 不正検知者 |
| | 金融従事者 |
| | 銀行員 |

| 業界 | AI で置き換わる職業 |
| --- | --- |
| 医療・介護・専門・福祉 | 医師アシスタント |
| | 医師 |
| 生活サービス・警備・公共 | 仲人 |
| | マニュアル改訂者 |
| | 市の職員 |
| | 情報提供アドバイザー |
| コールセンター | コールセンターオペレーター |
| 業務支援 | 議事録作成者 |
| | 公認会計士・財務担当 |
| | 接客員 |
| 流通・小売 | スーパーマーケットの店員 |
| 車・交通 | ドライバーアシスタント |
| | 旅行代理店スタッフ |
| | カーデザイナー |
| 製造・メーカー | 業務アシスタント |
| 不動産・建設・建築 | 不動産スタッフ |
| | 建設現場監督 |
| インフラ・プラットフォーム | 業務アシスタント |
| | 専門家・プロフェッショナル |
| | 接客スタッフ |
| | ホワイトカラー従事者 |
| | マーケター |

EC

インパクト
★★★★☆

# Shopifyが新たな買い物体験を提供。AIアシスタントがあなたのニーズに合わせた商品を提案

Shopify Inc.
（カナダ）

**概要**

●EコマースプラットフォームのShopifyが「AI Copilot」をリリース
●ChatGPT APIを使用
●AIショッピングアシスタントがパーソナライズされた推奨品を作成
●買い物客のリクエストに基づいて商品を提案
●リアルタイムに学習し、アプリケーション内ショッピングを効率化

**ココがすごい** 商品を素早く見つけたり新しいものを発見する手助けをする

**置き換わる職業** ショップ店員

**キーワード** Eコマース、パーソナライズ、アシスタント、効率化

〈出所〉https://shop.app/ai

図表7-2　新たな買い物体験を提供

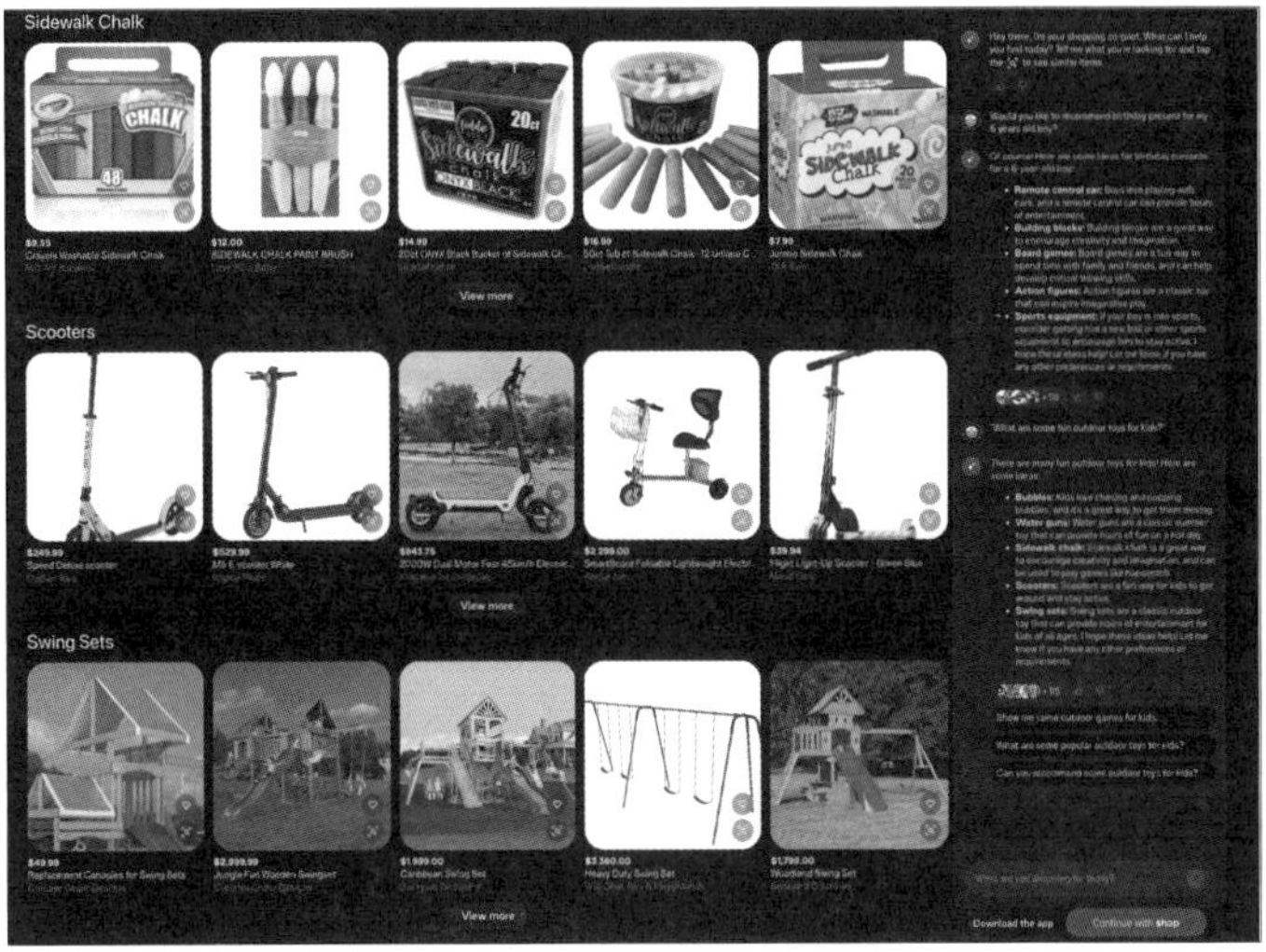


（出所）Shopify

図表7-3　Shopify「AIアシスタントが商品提案」

WHAT：どんなAI？

オンラインショッピングのパーソナライズAIアシスタント

AIができること

商品の推奨や効率的なショッピングをサポート

AIによって解決されること

商品の検索と購入の手間隙を解消

WHO：誰のためのAI？

従業員　取引先　消費者

具体的なターゲット像

オンラインショッピングユーザー

WHY：なぜAIが必要？

マイナスを減らす

- 不満・不便を減らす
- コストを減らす
- 作業時間を減らす

プラスを増やす

- 満足・便利を増やす
- 売上を増やす
- 付加価値を上げる

HOW：どう人と分業して？

T型　人の仕事をAIが一部補助

逆T型　AIの仕事を人が一部補助

I型　AIが独立して単独タスクを実行

N型　複数のAIが連携して複数タスクを実行

人中心 ←→ AI中心

EC

インパクト
★★★★☆

# Instacart、ChatGPT Botでショッピングリスト作成支援

Instacart
（アメリカ）

概要

●ＥコマースプラットフォームのＩｎｓｔａｃａｒｔがＧＰＴ搭載の新機能をリリース
●食料品の買い物のショッピングアシスタント
●予算、個人の好み、季節感、料理のスキルなどに合わせて推薦
●質問に応じ、栄養価の高いランチの材料リストも生成可能

ココがすごい ユーザーの質問に基づいて、シンプルで栄養価の高いランチの材料リストを生成する

置き換わる職業 スーパーマーケットの店員

キーワード 食品、栄養価、アシスタント、リスト作成

〈出所〉https://www.supermarketnews.com/online-retail/instacart-add-ChatGPT-bot-its-app

図表7-4　個人の好み、スキルに合わせた料理を提案

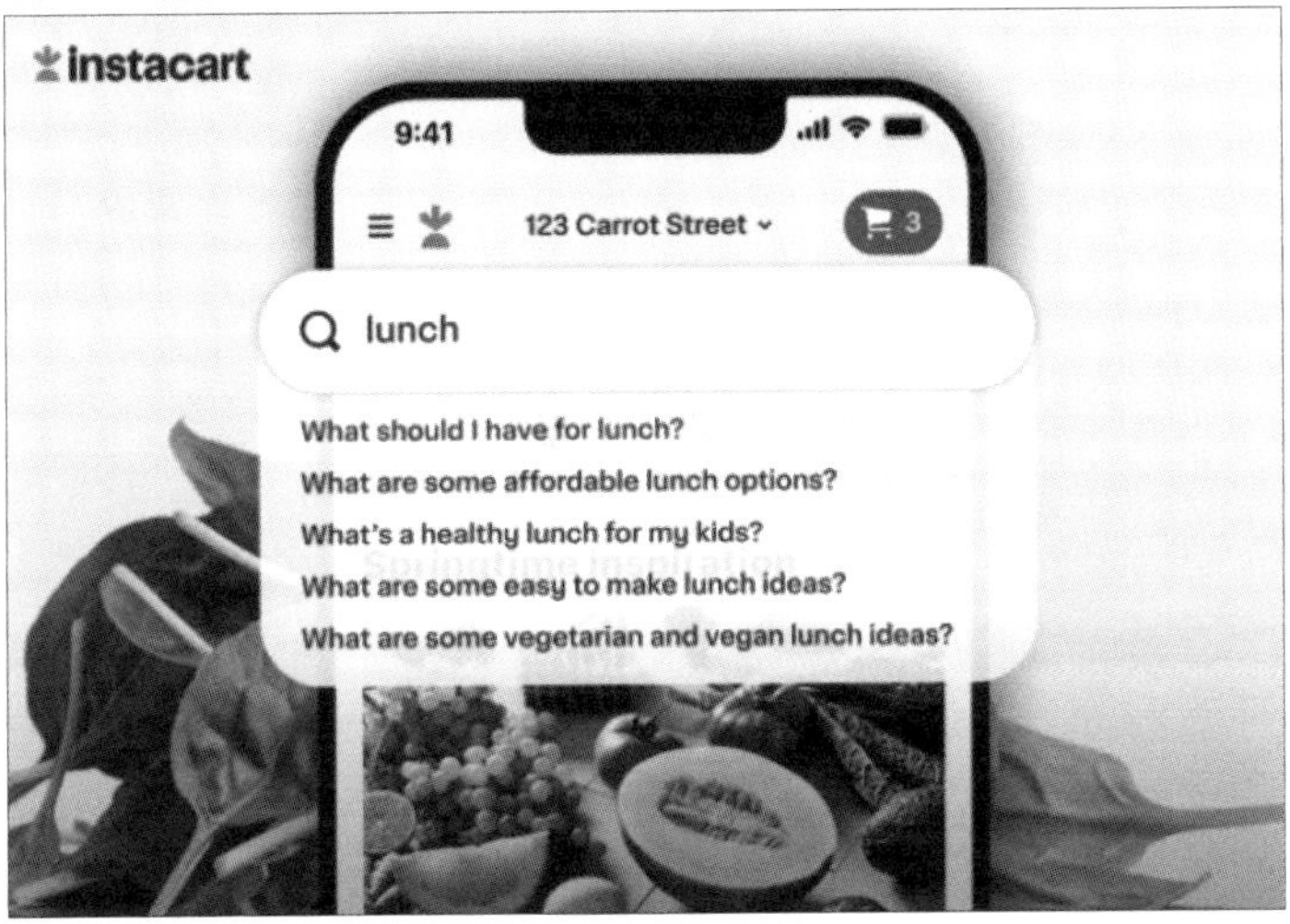


（出所）Instacart

図表7-5　Instacart「ショッピングリスト作成支援」

WHAT：どんなAI？

**食料品買い物の質問応答AI**

AIができること

**食料品の買い物をサポート**

▶

AIによって解決されること

**ショッピングリストの作成の自動化**

WHO：誰のためのAI？

- 従業員
- 取引先
- 消費者

具体的なターゲット像

**忙しい買い物ユーザー**

WHY：なぜAIが必要？

マイナスを減らす

- 不満・不便を減らす
- コストを減らす
- 作業時間を減らす

プラスを増やす

- 満足・便利を増やす
- 売上を増やす
- 付加価値を上げる

HOW：どう人と分業して？

| T型 | 逆T型 | I型 | N型 |
| --- | --- | --- | --- |
| 人の仕事をAIが一部補助 | AIの仕事を人が一部補助 | AIが独立して単独タスクを実行 | 複数のAIが連携して複数タスクを実行 |

人中心 ←→ AI中心

EC

インパクト
★★★★☆

# Mindverse、生成型AIを活用したEコマースサイト向けバーチャルガイド

Mindverse Inc.
（シンガポール）

**概要**

- 生成型ＡＩを活用したプラットフォームＭｉｎｄｖｅｒｓｅがＥコマースサイトのバーチャルアシスタント構築を容易に
- インテリジェントエージェントの構築が簡単（例宿泊先を紹介するバーチャルガイド）
- 過去の行動から学習し、適切な提案を行なう
- リアルタイムの会話から学び、ユーザーに提案も

**ココがすごい** リアルタイムの会話から学び、ユーザーの意図に基づいて提案する

**置き換わる職業** 顧客サポート担当者

**キーワード** Ｅコマース、バーチャルアシスタント、会話から学習

〈出所〉 https://techcrunch.com/2023/04/25/ai-assistants-come-to-alibaba-and-a16z-backed-cider/

図表7-6　**過去の行動から学習し、提案を行なう**

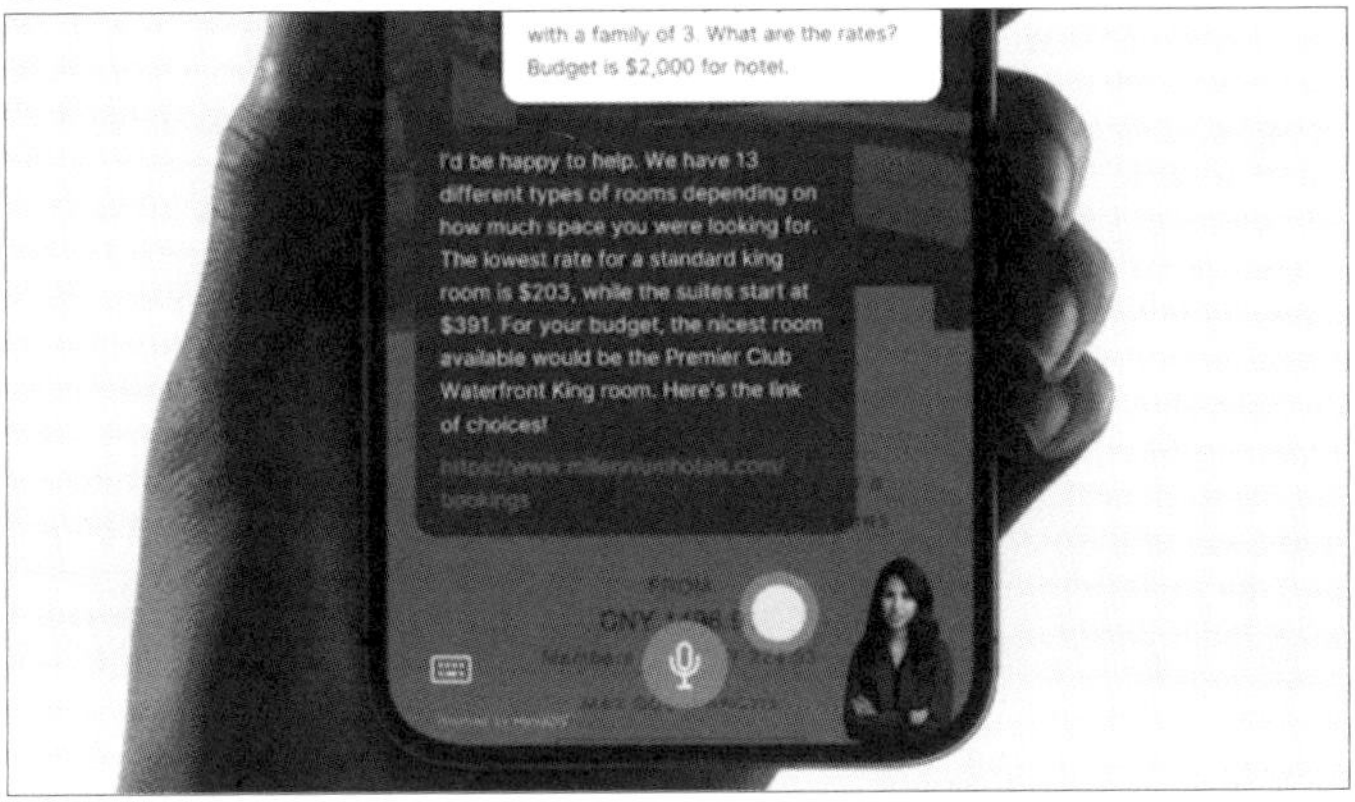


（出所）Mindverse AI, TechCrunch

図表7-7　**Mindverse「Eコマースサイト向けバーチャルガイド」**

**WHAT：どんなAI？**

**インテリジェントな会話提案AI**

| AIができること | | AIによって解決されること |
|---|---|---|
| **AIがユーザーに適切な提案** | ▶ | **ユーザーの質問に応じて商品やサービスを提案し、不明点を解消** |

**WHO：誰のためのAI？**

- 従業員
- 取引先
- 消費者（選択）

具体的なターゲット像

**Eコマース利用者**

**WHY：なぜAIが必要？**

マイナスを減らす
- 不満・不便を減らす
- コストを減らす
- 作業時間を減らす

プラスを増やす
- 満足・便利を増やす（選択）
- 売上を増やす
- 付加価値を上げる（選択）

**HOW：どう人と分業して？**

| T型 | 逆T型 | I型（選択） | N型 |
|---|---|---|---|
| 人の仕事をAIが一部補助 | AIの仕事を人が一部補助 | AIが独立して単独タスクを実行 | 複数のAIが連携して複数タスクを実行 |

人中心 ←→ AI中心

ＩＴ・データ

インパクト
★★★★★

# ＧｉｔＨｕｂ Ｃｏｐｉｌｏｔ ｆｏｒ Ｂｕｓｉｎｅｓｓ、コード作成のスピードアップ。最大55%高速化

GitHub, Inc.
（アメリカ）

概要

●ＧＰＴを搭載したプログラミング業務支援のＧｉｔＨｕｂ Ｃｏｐｉｌｏｔ ｆｏｒ Ｂｕｓｉｎｅｓｓがリリース
●コード作成の高速化に最大55%貢献、１００万人以上の開発者の生産性向上
●４００以上の組織が活用
●すべての開発者、チーム、組織、企業が利用可能に

ココがすごい　コード作成の高速化と生産性向上を実現する

置き換わる職業　プログラマー

キーワード　プログラミング、Ｃｏｐｉｌｏｔ、生産性

〈出所〉 https://github.blog/2023-02-14-github-copilot-for-business-is-now-available/

図表7-8 **プログラミングを支援**

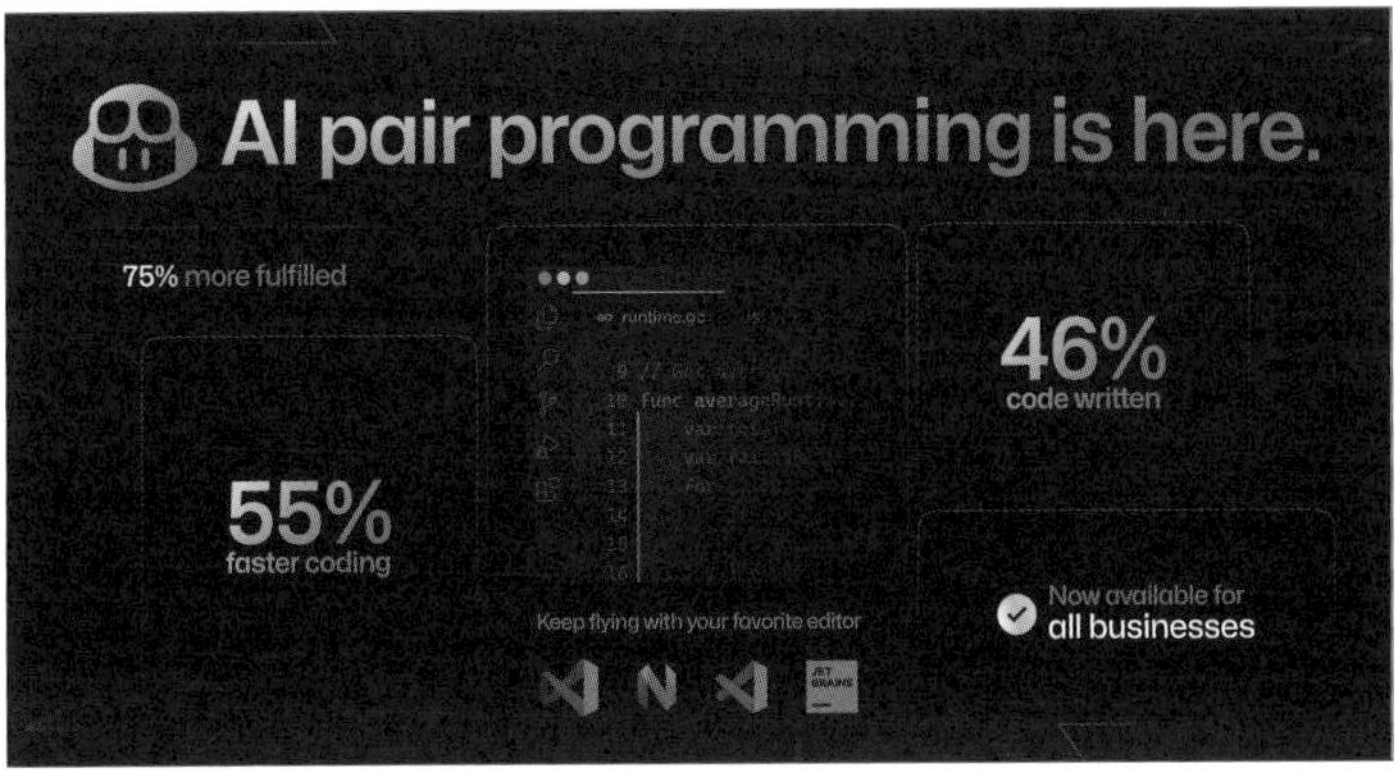


（出所）GitHub

図表7-9 GitHub Copilot for Business「コード作成のスピードアップ」

**WHAT：どんなAI？**

**コード作成支援AI**

AIができること
**コードの自動生成や補助**

▶

AIによって解決されること
**コード作成の高速化や品質向上**

**WHO：誰のためのAI？**

従業員（選択） / 取引先 / 消費者

▼

具体的なターゲット像

**開発者、プログラマー**

**WHY：なぜAIが必要？**

マイナスを減らす
- 不満・不便を減らす
- コストを減らす
- 作業時間を減らす（選択）

プラスを増やす
- 満足・便利を増やす
- 売上を増やす
- 付加価値を上げる

**HOW：どう人と分業して？**

- T型（選択）：人の仕事をAIが一部補助
- 逆T型：AIの仕事を人が一部補助
- I型：AIが独立して単独タスクを実行
- N型：複数のAIが連携して複数タスクを実行

人中心 ←→ AI中心

IT・データ

インパクト
★★★☆☆

# ThoughtSpot Sage、質問形式でデータ分析を可能に。ビジネスの意思決定を加速

ThoughtSpot, Inc.
（アメリカ）

概要

●データ分析サービスThoughtSpot SageがGPTを搭載しAI機能を充実
●データ探索の第一歩を提案し、関連性の高い質問の提案も可能
●データ分析や意思決定に迅速かつ正確な情報を提供
●初心者でも簡単に利用可能
●使うほど賢く洗練される

ココがすごい　言葉で質問するだけで信頼性の高い回答を瞬時に提供

置き換わる職業　データアナリスト

キーワード　データ分析、自動化、ビジュアライズ

〈出所〉 https://www.thoughtspot.com/jp/blog/enhanced-ai-powered-analytics-with-gpt

図表7-10　データを求めて質問をする

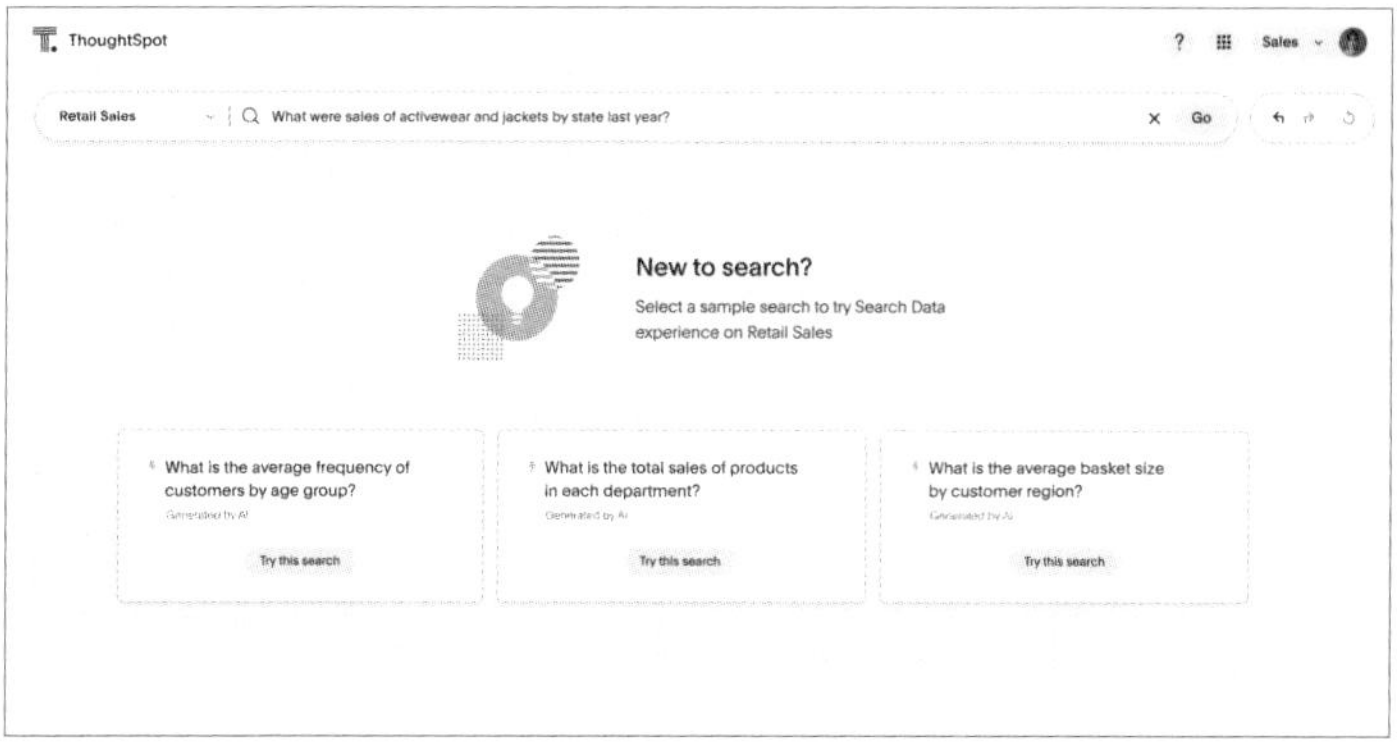


（出所）ThoughtSpot

図表7-11　ThoughtSpot Sage「質問形式でデータ分析」

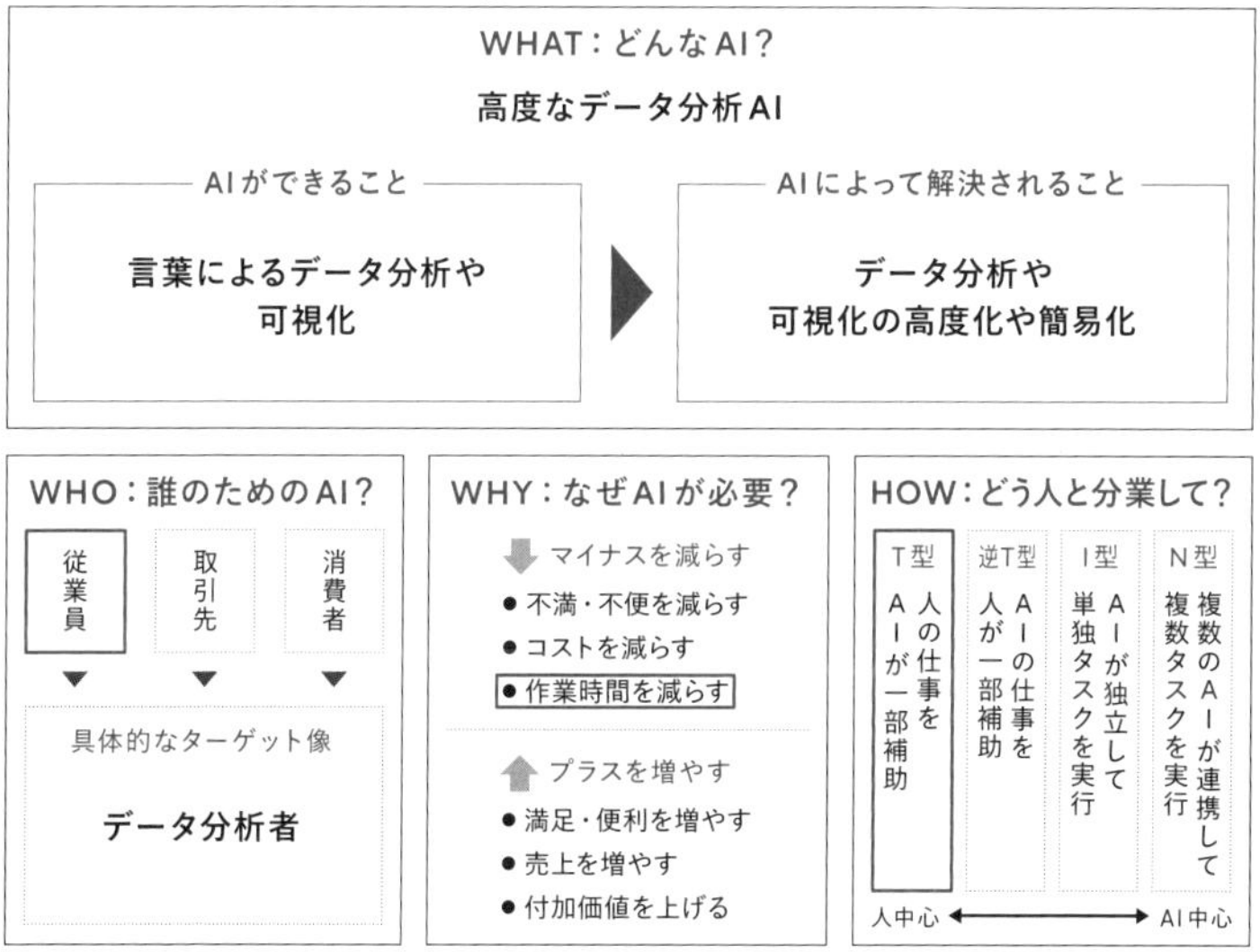

IT・データ

インパクト
★★★☆☆

# Baselit、データ分析の自動化サービス。ChatGPTと連携

Baselit
（インド）

概要

●アナリティクスサービス提供のＢａｓｅｌｉｔはＡＩによりデータ分析をサポート
●データベースに接続し、可視化ツールにエクスポート可能
●自然な言葉で、データの問い合わせや分析ができる
●ＣｈａｔＧＰＴとＲＰＡを組み合わせた自動化サービスを展開

ココがすごい　ＣｈａｔＧＰＴとＲＰＡの組み合わせ

置き換わる職業　データアナリスト

キーワード　データ分析、ＲＰＡ、可視化

〈出所〉 https://techcrunch.com/2023/04/04/these-y-combinator-startups-are-trying-to-build-ChatGPT-for-x/

図表7-12　Baselit「データ分析の自動化サービス」

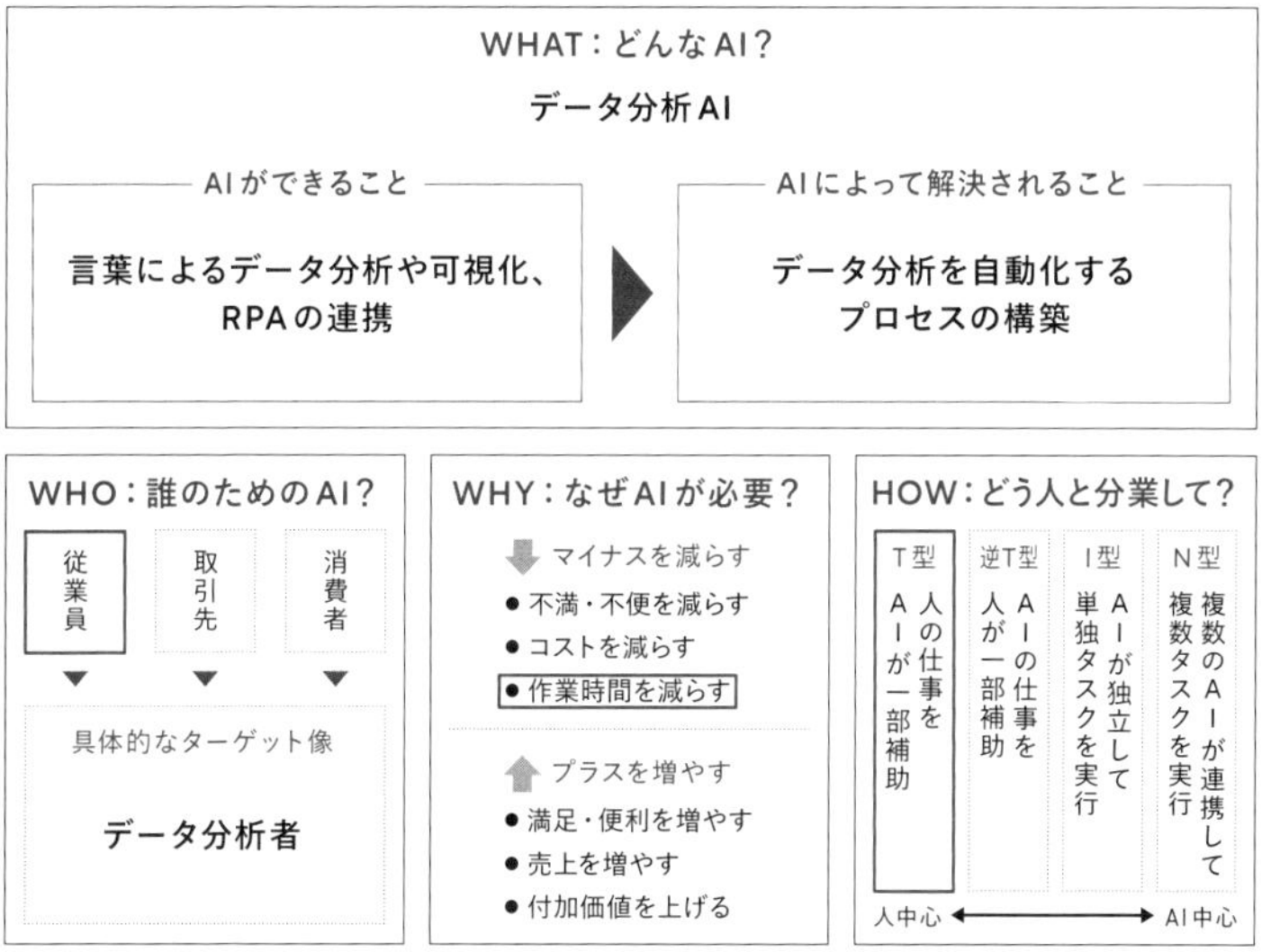

エンタメ・メディア

インパクト
★★☆☆☆

# Ghost、ChatGPTを活用した学生向け匿名ソーシャルアプリ

Ghost
（アメリカ）

概要

●学生をターゲットにした匿名ソーシャルアプリGhostがGPTを搭載
●友達とグループチャットで匿名メッセージを共有、ChatGPTへの質問も可能
●プライバシーを尊重しつつ、楽しいコミュニケーションを提供
●GPT関連の技術と組み合わせて、新たな匿名ソーシャルアプリの可能性を追求

ココがすごい　付加価値向上にGPTを活用

置き換わる職業　コミュニティサポーター

キーワード　匿名アプリ、学生、グループチャット

〈出所〉https://techcrunch.com/2023/03/15/ghost-debuts-an-anonymous-group-messaging-app-with-ChatGPT-baked-in/

図表7-13　学生向け匿名ソーシャルアプリ

（出所）Ghost

図表7-14　メッセージも匿名で共有できる

（出所）Ghost

図表7-15　Ghost「学生向け匿名ソーシャルアプリ」

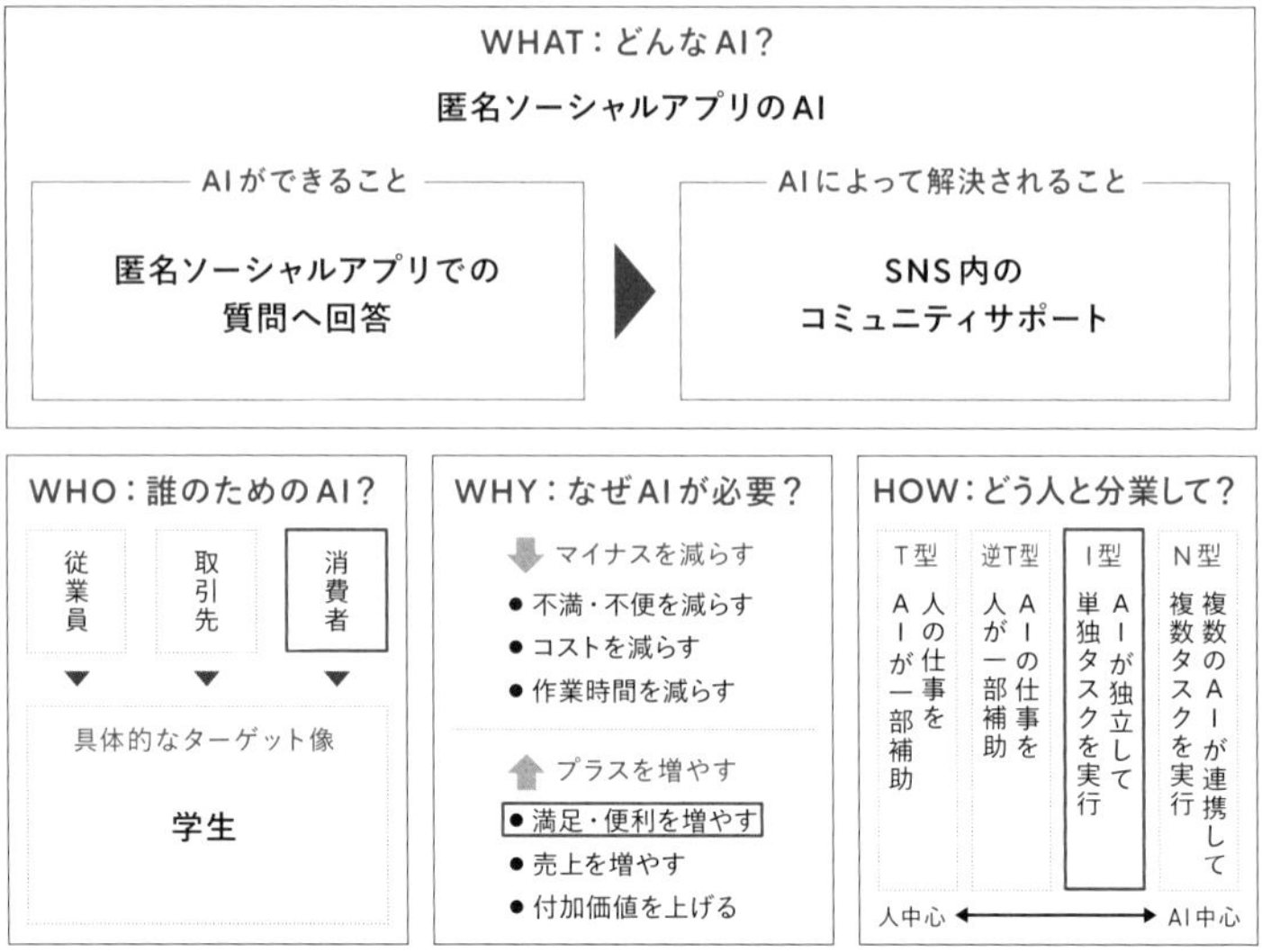

エンタメ・
メディア

インパクト
★★☆☆☆

# ＧＰＴ－４にも対応したＰｅｔｅｙ、Ａｐｐｌｅ Ｍｕｓｉｃと連携。音楽体験が進化

Modum B.V.
（オランダ）

概要

- Ａｐｐｌｅ Ｗａｔｃｈ向けにモバイルアプリのＰｅｔｅｙがＧＰＴを搭載
- Ａｐｐｌｅ Ｍｕｓｉｃのおすすめ音楽やプレイリスト作成が可能
- 最新プレイリストをＡＩが提案
- Ａｐｐｌｅ Ｗａｔｃｈ版は合計24・7万インストールを記録

ココがすごい Ａｐｐｌｅ ＷａｔｃｈでＡＩを活用した音楽プレイリスト作成が可能

置き換わる職業 音楽推薦者

キーワード Ａｐｐｌｅ Ｗａｔｃｈ、音楽、プレイリスト

〈出所〉 https://techcrunch.com/2023/04/24/ai-app-petey-uses-ChatGPT-to-make-apple-music-playlists-for-you/

図表7-16　AIがおすすめの音楽を提供し、プレイリストを作成

（出所）Petey

図表7-17　Petey「音楽体験の進化」

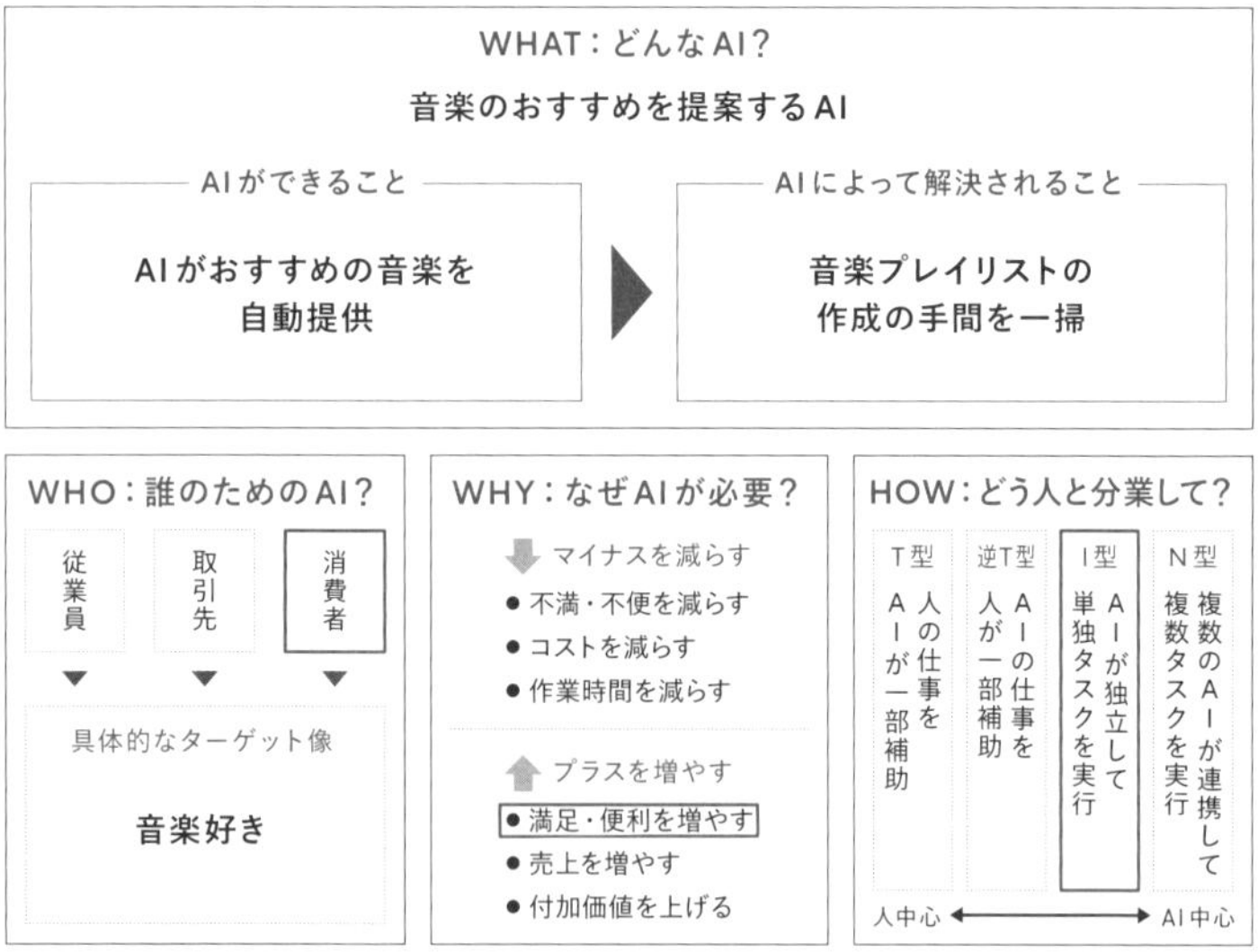

エンタメ・メディア

インパクト
★★★★☆

# 歴史上の偉人との対話が可能なSuperchat、ChatGPTを搭載

Gorilla Technologies（イタリア）

概要

- ●歴史上の有名人や物語のキャラクター、さまざまな職業のキャラクターとチャット可能
- ●独自のキャラクターも開発、無料利用可
- ●プレミアム購読で追加キャラクターをアンロック
- ●キャラクターの話し方をペルソナに近づけるよう取り組んでいる

ココがすごい　多様な有名人や物語のキャラクターといつでもチャットできる

置き換わる職業　歴史上の人物

キーワード　歴史キャラクター、ペルソナ

〈出所〉https://techcrunch.com/2023/04/17/superchats-new-ai-chatbot-lets-you-message-historical-and-fictional-characters-via-ChatGPT/

図表7-18　歴史上の人物や物語のキャラクターが選べる

（出所）Gorilla Technologies

図表7-19　プレミアムサービスで自分が希望するキャラクターとも会話できる

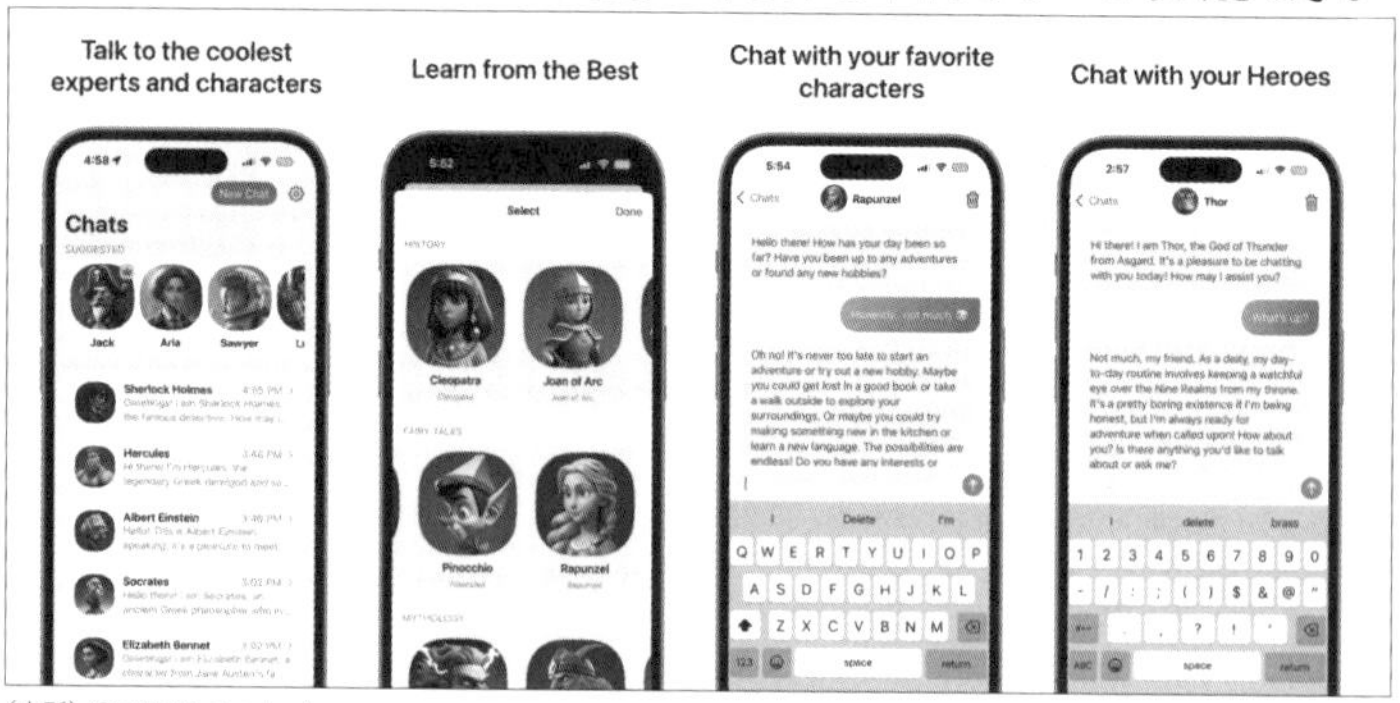


（出所）Gorilla Technologies

図表7-20　Superchat「歴史上の偉人との対話」

**WHAT：どんなAI？**

**有名人とチャットできるAI**

AIができること

**AIチャットアプリで、有名人やキャラクターとチャットできる**

AIによって解決されること

**特定のキャラクターとの会話の実現**

**WHO：誰のためのAI？**

従業員 / 取引先 / **消費者**

具体的なターゲット像

**歴史や物語に興味のある人**

**WHY：なぜAIが必要？**

マイナスを減らす

- 不満・不便を減らす
- コストを減らす
- 作業時間を減らす

プラスを増やす

- **満足・便利を増やす**
- 売上を増やす
- 付加価値を上げる

**HOW：どう人と分業して？**

| T型 | 逆T型 | **I型** | N型 |
| --- | --- | --- | --- |
| 人の仕事をAIが一部補助 | AIの仕事を人が一部補助 | **AIが独立して単独タスクを実行** | 複数のAIが連携して複数タスクを実行 |

人中心 ←→ AI中心

エンタメ・メディア

インパクト
★★★☆☆

# Adthos、GPTを利用し音声広告制作を完全自動化

Wedel Software Inc.
（アメリカ）

概要

●ＡｄｔｈｏｓがＡＩ技術を活用した高音質の音声広告制作プラットフォームを発表
●ＧＰＴ-４を利用し広告スクリプトを生成
●パブリッシャーの収益源をサポート、何百もの合成音声がライブラリ化
●声優の権利保護のため倫理的な問題検討必要

ココがすごい　広告制作と収益源サポートを効率的に実現

置き換わる職業　音声広告のクリエイター

キーワード　音声、広告主、パブリッシャー、声優

〈出所〉 https://techcrunch.com/2023/04/05/adthos-uses-generative-ai-to-completely-automate-audio-ads/

図表7-21　合成音声をライブラリ化

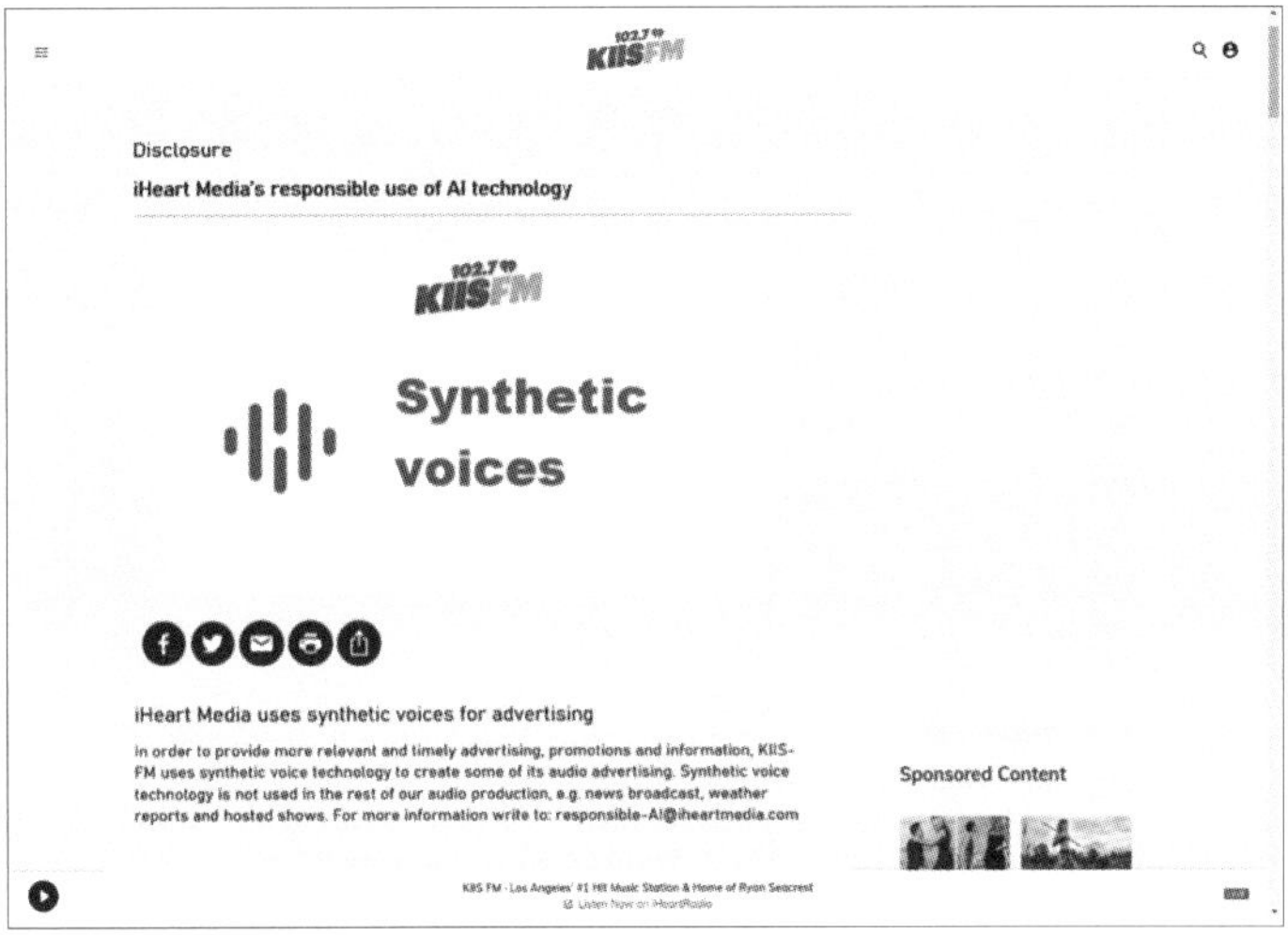


（出所）Adthos

図表7-22　Adthos「音声広告制作を完全自動化」

**WHAT：どんなAI？**

音声広告制作AI

AIができること：音声広告の作成

AIによって解決されること：広告制作を効率化し、広告を自動生成

**WHO：誰のためのAI？**

- **従業員**
- 取引先
- 消費者

具体的なターゲット像：広告制作関連の人々

**WHY：なぜAIが必要？**

マイナスを減らす
- 不満・不便を減らす
- **コストを減らす**
- **作業時間を減らす**

プラスを増やす
- 満足・便利を増やす
- 売上を増やす
- 付加価値を上げる

**HOW：どう人と分業して？**

- **T型：人の仕事をAIが一部補助**
- 逆T型：AIの仕事を人が一部補助
- I型：AIが独立して単独タスクを実行
- N型：複数のAIが連携して複数タスクを実行

人中心 ⟷ AI中心

エンタメ・メディア

インパクト
★★★☆☆

# ＧＰＴを使ったＡＩが「マインクラフト」を勝手に冒険し成長

NVIDIA
（アメリカ）

**概要**

- ●ＮＶＩＤＩＡとカリフォルニア工科大学、スタンフォード大学などが共同研究
- ●ＧＰＴ-４を使用した自律型ＡＩエージェント「Ｖｏｙａｇｅｒ」を公開
- ●「マインクラフト」のワールドを自律的に探検し、スキルを習得できる
- ●ＡＩ自身がマップ内を体験し学習していく
- ●オープンソースで試すことができる

**ココがすごい** 完全自動でゲームをＡＩが完遂

**置き換わる職業** ゲームプレイヤー

**キーワード** マインクラフト、ゲーム、自律型探検

〈出所〉 https://forest.watch.impress.co.jp/docs/news/1504696.html

図表7-23　Voyagerが冒険しているマインクラフト

（出所）Voyager, research led by Caltech PhD student Guanzhi Wang and NVIDIA Senior AI Scientist Linxi "Jim" Fan

図表7-24　「自律的に『マインクラフト』を冒険」

**WHAT：どんなAI？**

自律型のゲーム探検AI

**AIができること**

ゲーム内で学習しながら活動

▶

**AIによって解決されること**

人の手を介さずに
自律的にマインクラフト
の世界を探検

**WHO：誰のためのAI？**

従業員 / 取引先 / **消費者**

▼

具体的なターゲット像

ゲーマー

**WHY：なぜAIが必要？**

マイナスを減らす
- 不満・不便を減らす
- コストを減らす
- **作業時間を減らす**

プラスを増やす
- 満足・便利を増やす
- 売上を増やす
- 付加価値を上げる

**HOW：どう人と分業して？**

| T型 | 逆T型 | I型 | N型 |
|---|---|---|---|
| 人の仕事をAIが一部補助 | AIの仕事を人が一部補助 | AIが独立して単独タスクを実行 | **複数のAIが連携して複数タスクを実行** |

人中心 ←→ AI中心

エンタメ・メディア

インパクト
★★★☆☆

# 漫画家をＡＩがサポート。「少年ジャンプ＋」と共同運営

アル
（日本）

概要

- アル株式会社がＡＩを活用した「Comic-Copilot」をリリース
- ＣｈａｔＧＰＴを活用した漫画制作サポートサービス
- コラボ対象サービスは少年ジャンプ＋編集部運営の「ジャンプルーキー！」、少年ジャンプ＋編集部とはてなの共同運営の「マンガノ」である
- 漫画家の創作活動を支援し、完成に導く
- セリフの短縮や言い換え、校正などの作業のサポート

ココがすごい　ＡＩが漫画制作をサポートし、手間のかかる作業を短時間で実施

キーワード　漫画制作、サポート、少年ジャンプ＋

〈出所〉https://prtimes.jp/main/html/rd/p/000000050.000041122.html

図表7-25　AIが漫画家をサポート

（出所）アル

図表7-26　アル「漫画家にアイデア出しやフィードバック」

**WHAT：どんなAI？**

漫画家の創作をサポートする対話型AI

AIができること

漫画制作のサポートや
アイデア出し、
フィードバックなど

▶

AIによって解決されること

漫画家の創造性を広げ、
制作活動に集中できる

**WHO：誰のためのAI？**

従業員　取引先　**消費者**

▼

具体的なターゲット像

漫画家や
創作活動を行なう人

**WHY：なぜAIが必要？**

マイナスを減らす
- **不満・不便を減らす**
- コストを減らす
- **作業時間を減らす**

プラスを増やす
- 満足・便利を増やす
- 売上を増やす
- 付加価値を上げる

**HOW：どう人と分業して？**

| **T型** | 逆T型 | I型 | N型 |
|---|---|---|---|
| **人の仕事をAIが一部補助** | AIの仕事を人が一部補助 | AIが独立して単独タスクを実行 | 複数のAIが連携して複数タスクを実行 |

人中心 ⟷ AI中心

ファッション・クリエイティブ

インパクト
★★★★☆

## リーバイス、生成されたAIファッションモデルを採用

Levi Strauss & Co.
（アメリカ）

**概要**

●リーバイスはＡＩ生成モデルを活用したファッションモデルを採用
●提携先のLalaland.aiはファッションブランドや小売業者向けにリアルなモデルを作成
●あらゆる体型、年齢、サイズ、肌色のモデルを作成できる
●生成されたアバターにより新しいショッピング体験を実現
●ファッションブランドや小売業者、顧客にとってパーソナルかつ新しい体験提供

**ココがすごい** 柔軟でパーソナライズされたファッションモデルの迅速な作成

**置き換わる職業** ファッションモデル

**キーワード** ファッション、ＡＩモデル、アバター生成

〈出所〉https://www.levistrauss.com/2023/03/22/lsco-partners-with-lalaland-ai/

図表7-27　多様な年齢、サイズ、肌色でモデルをAIで生成

（出所）Levi Strauss & Co.

図表7-28　リーバイス「AIファッションモデルを採用」

**WHAT：どんなAI？**

多様なリアルモデル生成AI

AIができること

多様な体型や肌色の
モデルを作成可能

▶

AIによって解決されること

ファッション業界における
多様性と持続可能性の
課題を解決

**WHO：誰のためのAI？**

従業員　取引先　消費者

具体的なターゲット像

ファッション業界の
関係者

**WHY：なぜAIが必要？**

マイナスを減らす
- 不満・不便を減らす
- コストを減らす
- 作業時間を減らす

プラスを増やす
- 満足・便利を増やす
- 売上を増やす
- 付加価値を上げる

**HOW：どう人と分業して？**

T型　人の仕事をAIが一部補助

逆T型　AIの仕事を人が一部補助

I型　AIが独立して単独タスクを実行

N型　複数のAIが連携して複数タスクを実行

人中心 ←→ AI中心

ファッション・クリエイティブ

インパクト
★★★☆☆

# 画像販売サービスのShutterstock、ジェネレーティブAIで画像生成

Shutterstock, Inc.
（アメリカ）

概要

●大手画像素材サービスShutterstockのAI画像生成プラットフォーム
●テキストから画像への変換技術を使用
●使いやすさと品質を提供
●すべてのお客様が利用可能
●アーティストの貢献に報酬を支払う責任あるサービスへ

ココがすごい　画像販売サービスなのに画像生成機能をつけたところ

置き換わる職業　デザイナー

キーワード　クリエイティブ、ストックフォト、創るAI

〈出所〉https://www.shutterstock.com/ja/ai-image-generator

図表7-29　Shutterstock「画像生成」

**WHAT：どんなAI？**

**テキストから画像への変換AI**

AIができること

**テキストから画像への変換技術を使用して、クリエイティブなビジュアルを作成**

▶

AIによって解決されること

**AI 画像生成プラットフォームの立ち上げにより、クリエイティブ体験が革新**

**WHO：誰のためのAI？**

- 従業員
- **取引先**
- 消費者

▼

具体的なターゲット像

**クリエイター**

**WHY：なぜAIが必要？**

マイナスを減らす

- **不満・不便を減らす**
- コストを減らす
- **作業時間を減らす**

プラスを増やす

- 満足・便利を増やす
- 売上を増やす
- 付加価値を上げる

**HOW：どう人と分業して？**

- T型：人の仕事をAIが一部補助
- 逆T型：AIの仕事を人が一部補助
- **I型：AIが独立して単独タスクを実行**
- N型：複数のAIが連携して複数タスクを実行

人中心 ←→ AI中心

スポーツ

インパクト
★★★☆☆

# ChatGPTプラグインのPlanfit、ダイエットプランをAIが推薦

Planfit Inc.
（韓国）

概要

●GPT連携のワークアウトコーチをChatGPTプラグインとして提供
●身長・体重・鍛えたい部位・目標体重・期間・筋力レベル・目標頻度などを伝えることでトレーニングプランを推薦
●動画付きの指示も提供
●パーソナライズされたフィットネスと食事のプランを作成

ココがすごい　テキストで条件を伝えるだけでパーソナルメニューが作られる

置き換わる職業　トレーナー

キーワード　パーソナライズ、AIトレーナー、プラグイン

〈出所〉ChatGPT Pluginリスト

## 図表7-30　パーソナライズされたプランを作成してくれる

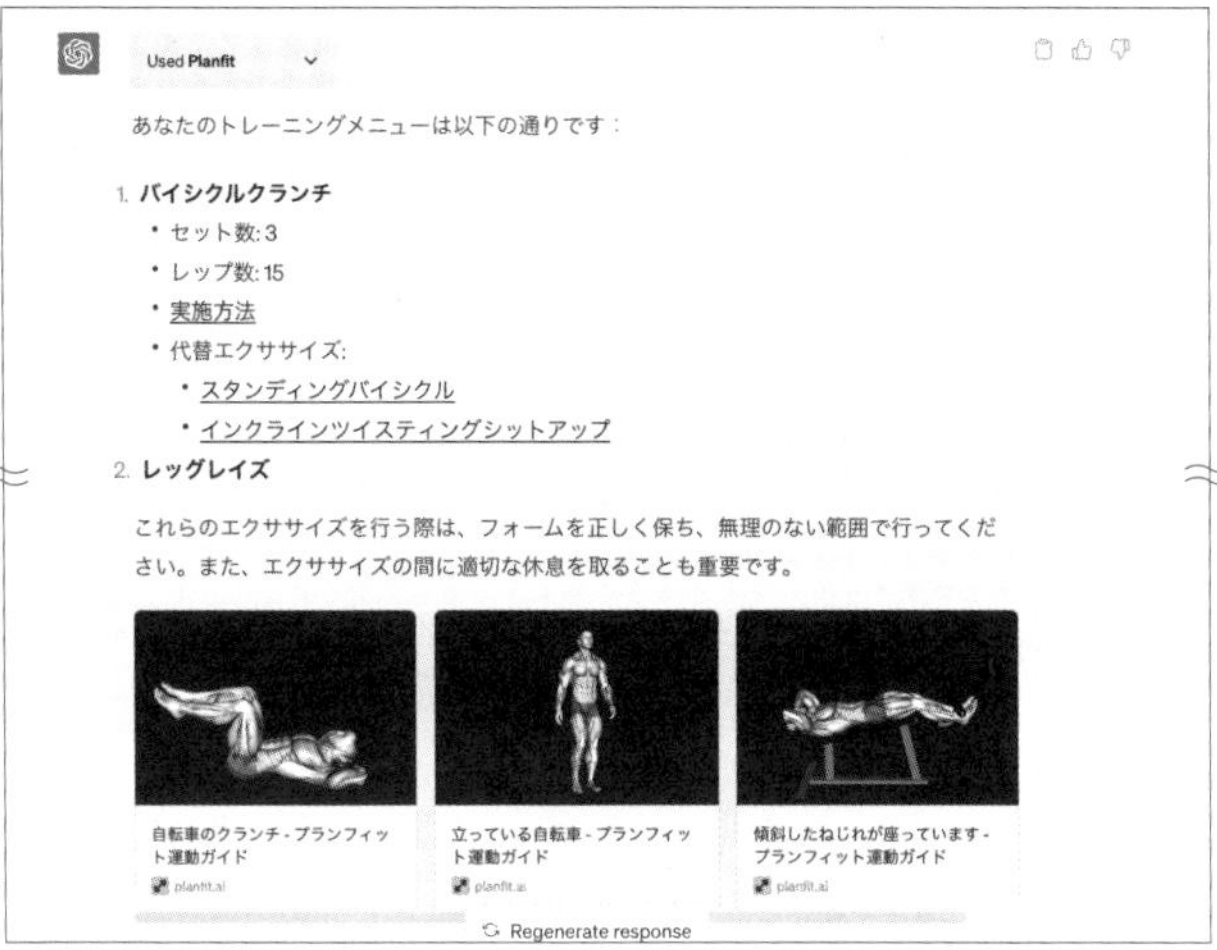


（出所）Planfit

## 図表7-31　Planfit「ダイエットプランを推薦」

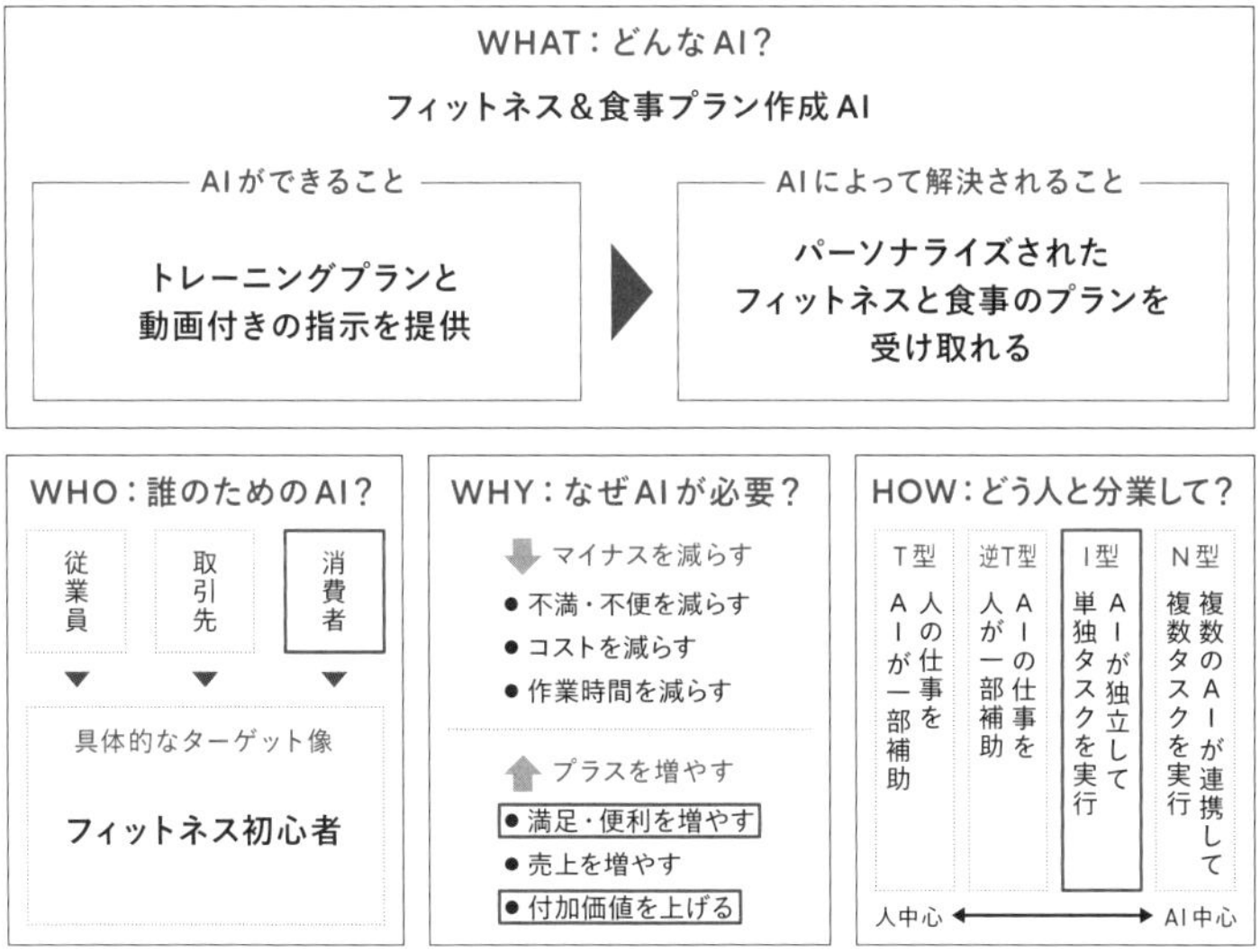

人材・教育

インパクト
★★★★☆

# マイナビ、国産AIをカスタマイズし原稿作成を効率化

マイナビ
（日本）

概要

●人材大手マイナビが国産の大規模言語ＡＩを活用し求人広告の原稿を自動生成
●独自データを用いた個別学習で精度を向上
●原稿作成時間短縮、他業務への時間増加が見込まれる
●ＥＬＹＺＡの国産ＡＩを利用

ココがすごい　国産の大規模言語ＡＩをカスタマイズして構築

置き換わる職業　求人原稿ライター

キーワード　ＨＲ、求人広告、国産ＡＩ

〈出所〉https://www.mynavi.jp/news/2022/05/post_34151.html

図表7-32　求人広告作成を効率化

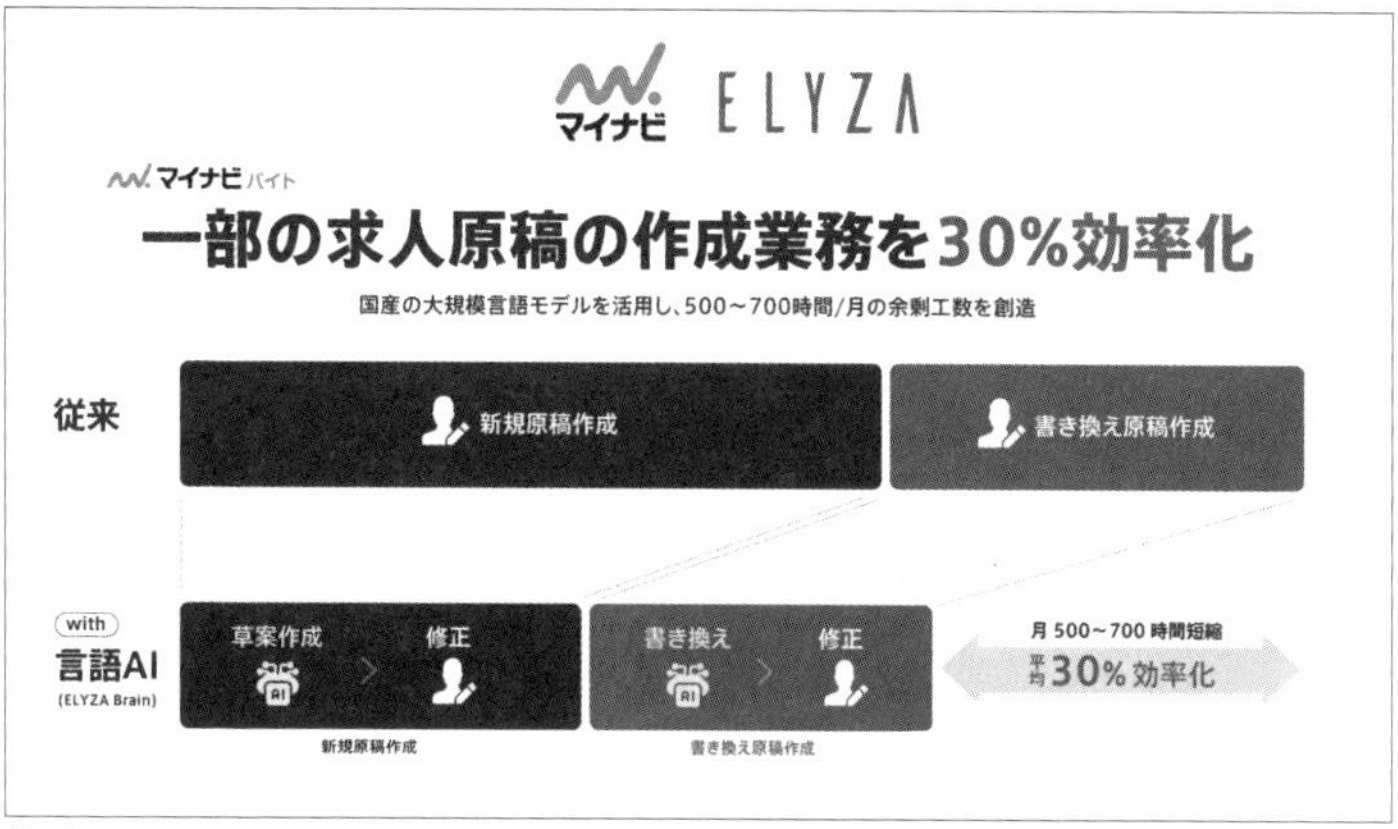


（出所）マイナビ

図表7-33　マイナビ「原稿作成を効率化」

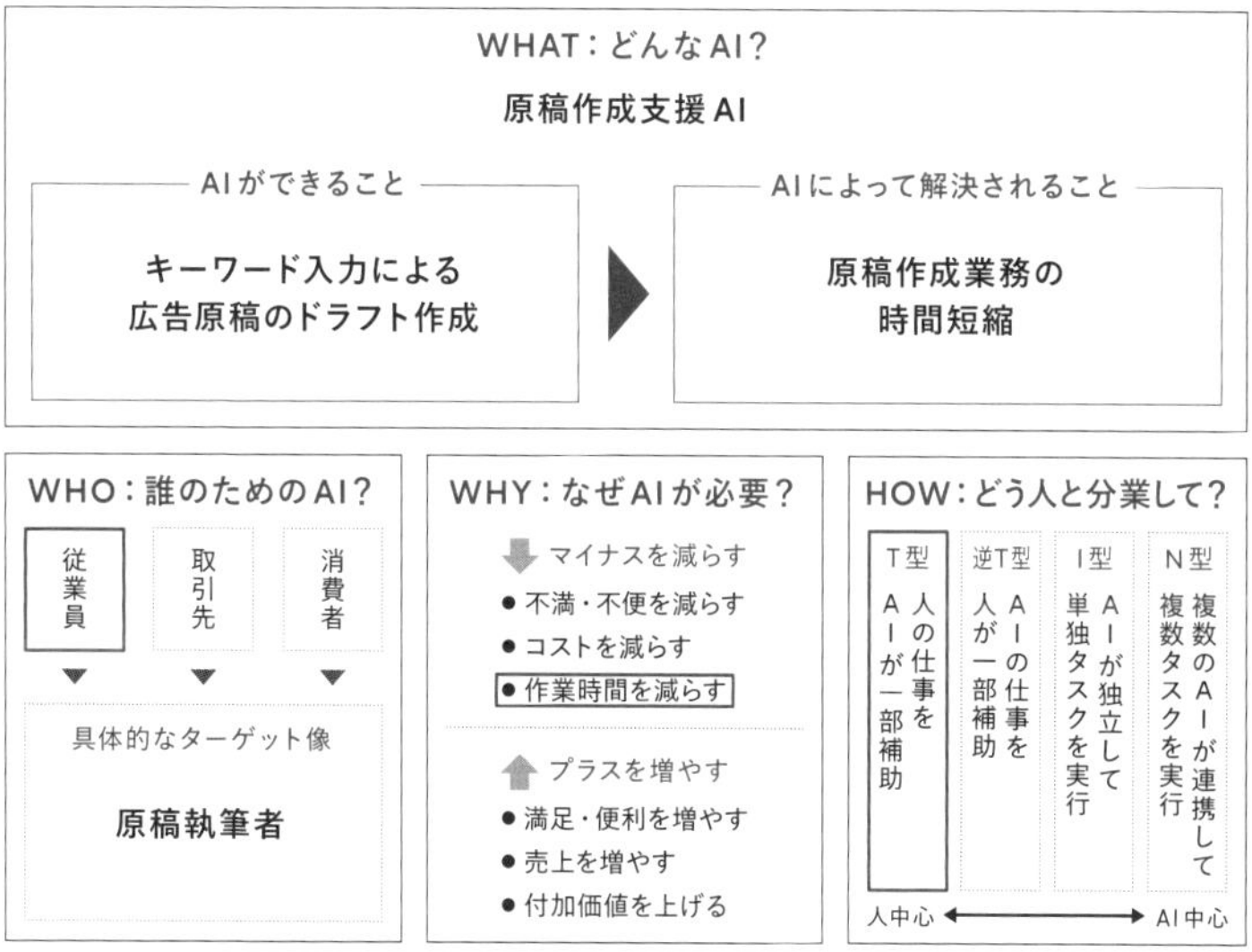

人材・教育

インパクト
★★★☆☆

# LinkedIn、AIアシスタントでプロフィール作成をサポート

LinkedIn
（アメリカ）

**概要**

- ＧＰＴを活用したプロフィール作成支援機能を提供
- 採用広告作成もＡＩで支援
- 求職者や企業は時間の短縮が可能に
- ＡＩの活用には懸念点や倫理的な問題も残る

**ココがすごい** ＡＩによるプロフィール作成支援で時間節約

**置き換わる職業** プロフィールや原稿作成者

**キーワード** ＨＲ、採用広告、プロフィール

〈出所〉https://techcrunch.com/2023/03/15/linkedin-expands-its-generative-ai-assistant-to-recruitment-ads-and-writing-profiles/

図表7-34　職歴から自己紹介を作成

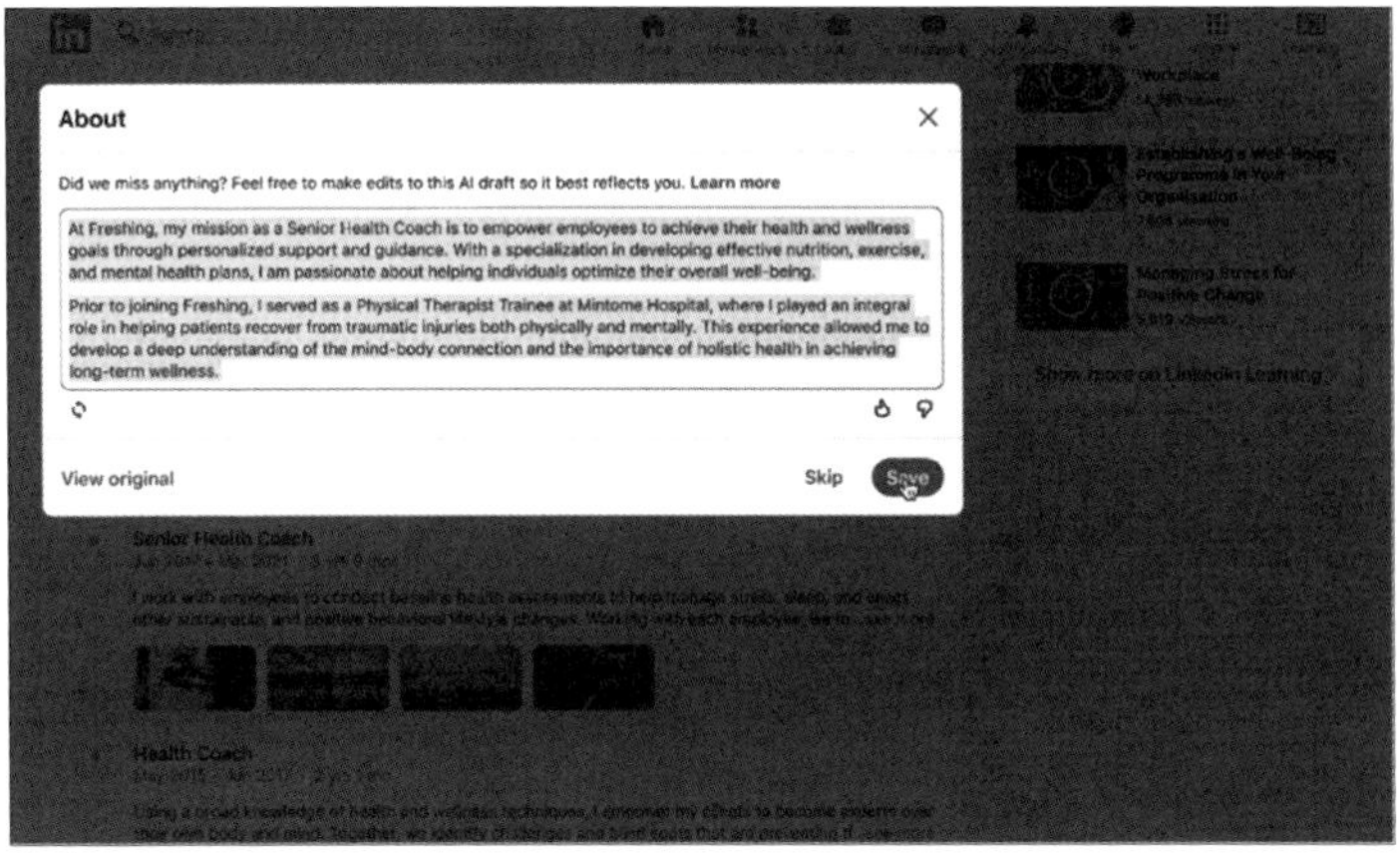


（出所）LinkedIn

図表7-35　LinkedIn「プロフィール作成をサポート」

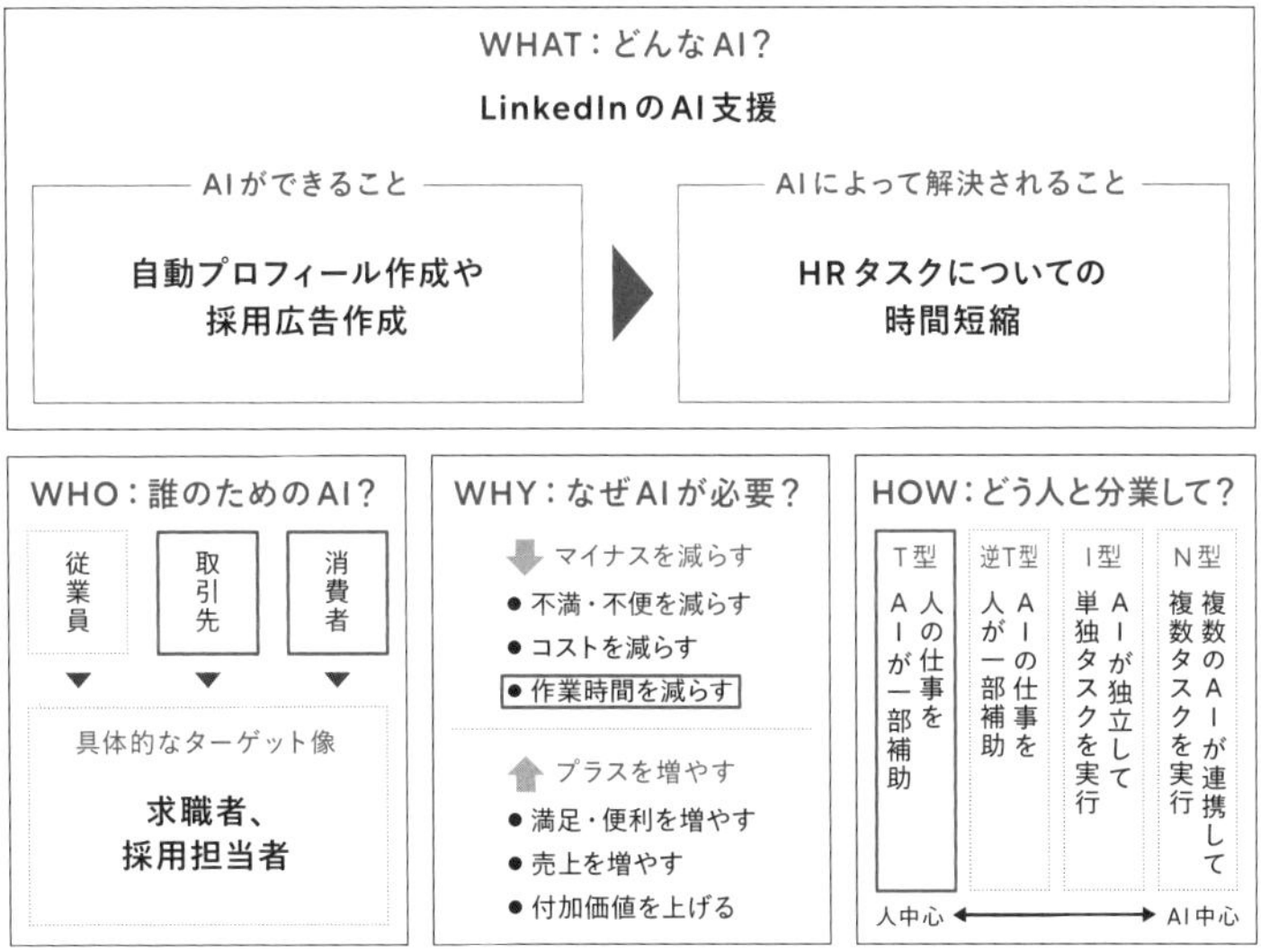

人材・教育

インパクト
★★★★☆

# Loopin、バーチャルコーチでマネージャーのパフォーマンス向上

Loopin
（イギリス）

概要

●「バーチャルコーチ」は、コーチング手法を学んでチームをサポート
●ChatGPT等を使ってチームのムードを評価し、士気を測定・予測
●従業員にパーソナライズされたコーチングやリーダーシップ開発のアドバイスを提供
●匿名化されたデータを受け取り、他の組織と比較も可能
●チームの気分やモチベーションを把握、マネージャーと部下とのつながりを向上

ココがすごい　GPTでムードを評価し士気を測定

置き換わる職業　コーチ

キーワード　ビジネスコーチ、バーチャルコーチ、アドバイス、マネージャー

〈出所〉https://techcrunch.com/2023/04/17/llms-come-to-workplace-morale-monitoring-as-loopin-raises-1-9m-for-its-platform/

図表7-36　バーチャルコーチがチームをサポート

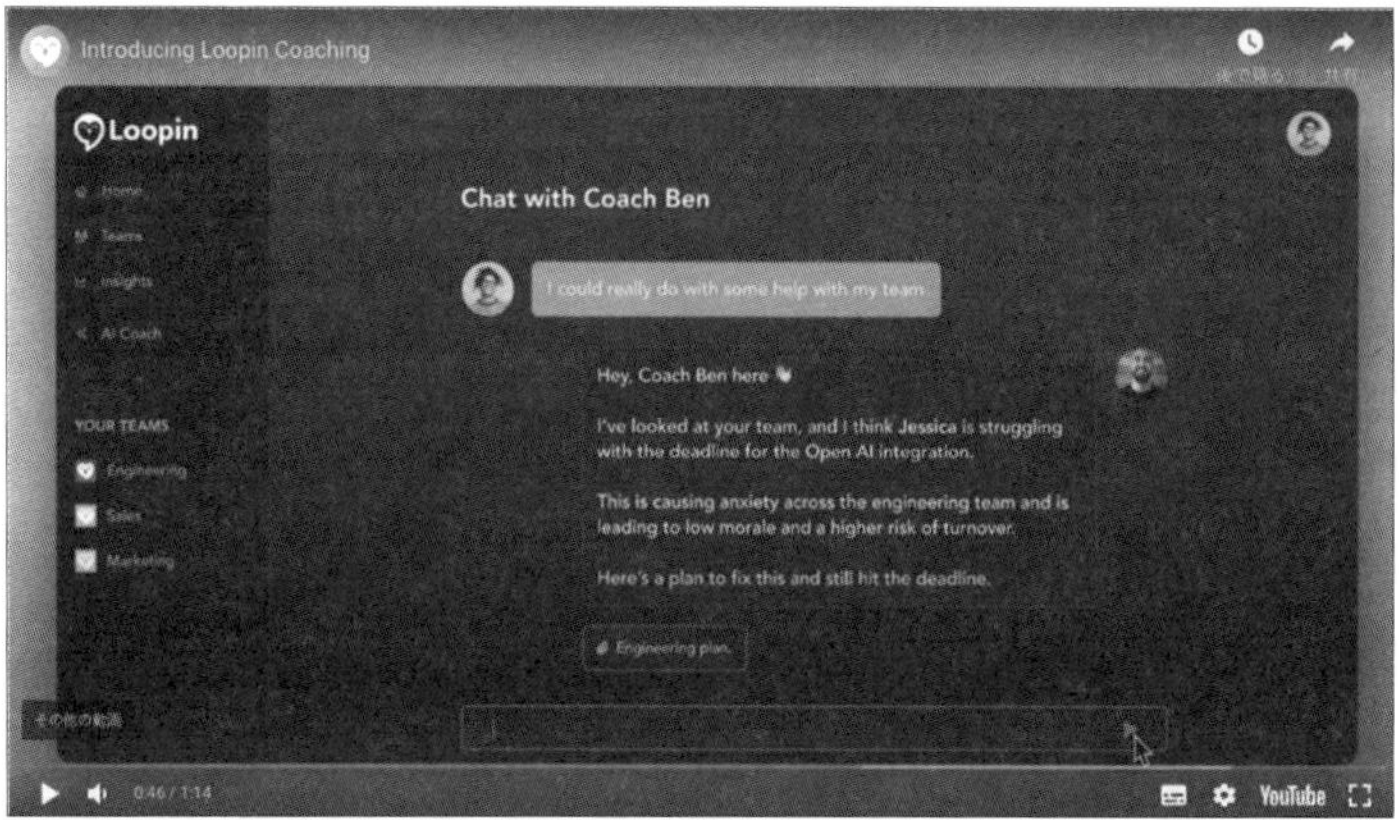


（出所）Loopin

図表7-37　Loopin「バーチャルコーチ」

**WHAT：どんなAI？**

**バーチャルコーチAI**

AIができること
**チームの士気とパフォーマンスを予測・測定しアドバイス**

▶

AIによって解決されること
**マネージャーと部下とのつながりを向上**

**WHO：誰のためのAI？**

- **従業員**（選択）
- 取引先
- 消費者

▼

具体的なターゲット像
**マネージャーやスタッフ**

**WHY：なぜAIが必要？**

マイナスを減らす
- **不満・不便を減らす**（選択）
- コストを減らす
- 作業時間を減らす

プラスを増やす
- **満足・便利を増やす**（選択）
- 売上を増やす
- 付加価値を上げる

**HOW：どう人と分業して？**

| T型 | 逆T型 | I型 | N型 |
|---|---|---|---|
| 人の仕事をAIが一部補助 | AIの仕事を人が一部補助 | **AIが独立して単独タスクを実行**（選択） | 複数のAIが連携して複数タスクを実行 |

人中心 ←→ AI中心

人材・教育

インパクト
★★★★☆

# Duolingo、GPT-4採用で英会話AIを強化。自然な会話練習が可能に

Duolingo Inc.
（アメリカ）

**概要**

- 英語学習サービスＤｕｏｌｉｎｇｏがＧＰＴ-４を使用した新機能を追加
- スマート解説とロールプレイの新機能を提供
- スマート解説は間違いの解説をＡＩが行なう
- ロールプレイではＡＩとの会話トレーニングができる

**ココがすごい** 個別の学習ニーズに合わせたカスタマイズが可能

**置き換わる職業** 英会話教師

**キーワード** 英語学習、会話トレーニング、ロールプレイ

〈出所〉https://xtech.nikkei.com/atcl/nxt/column/18/02423/042500012/

図表7-38　マンツーマンのようなロールプレイで語学学習が可能

（出所）Duolingo

図表7-39　Duolingo「自然な英会話練習が可能に」

**WHAT：どんなAI？**

**語学学習のスマート解説とロールプレイを提供するAI**

AIができること

**語学学習の間違い解説と**
**会話トレーニング**

AIによって解決されること

**英会話の学習の質の向上**

**WHO：誰のためのAI？**

従業員 / 取引先 / **消費者**

具体的なターゲット像

**英会話学習者**

**WHY：なぜAIが必要？**

マイナスを減らす
- 不満・不便を減らす
- コストを減らす
- 作業時間を減らす

プラスを増やす
- 満足・便利を増やす
- 売上を増やす
- **付加価値を上げる**

**HOW：どう人と分業して？**

- T型：人の仕事をAIが一部補助
- 逆T型：AIの仕事を人が一部補助
- **I型：AIが独立して単独タスクを実行**
- N型：複数のAIが連携して複数タスクを実行

人中心 ←→ AI中心

人材・教育

インパクト
★★★★☆

## Q-Chat、GPTを活用した学習コーチングサービス

Quizlet, Inc.
（アメリカ）

概要

●学習サービスQ-Chatは、OpenAI社のChatGPT APIを利用

●AI搭載の教員機能をつけた学習コーチングサービス

●学習を楽しく効果的にするために設計された

●教材についてあなたに質問をしたり、どこから始めたらわからないときに学習のコーチングを提供

ココがすごい どこから学び始めたらわからない課題も解決

置き換わる職業 教師

キーワード 教員、学習を楽しく、コーチング

〈出所〉https://quizlet.com/labs/qchat

図表7-40　コーチング：学んでいることについて質問してくる

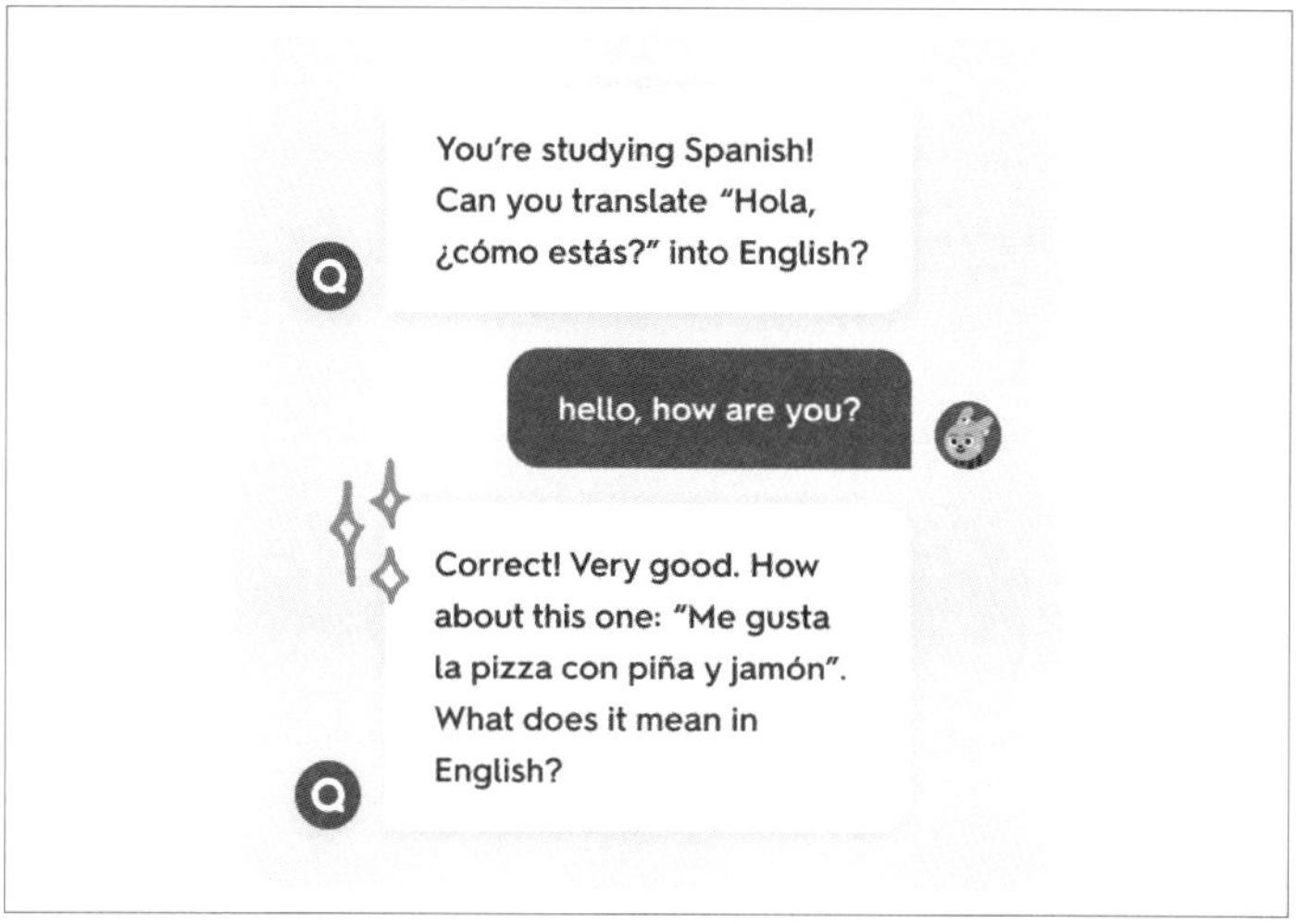


（出所）Quizlet

図表7-41　Q-Chat「学習コーチングサービス」

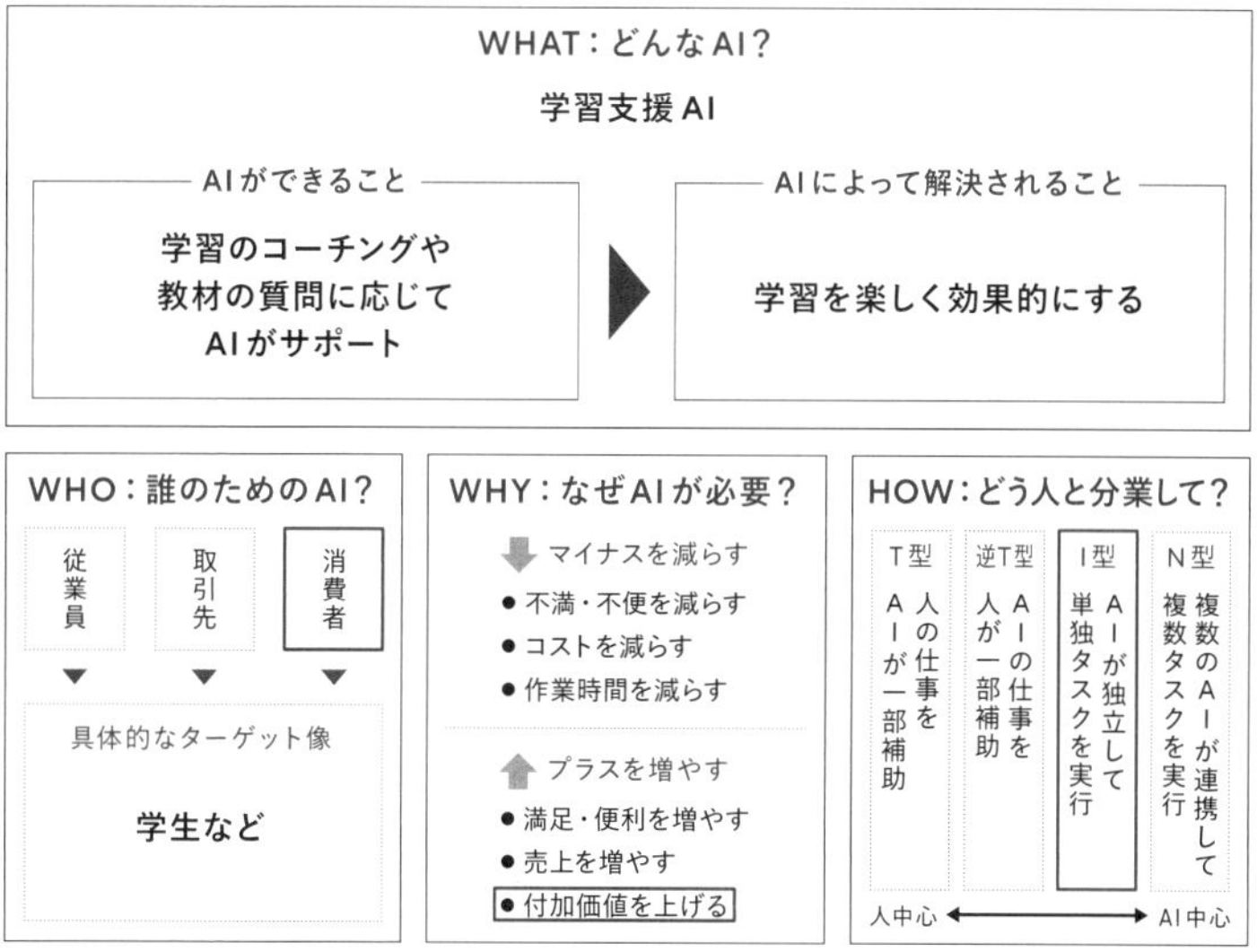

人材・教育

インパクト
★★★☆☆

# ベネッセ、小学生親子向け生成AIで夏休みの思考力向上をサポート

ベネッセコーポレーション（日本）

概要

- ベネッセが「進研ゼミ小学講座」で生成ＡＩサービス提供
- 子どもの思考力向上と夏休みの親子で取り組む自由研究をサポート
- ＡＩがアイデアやテーマを提供し、安全性にも配慮
- 自由研究のテーマに悩む家庭でもアイデアを見つけられる
- ベネッセが未来を創る子どもたちと保護者を応援

ココがすごい　無償でＡＩが自由研究のアイデアやテーマを提案

置き換わる職業　教師

キーワード　進研ゼミ、思考力、夏休み、自由研究

〈出所〉https://prtimes.jp/main/html/rd/p/000001163.000000120.html

図表7-42　答えは教えずサポートに徹する

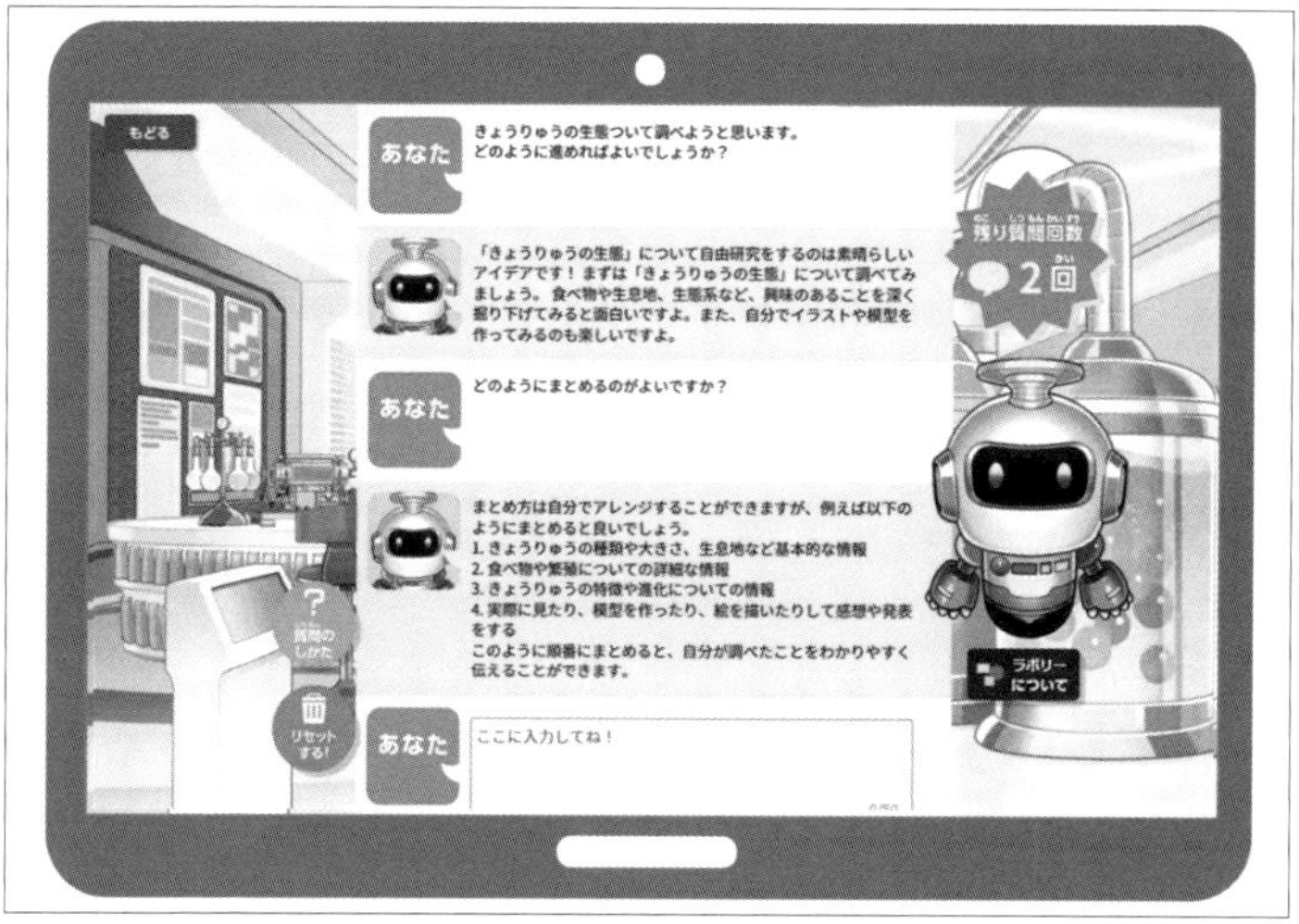


（出所）ベネッセコーポレーション

図表7-43　ベネッセ「夏休みに小学生の思考力向上をサポート」

WHAT：どんなAI？

子どもの自由研究をサポートするAI

AIができること：アイデアやテーマを提供し、安全性にも配慮した自由研究のサポート

▶

AIによって解決されること：子どもの思考力を向上

WHO：誰のためのAI？

従業員　取引先　**消費者**

▼

具体的なターゲット像

小学生とその保護者

WHY：なぜAIが必要？

マイナスを減らす
- 不満・不便を減らす
- コストを減らす
- 作業時間を減らす

プラスを増やす
- 満足・便利を増やす
- 売上を増やす
- **付加価値を上げる**

HOW：どう人と分業して？

- **T型**：人の仕事をAIが一部補助
- 逆T型：AIの仕事を人が一部補助
- I型：AIが独立して単独タスクを実行
- N型：複数のAIが連携して複数タスクを実行

人中心 ←→ AI中心

金融・保険

インパクト
★★★★☆

# モルガン・スタンレー、ファイナンシャル・アドバイザーのお悩みを解決

Morgan Stanley
（アメリカ）

**概要**

●ＧＰＴ-４対応の社内チャットボットを採用
●ファイナンシャル・アドバイザーの悩みを解決、顧客との会話フォローを容易に
●社内チャットボットが膨大なＰＤＦフォーマットを精査し、知識と洞察を学習
●約２００人の従業員が定期的に利用し、提案によって改善

**ココがすごい** 膨大な情報を瞬時に精査し、アドバイザーの悩みを解決

**置き換わる職業** 金融アドバイザー

**キーワード** 金融、チャットボット、アドバイザー

〈出所〉 https://coinunited.io/news/ja/2023-03-15/stocks/cunews-morgan-stanley-introduces-advanced-chatbot-for-financial-advisors-powered-by-openai-s-latest-technology

図表7-44　モルガン・スタンレー「ファイナンシャル・アドバイザーの悩み解決」

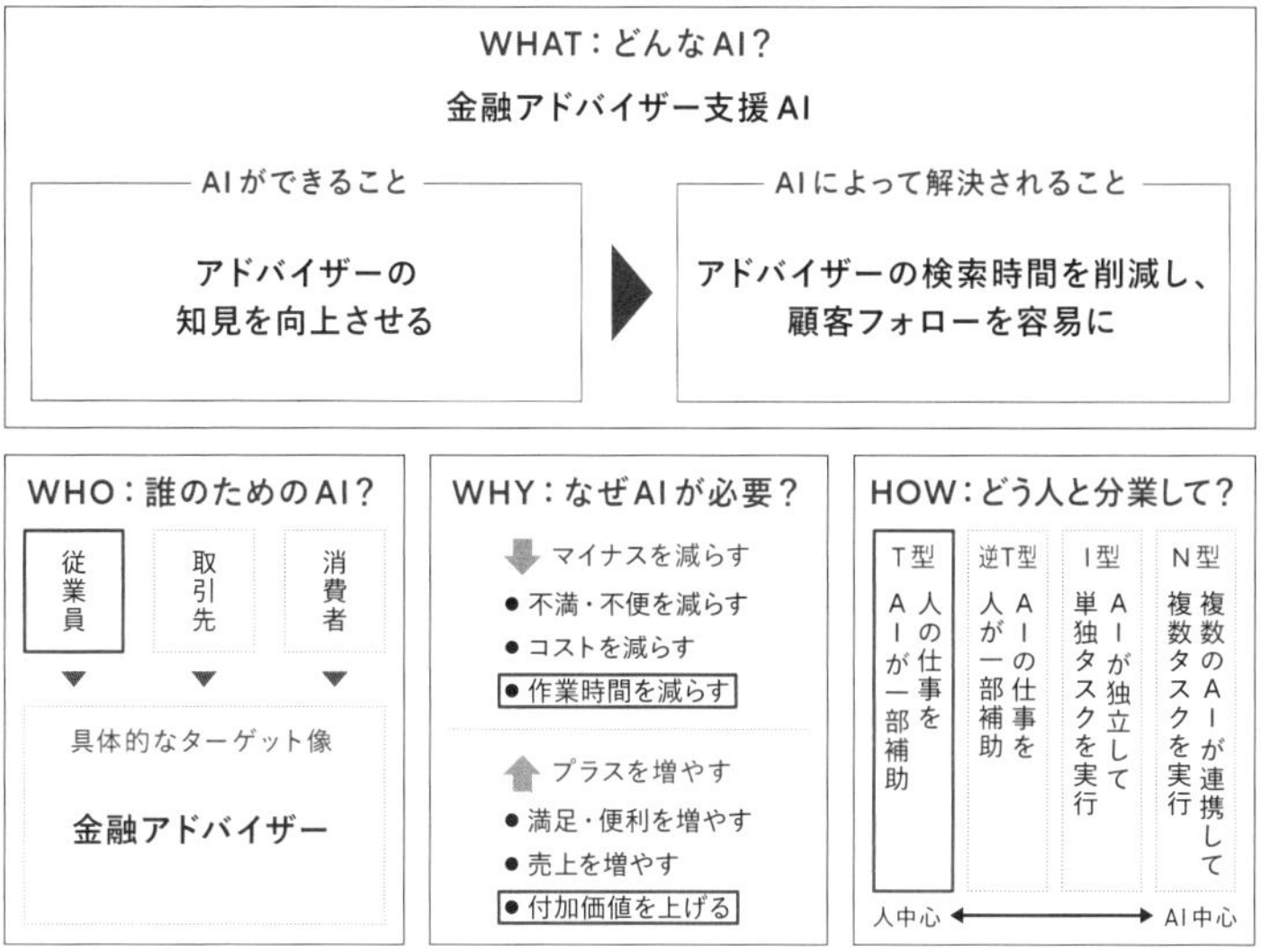

金融・保険

インパクト
★★★★☆

# Ｓｔｒｉｐｅ、ＧＰＴや機械学習で開発者向け情報検索や不正検出の精度向上

Stripe
（アメリカ）

**概要**

- 決済サービス大手のＳｔｒｉｐｅはＧＰＴ利用でユーザー（開発者）による利用効率を強化
- ＧＰＴ－４を使用して開発者向けドキュメントの検索体験を改善
- 悪質な行為者を特定するために、機械学習による不正検出の精度を向上

**ココがすごい** 年間約４０００万件のカードテスティング取引を防止

**置き換わる職業** 不正検知者

**キーワード** 決済サービス、不正防止、開発効率向上

〈出所〉https://stripe.com/jp/newsroom/news/stripe-and-openai

図表7-45　開発者向け資料にGPT-4を導入

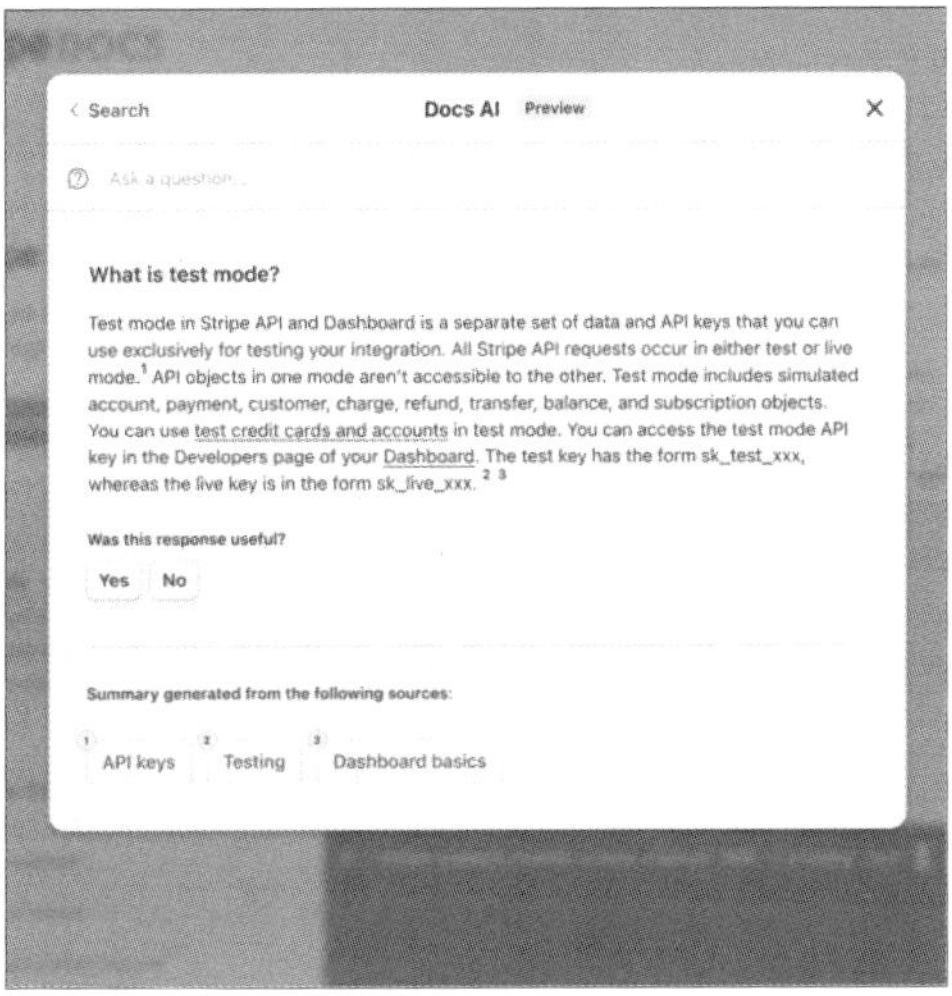


（出所）Stripe

図表7-46　Stripe「不正行為を検知、詐欺対策を高度化」

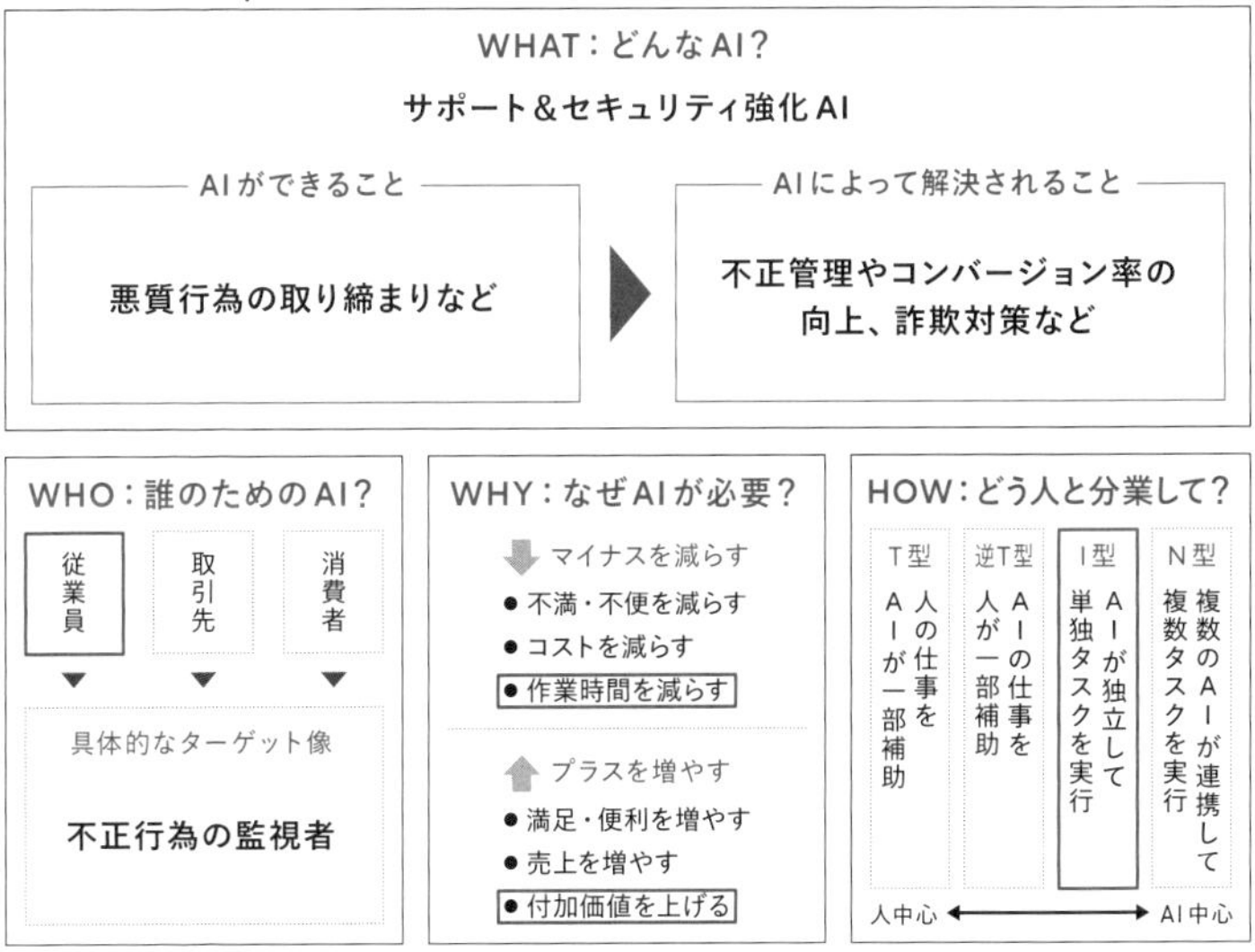

金融・保険

インパクト
★★★★★

# 金融業界特化の大規模言語AI、ブルームバーグGPT

ブルームバーグ
（アメリカ）

概要
- 金融分野向けの新しい大規模言語ＡＩモデル「ブルームバーグＧＰＴ」を開発
- 金融データと汎用データを組み合わせてトレーニング
- 学習により金融業界の特有なタスクに対応
- ベンチマークで優れた結果を示す

ココがすごい　金融業界に特化した大規模言語ＡＩモデルを独自構築

置き換わる職業　金融従事者

キーワード　金融、独自ＬＬＭ、特有タスク

〈出所〉 https://about.bloomberg.co.jp/blog/press-bloomberggpt-50-billion-parameter-llm-tuned-finance/

図表7-47　ブルームバーグ「金融業界特化の大規模言語AI」

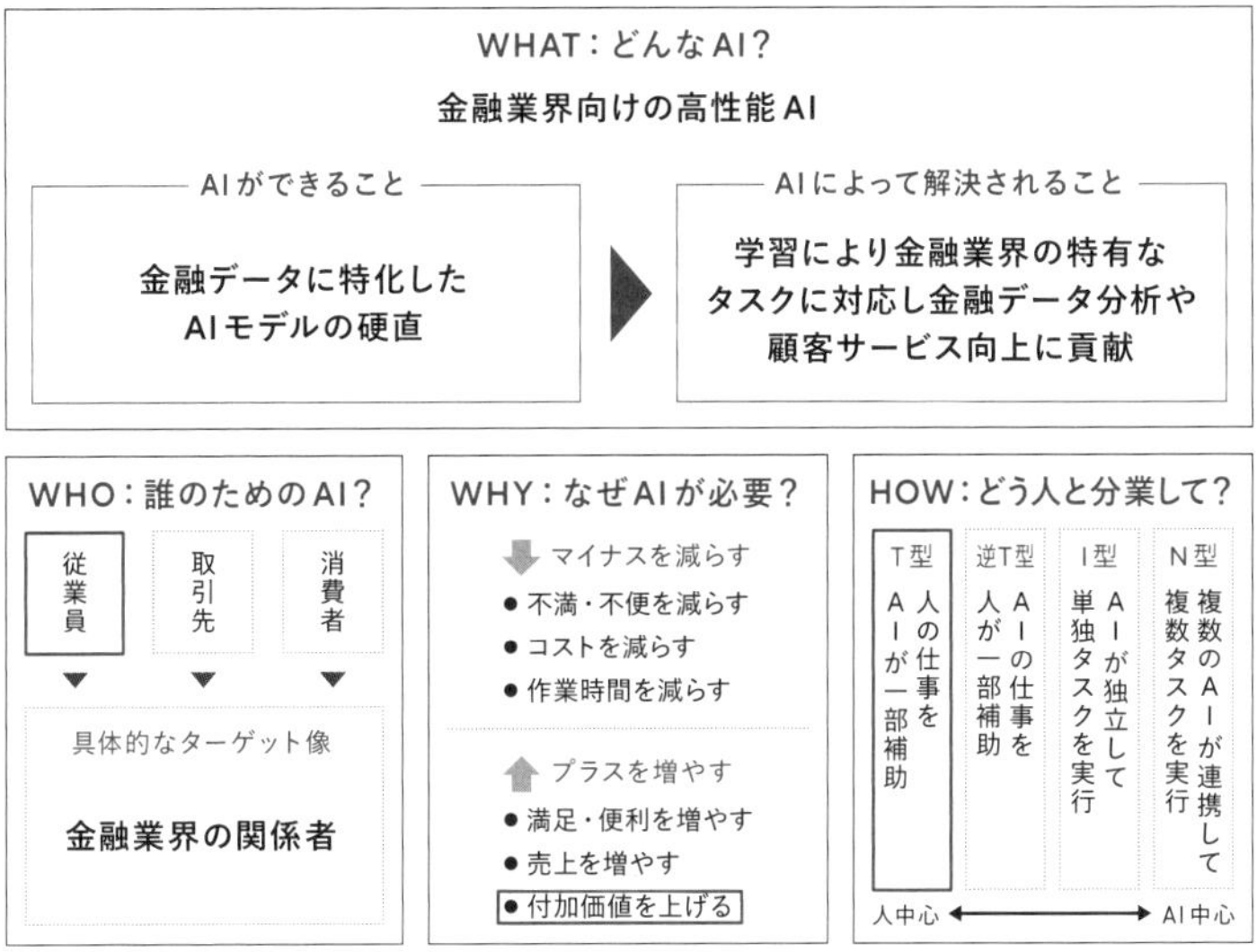

金融・保険

インパクト
★★★☆☆

# 三井住友ＦＧ、全従業員に対話ＡＩ導入予定。業務支援に期待

三井住友
フィナンシャルグループ
（日本）

概要

- 三井住友フィナンシャルグループが対話ＡＩを利用
- 対話ＡＩが質問に回答し、業務を代行
- 融資判断や経理手続きに活用
- 外部からアクセスできないネットワークで管理
- セキュリティ対策も施され、全従業員が利用可能になる予定

ココがすごい　業務効率化とセキュリティ確保を両立

置き換わる職業　銀行員

キーワード　金融、業務補助、セキュリティ対策

〈出所〉https://www3.nhk.or.jp/news/html/20230411/k10014034721000.html

図表7-48 三井住友FG「業務支援する対話AI導入予定」

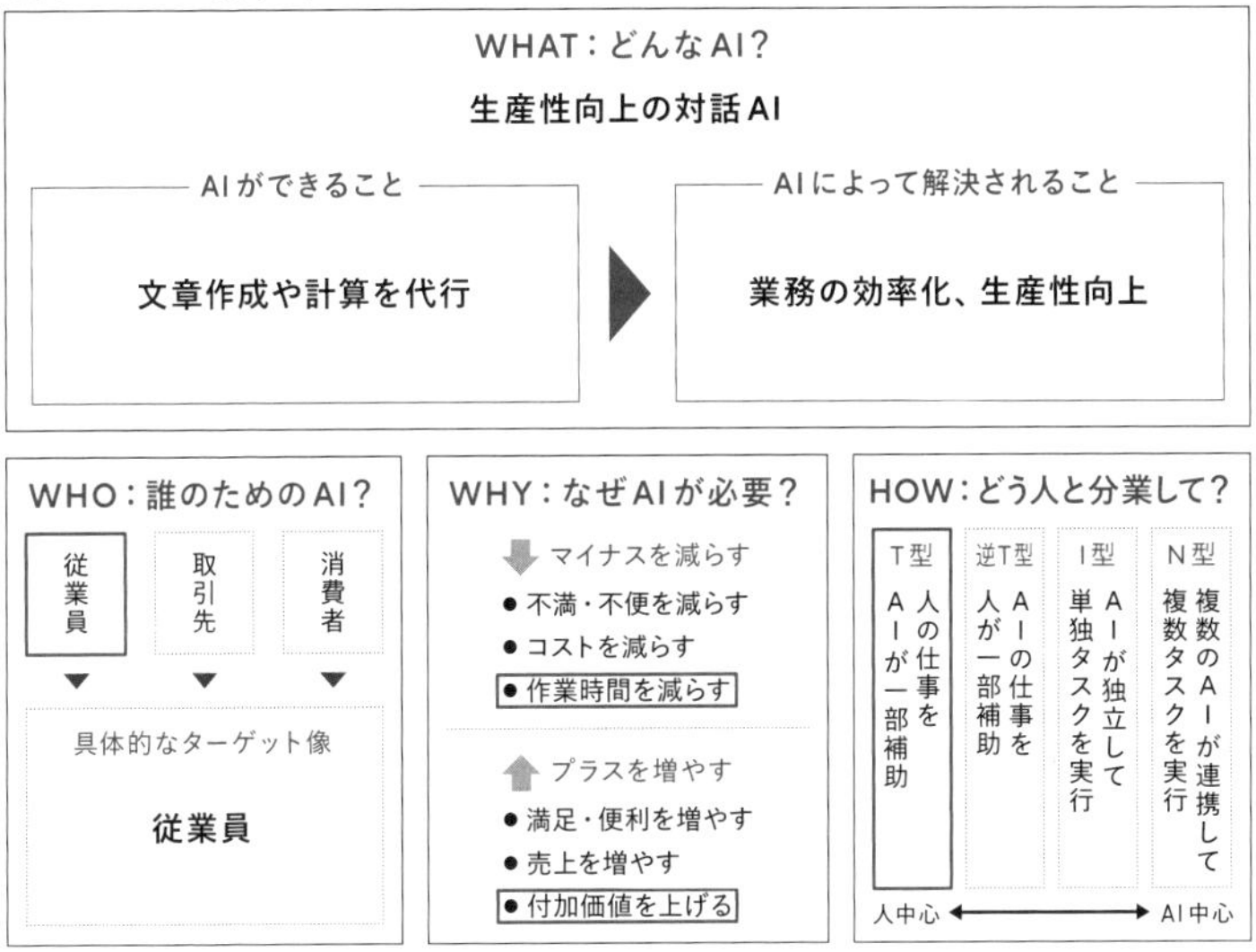

医療・介護・専門・福祉

インパクト
★★★★★

## Nabla、GPTを活用し医師の診察会話記録を効率化。医療現場の負担軽減へ

Nabla
（フランス）

概要

●GPTを搭載した医師向けデジタルアシスタント「Copilot」提供開始
●GPTを活用し医師の診察会話を文書に自動変換
●医師の事務作業負担軽減を目指す
●アメリカとフランスの医師やデジタルクリニックで使用

ココがすごい　医師の事務作業を自動化し、負担を軽減

置き換わる職業　医師アシスタント

キーワード　医療、デジタルアシスタント、診療会話、処方箋

〈出所〉 https://techcrunch.com/2023/03/14/nabla-a-french-digital-health-startup-launches-copilot-using-GPT-3-to-turn-patient-conversations-into-actionable-items/

図表7-49　診察の際の会話を文書にする

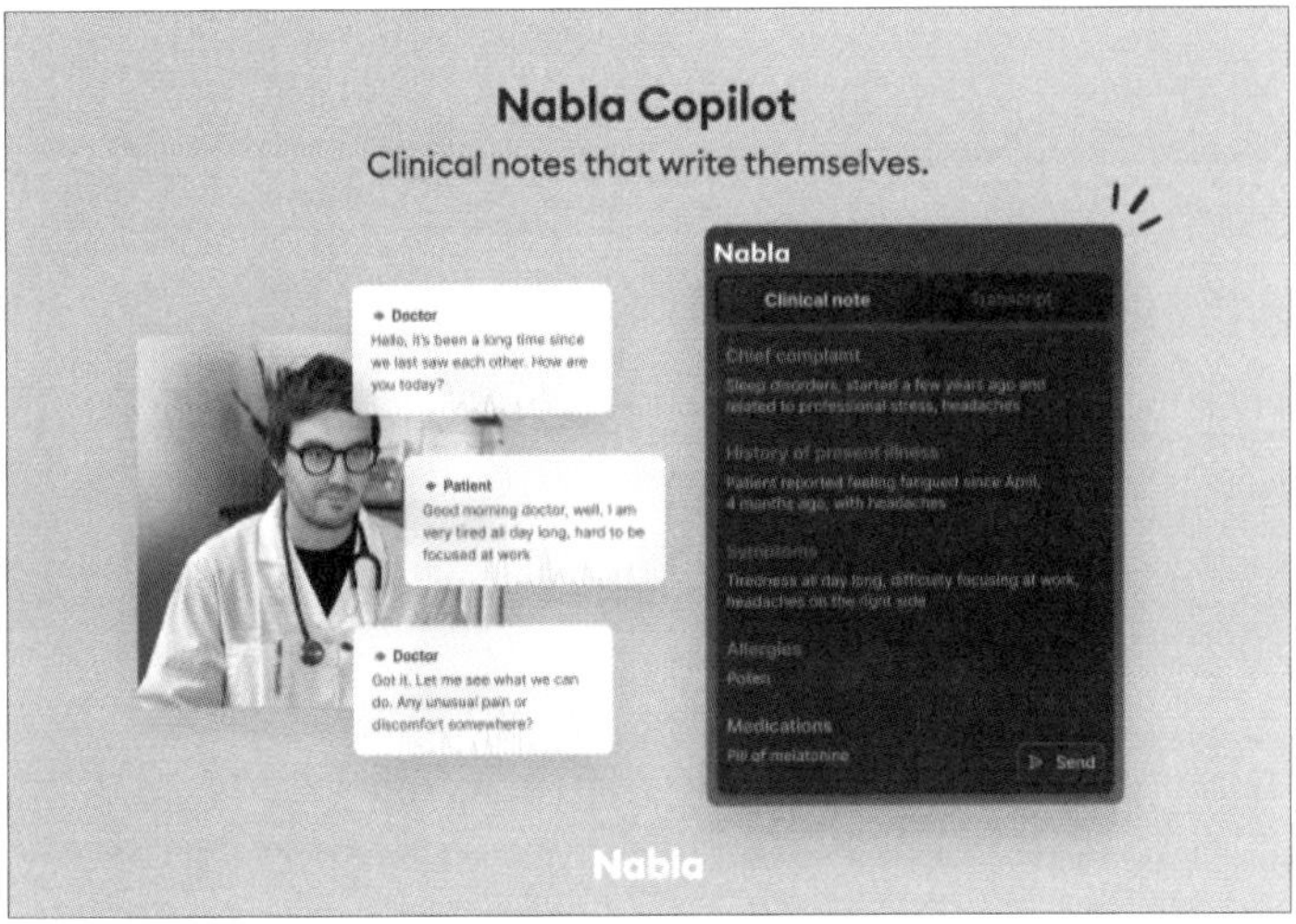


（出所）Nabla

図表7-50　Nabla「医師の診察会話記録を効率化」

WHAT：どんなAI？

医師の診察会話を文書化するAI

AIができること

医師の診察会話を
文書に自動変換

▶

AIによって解決されること

医師の事務作業負担を軽減し、
診療時間を増やす

WHO：誰のためのAI？

**従業員**　取引先　消費者

具体的なターゲット像

医師及び
医療従事者

WHY：なぜAIが必要？

マイナスを減らす
- 不満・不便を減らす
- コストを減らす
- **作業時間を減らす**

プラスを増やす
- **満足・便利を増やす**
- 売上を増やす
- 付加価値を上げる

HOW：どう人と分業して？

- **T型**：人の仕事を AIが一部補助
- 逆T型：AIの仕事を 人が一部補助
- I型：AIが独立して 単独タスクを実行
- N型：複数のAIが連携して 複数タスクを実行

人中心 ⟷ AI中心

医療・介護・専門・福祉

インパクト ★★★★★

# Google、医療相談用のAIチャットボットをテスト。正確な診断結果を迅速に提供

Google（アメリカ）

概要

●Googleが米総合病院Mayo ClinicでAIチャットボットをテスト
●医療用のモデルMed-PaLM2を構築
●医療関連の質問に答える能力をもつ、医療文書の要約や患者データの整理も可能
●Googleは将来的にX線画像の分析も支援したい考え
●ユーザーの医療データは暗号化され、Googleはアクセスしない

ココがすごい 症状に応じた診断を下したりする能力をもつAIチャットボット

置き換わる職業 医師

キーワード 医療、Google、AIチャットボット、暗号化

〈出所〉 https://japan.cnet.com/article/35206561/

図表7-51　Google「医療相談用のAIチャットボットをテスト」

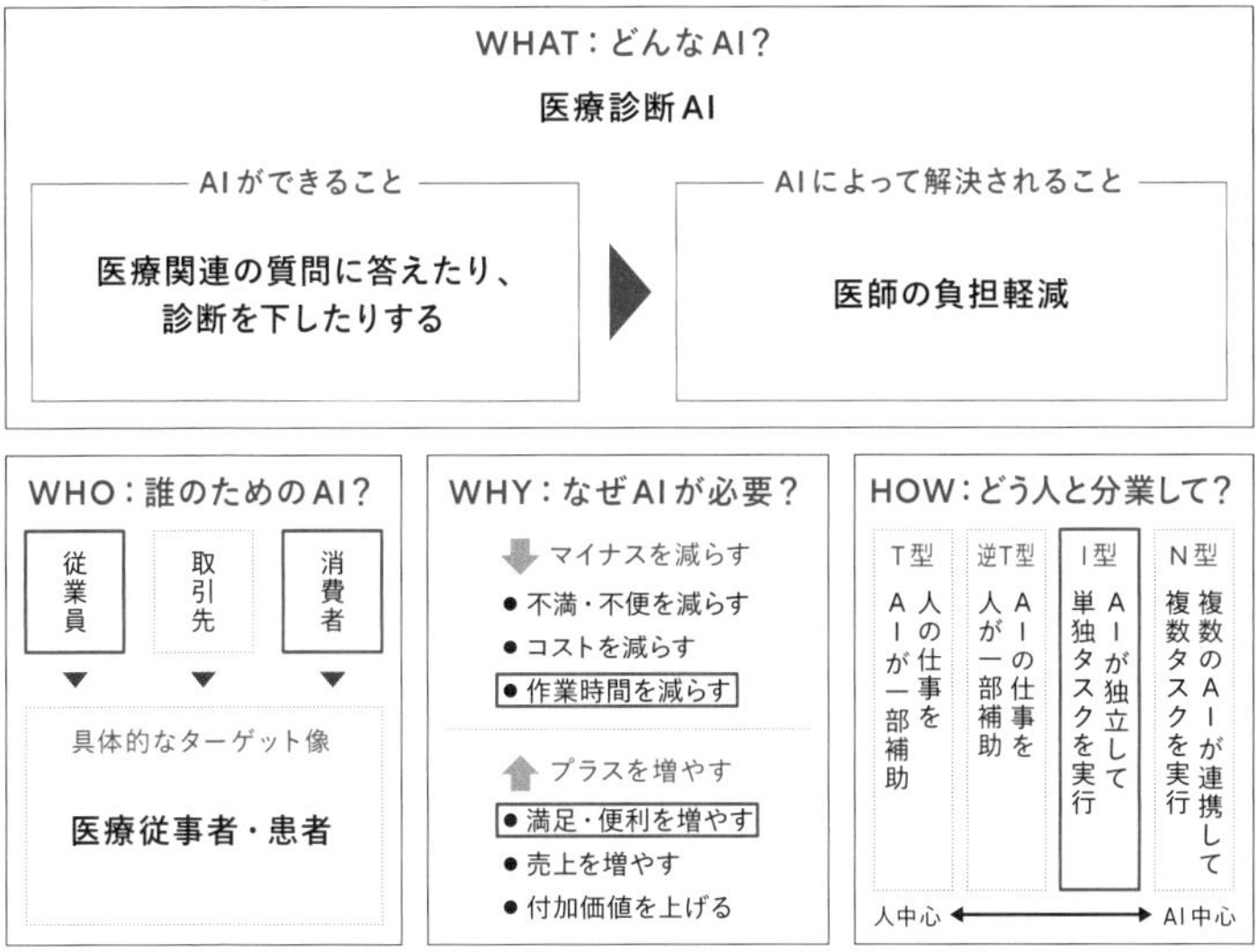

医療・介護・専門・福祉

インパクト
★★☆☆☆

# 介護・障がい福祉・在宅医療スタッフ向けの研修作成をAIで支援

メドレー
（日本）

概要

- 介護・障がい福祉・在宅医療向けのオンライン動画研修サービスにＧＰＴを搭載
- 生成ＡＩを活用し、研修担当者の研修作成の作業時間を約75％削減
- 研修作成にかかる所要時間を5分程度に短縮、職員個々人に適した研修実施が容易に
- 研修担当者は研修名と目標を入力するだけでおすすめの講義動画が提案
- 繁忙期における業務負荷の低減と業務効率化が期待

ココがすごい　６５００本以上の講義動画から研修を作成。作業時間を約75％削減

キーワード　介護、障がい福祉、在宅医療、研修作成、作業時間

〈出所〉https://prtimes.jp/main/html/rd/p/00000081.000013108.html

図表7-52　研修名と目標を入力すれば研修動画が提供される

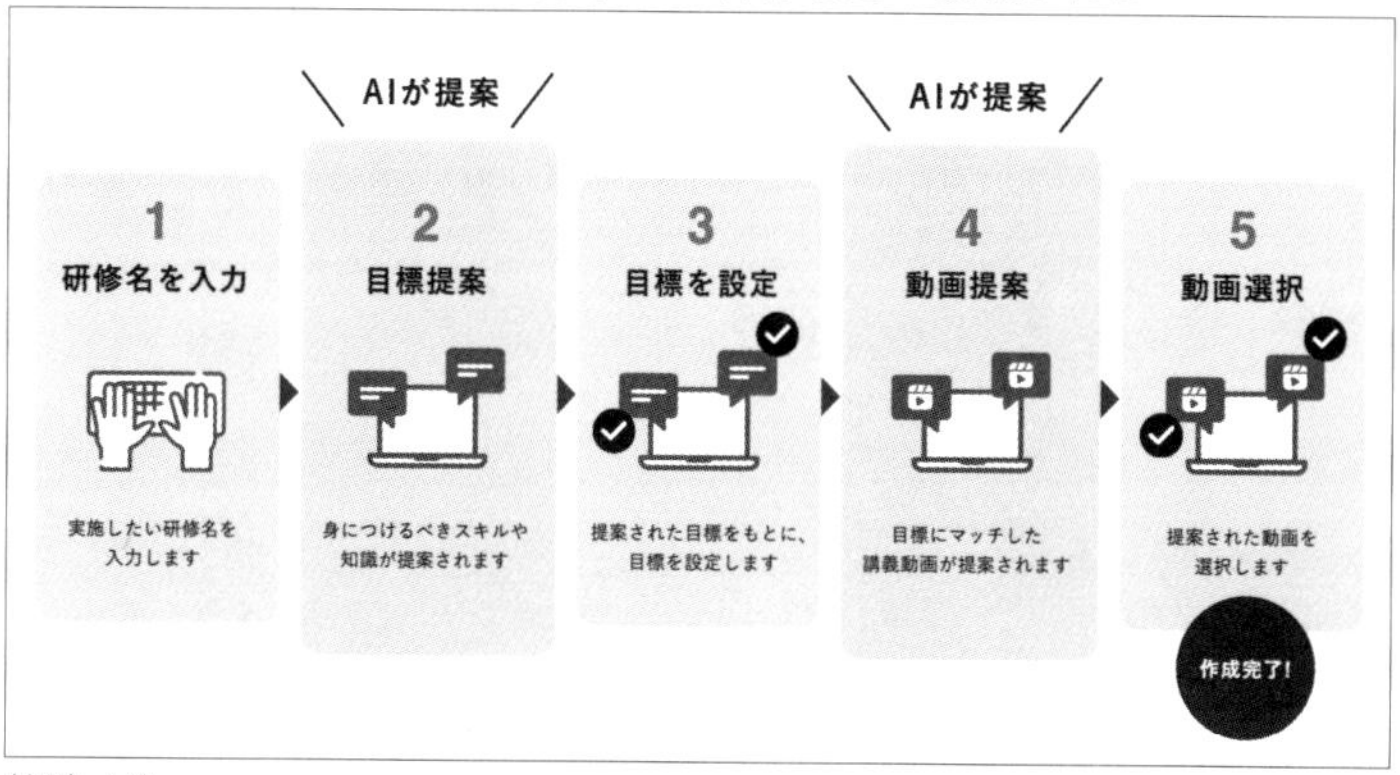


（出所）メドレー

図表7-53　メドレー「介護・障がい福祉・在宅医療スタッフ向けの研修作成支援」

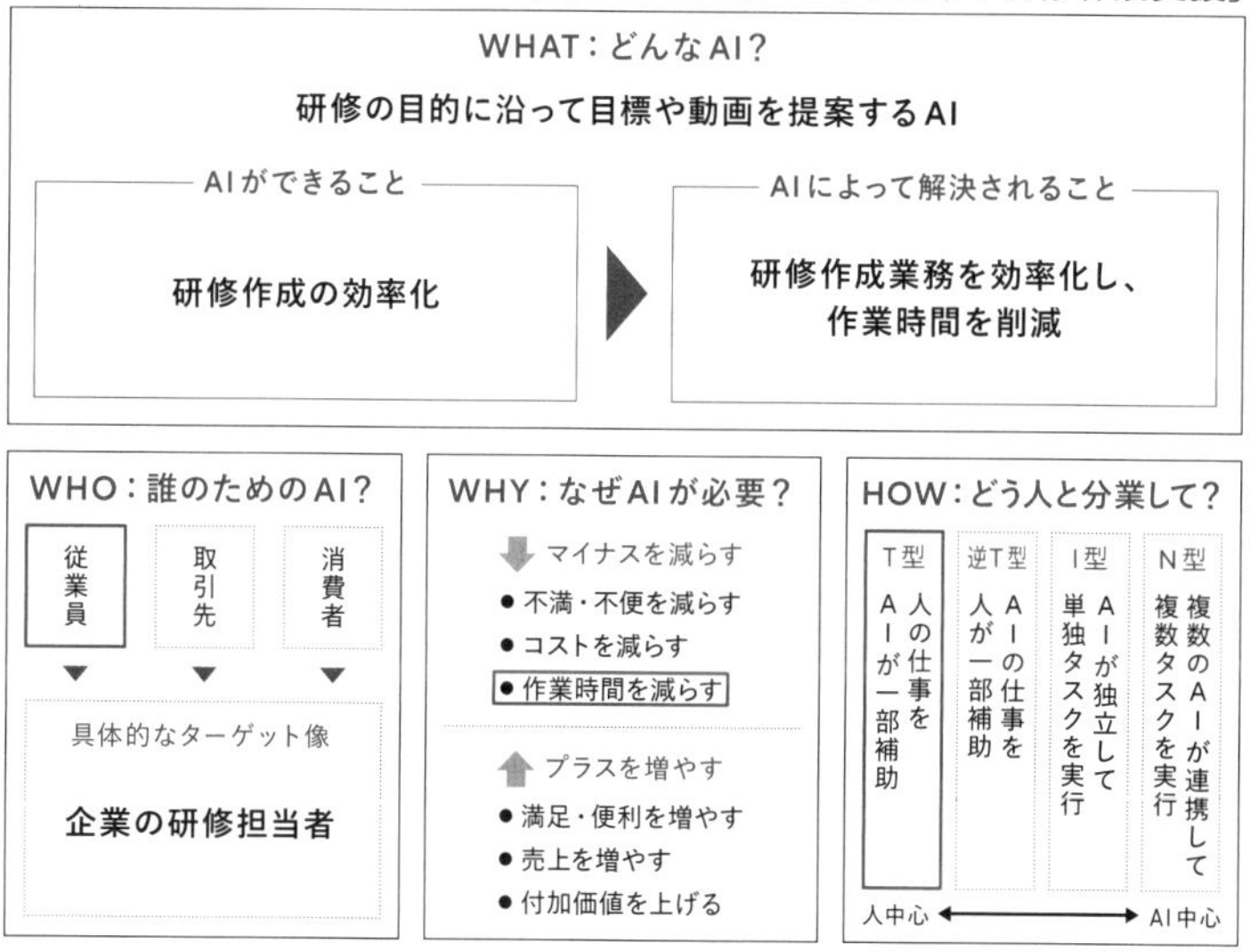

生活サービス・警備・公共

インパクト
★★★☆☆

# ＯｋＣｕｐｉｄ、ＣｈａｔＧＰＴで理想のパートナーとマッチング

Match Group
（アメリカ）

概要

- デートアプリＯｋＣｕｐｉｄがＣｈａｔＧＰＴを利用してマッチング質問を生成
- ＡＩ機能利用によりマッチングが40％増加
- ＣｈａｔＧＰＴが６つの質問を生成し、13万５０００回以上回答
- 多くの回答を得て自己分析やパートナーの要素が明らかに
- ＡＩツールを活用しより良いマッチングを提供することを目指す

ココがすごい　自分自身を理解し、マッチングに役立つ質問を生成

置き換わる職業　仲人

キーワード　デートアプリ、マッチング、自己分析

〈出所〉 https://techcrunch.com/2023/02/09/okcupid-testing-match-questions-generated-ChatGPT/

図表7-54　質問を生成し、マッチングの精度を向上させる

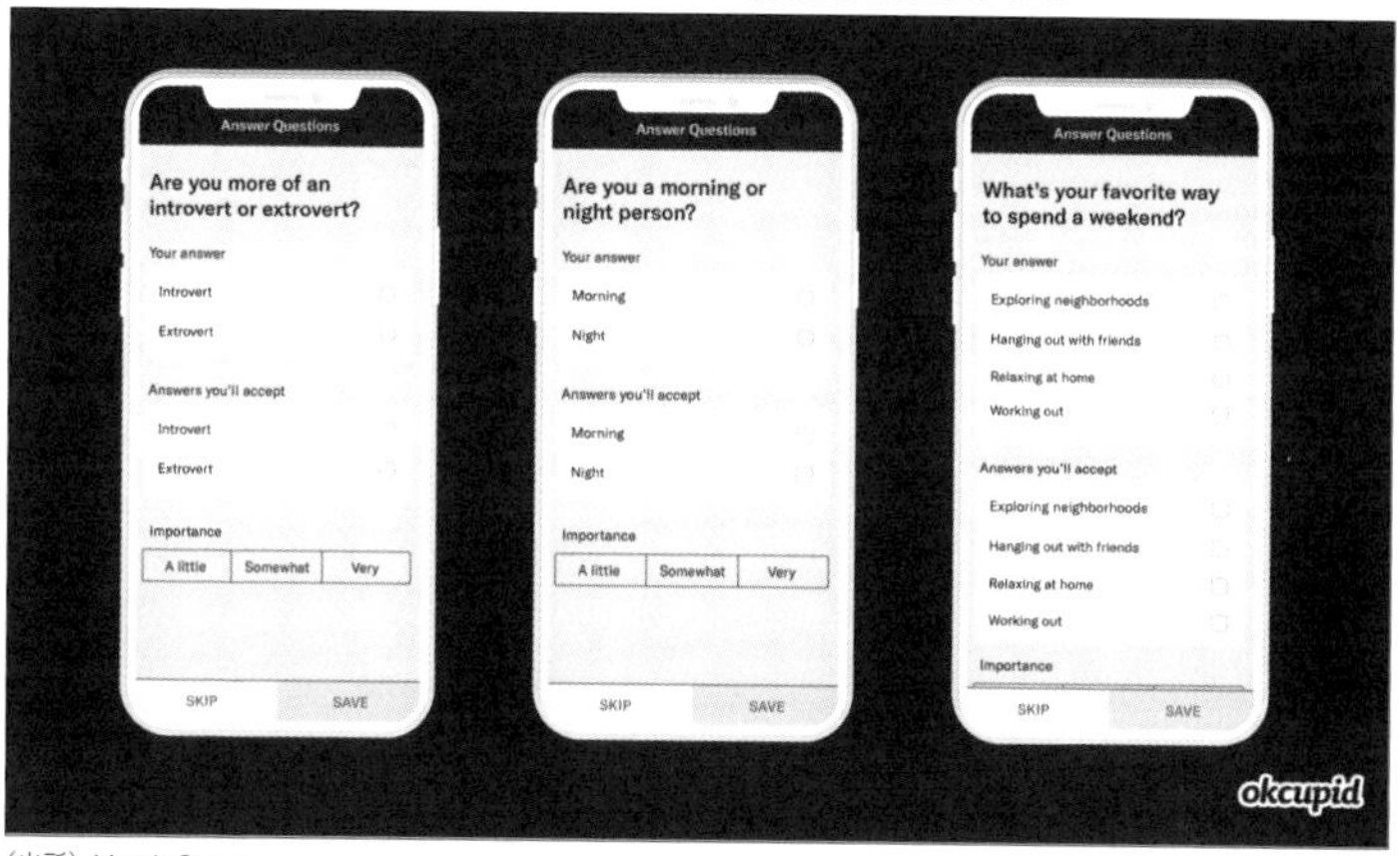


（出所）Match Group

図表7-55　OkCupid「理想のパートナーとマッチング」

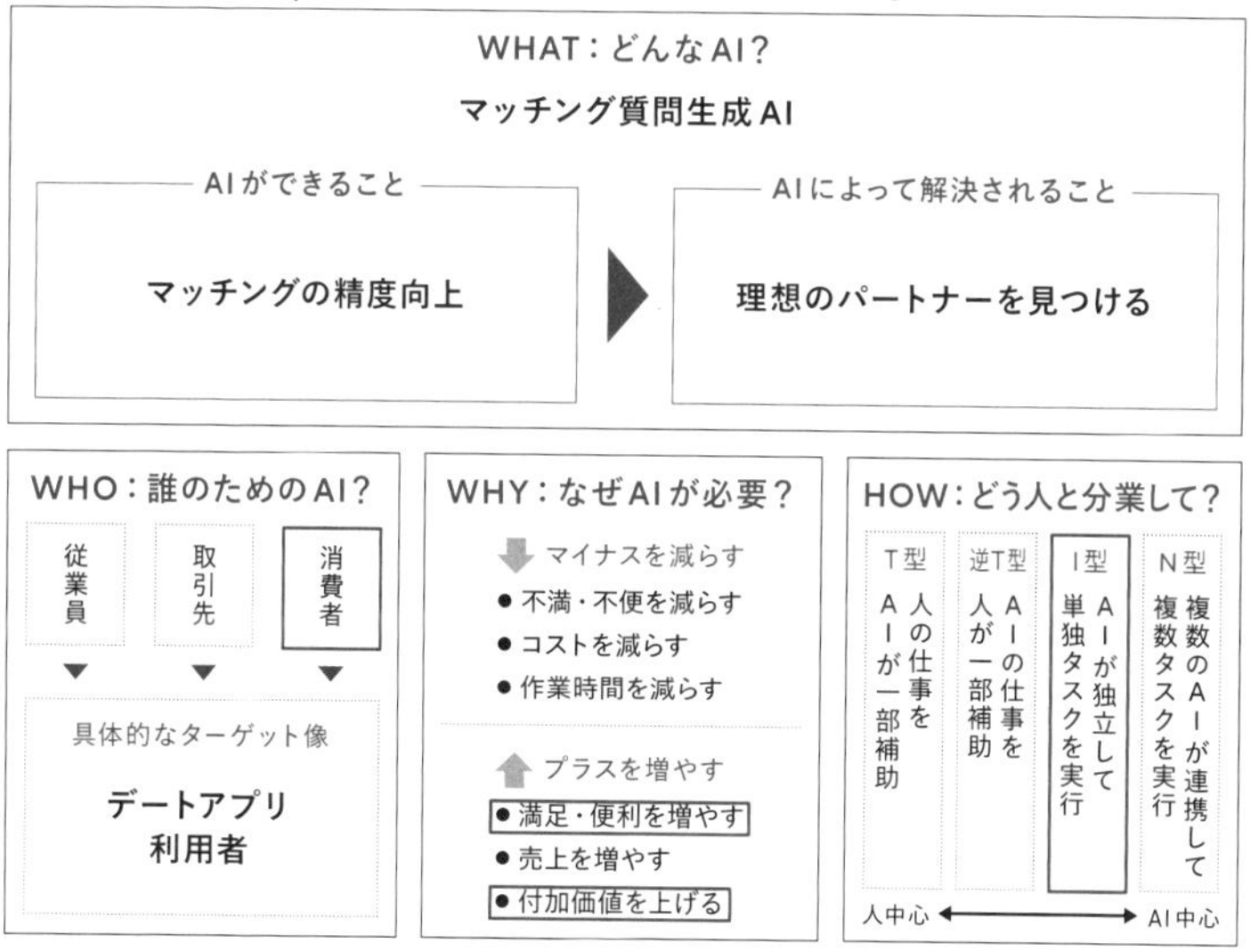

生活サービス・警備・公共

インパクト
★★★★☆

## 農林水産省、ChatGPTで数千ページのマニュアル改訂の作業負荷を大幅軽減へ

農林水産省
（日本）

**概要**

- 農林水産省が対話式AI「ChatGPT」を活用
- 補助金申請のマニュアル改訂や修正などに活用
- 業者の負担軽減とわかりやすいマニュアルを目指す
- すでに公開文書の簡略化にも活用済み

**ココがすごい** 省庁によるChatGPTの早期活用

**置き換わる職業** マニュアル改訂者

**キーワード** 省庁、マニュアル改訂、負担軽減、農林水産省

〈出所〉 https://www3.nhk.or.jp/news/html/20230418/k10014042001000.html

図表7-56　農林水産省「マニュアル改訂の作業負荷を大幅軽減」

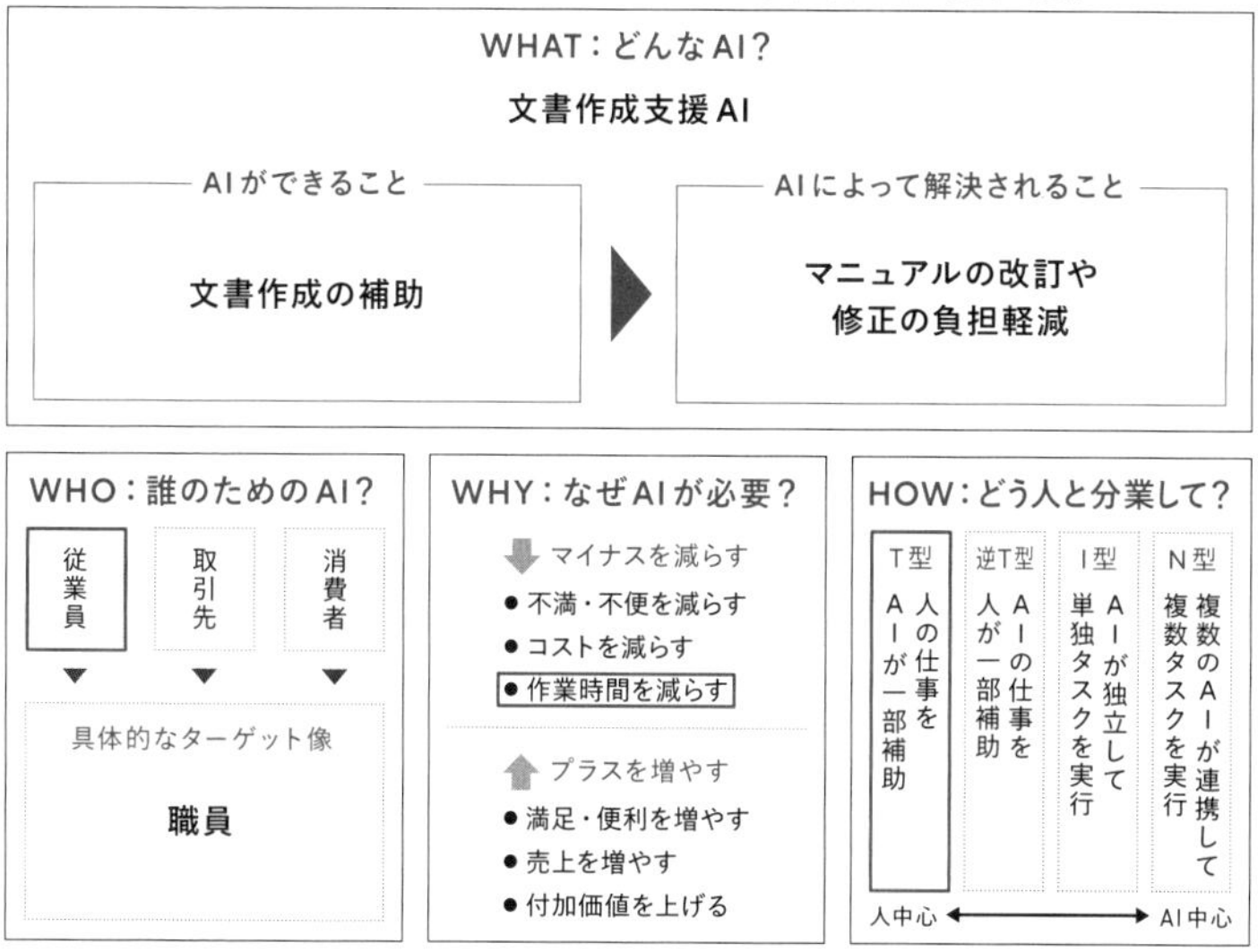

生活サービス・警備・公共

インパクト
★★★☆☆

## 横須賀市、ChatGPT活用で業務効率化。職員の声も反映したAI活用へ

横須賀市
（日本）

**概要**

●ＣｈａｔＧＰＴの活用実証を実施
●職員の半数が活用、高い効率向上意向
●高度なＡＩ技術導入の準備進める
●スキルアッププログラムの導入など、ＡＩの活用を推進
●生成ＡＩの適切な活用促進を目指す

**ココがすごい** 職員の半数がＣｈａｔＧＰＴ活用

**置き換わる職業** 市の職員

**キーワード** 自治体、スキルアップ、職員の半数

〈出所〉 https://www.city.yokosuka.kanagawa.jp/0835/nagekomi/20230605_chatgpt2.html

図表7-57　横須賀市「職員の声も反映した業務効率化」

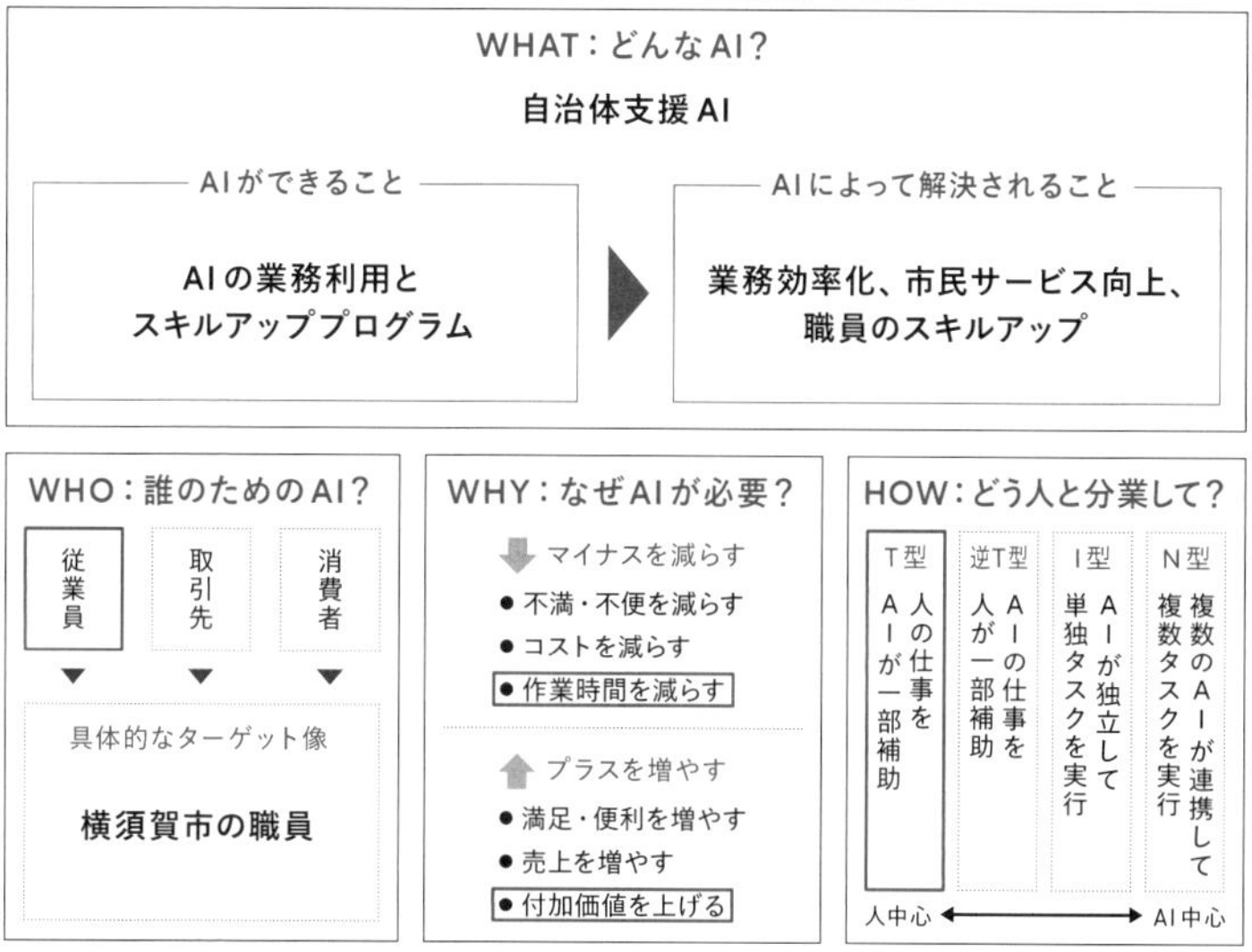

生活サービス・警備・公共

インパクト
★★☆☆☆

# 防災アプリ「全国避難所ガイド」、GPT利用のAIアドバイス機能を追加

ファーストメディア（日本）

**概要**

●気象庁の防災情報にＡＩアドバイスを表示する機能を追加
●ユーザーは災害情報を確認し、ＡＩのアドバイスを参考に適切な行動をとれる
●気象庁の防災情報に関する具体的なアドバイスを提供
●防災情報データベースＡＰＩも提供、避難所や避難場所、ハザードマップなどの情報の利用も

**ココがすごい** アプリケーションへの対話型ＡＩの組み込み

**置き換わる職業** 情報提供アドバイザー

**キーワード** 防災情報、アプリ、ＡＩアドバイス

〈出所〉https://prtimes.jp/main/html/rd/p/000000007.000023590.html

### 図表7-58　防災情報とAIによるアドバイスを提供

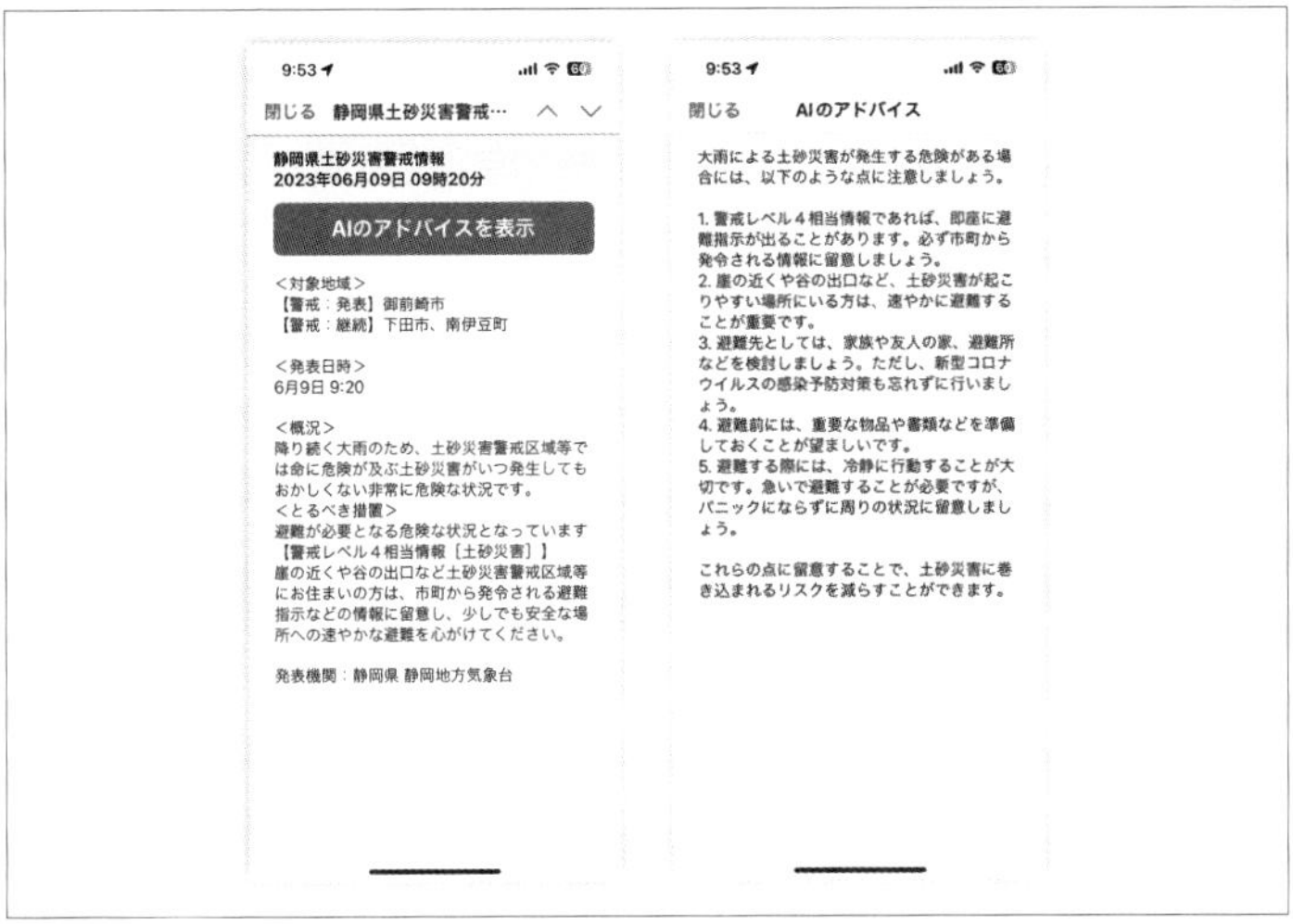


（出所）ファーストメディア

### 図表7-59　ファーストメディア「アプリ『全国避難所ガイド』にAIアドバイス機能を追加」

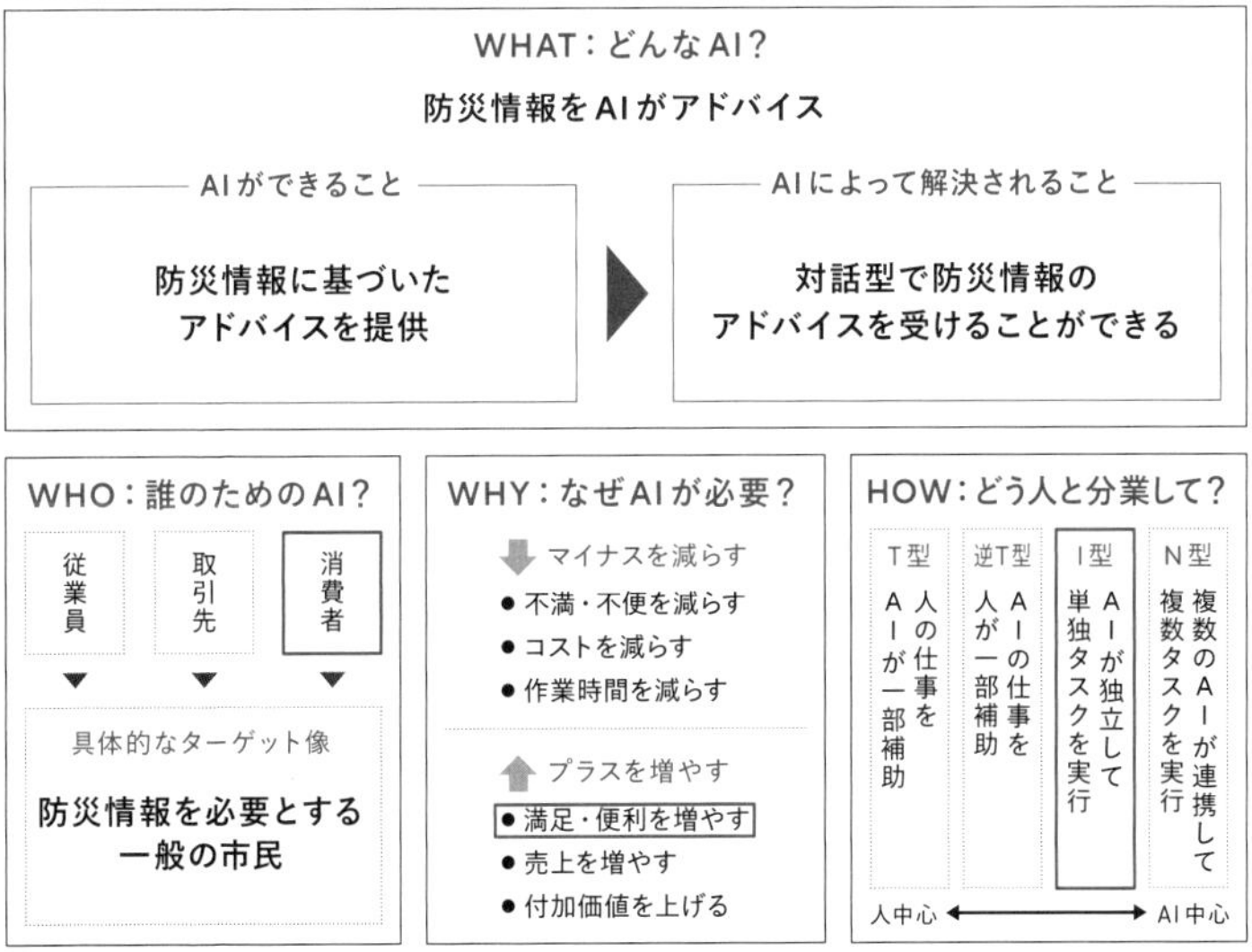

コールセンター

インパクト
★★★★☆

# 独Parloa、ローコードツールと会話型AI技術でコンタクトセンターをサポート

Parloa
（ドイツ）

概要

- 企業向けソフトウェアプロバイダーによる会話型ＡＩ技術とローコードツールを提供
- コンタクトセンター業界での自動化推進で従業員の負担を軽減
- 言語ＡＩによりよくある顧客の質問や苦情に対応
- 多言語対応や自然な言葉での問い合わせ応答
- 自動化フローを強化し複数のアプリケーションやサービス提供

ココがすごい　コンタクトセンターの高離職率問題への対策

置き換わる職業　コールセンターオペレーター

キーワード　コールセンター、自動化、多言語

〈出所〉 https://techcrunch.com/2023/03/30/parloa-raises-21m-to-add-a-little-automation-to-contact-centers/

図表7-60　言語AIで顧客サポート

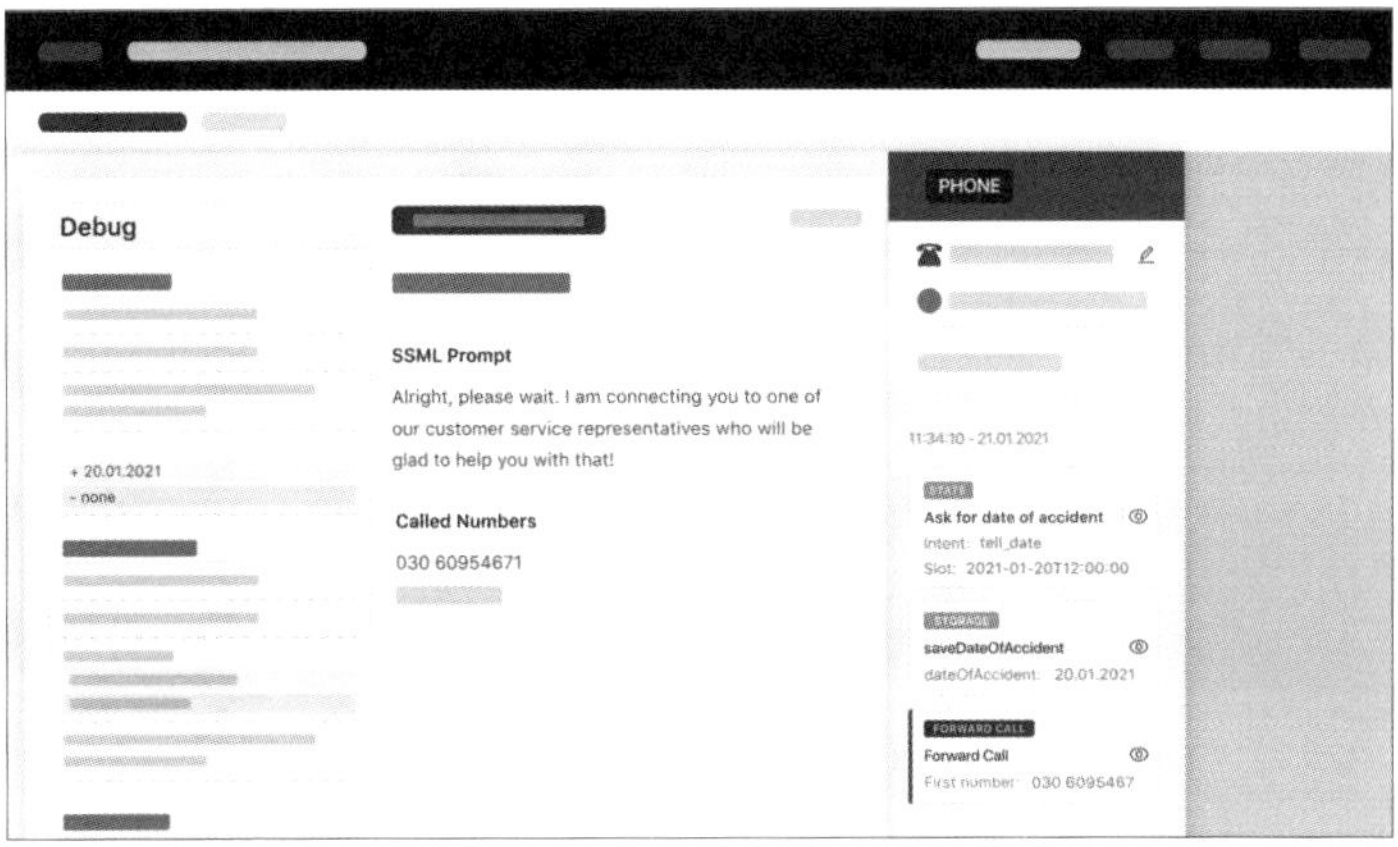


（出所）Parloa

図表7-61　Parloa「コンタクトセンターをサポート」

**WHAT：どんなAI？**

**会話型コンタクトセンター支援AI**

AIができること

**言語AIによりよくある顧客の質問や苦情に対応**

▶

AIによって解決されること

**コンタクトセンターの負担を軽減し、効率化を図る**

**WHO：誰のためのAI？**

- **従業員**（選択）
- 取引先
- 消費者

具体的なターゲット像

**コンタクトセンター従事者**

**WHY：なぜAIが必要？**

マイナスを減らす
- **不満・不便を減らす**（選択）
- コストを減らす
- **作業時間を減らす**（選択）

プラスを増やす
- 満足・便利を増やす
- 売上を増やす
- 付加価値を上げる

**HOW：どう人と分業して？**

- **T型　人の仕事をAIが一部補助**（選択）
- 逆T型　AIの仕事を人が一部補助
- I型　AIが独立して単独タスクを実行
- N型　複数のAIが連携して複数タスクを実行

人中心 ←→ AI中心

コールセンター

インパクト
★★★★☆

## ベイン・アンド・カンパニーとOpenAIが協力し、次世代コンタクトセンター構築へ

Bain & Company
（アメリカ）

**概要**

- クライアントの業務にＡＩを組み込み、改善をサポート
- 小売銀行、通信事業者、公益事業者向けの次世代コンタクトセンターを構築
- 自動化、パーソナライズ、リアルタイムのスクリプトで担当者をサポート
- 顧客体験を向上させるための自動化とパーソナライズ

**ココがすごい** 次世代コンタクトセンターを構築

**置き換わる職業** コールセンターオペレーター

**キーワード** コールセンター、広告コピー、アドバイザー

〈出所〉 https://www.bain.com/about/media-center/press-releases/2023/bain--company-announces-services-alliance-with-openai-to-help-enterprise-clients-identify-and-realize-the-full-potential-and-maximum-value-of-ai/

図表7-62　ベイン・アンド・カンパニーとOpenAI「共同で次世代コンタクトセンター構築」

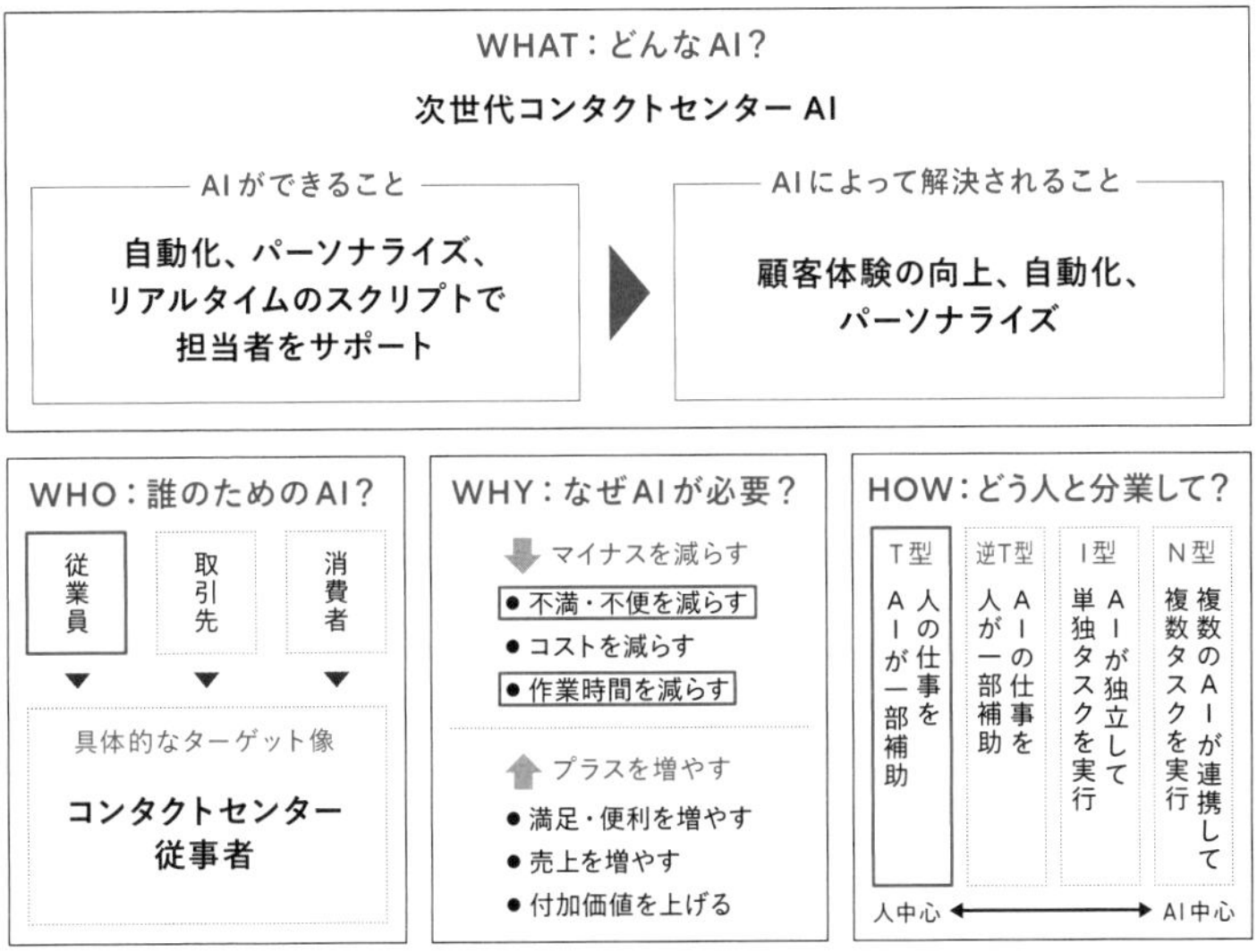

業務支援

インパクト
★★★☆☆

# 1時間の会議内容を2分のビデオクリップに要約

Read
（アメリカ）

概要

- 1時間の会議を2分のビデオクリップにまとめる
- 大規模言語AIとビデオ解析技術を組み合わせて要点を抽出
- 参加者の反応も組み込む、エンゲージメントスコアやセンチメント分析も
- ZoomやGoogle Meet、Microsoft Teamsなどとも連携

ココがすごい　会議の要点の抽出による素早い会議内容確認

置き換わる職業　議事録作成者

キーワード　ビデオ会議、要約、ビデオ解析技術

〈出所〉https://techcrunch.com/2023/03/31/reads-ai-powered-summary-feature-squeezes-a-meeting-into-a-two-minute-clip/

図表7-63　会議内容を要約する

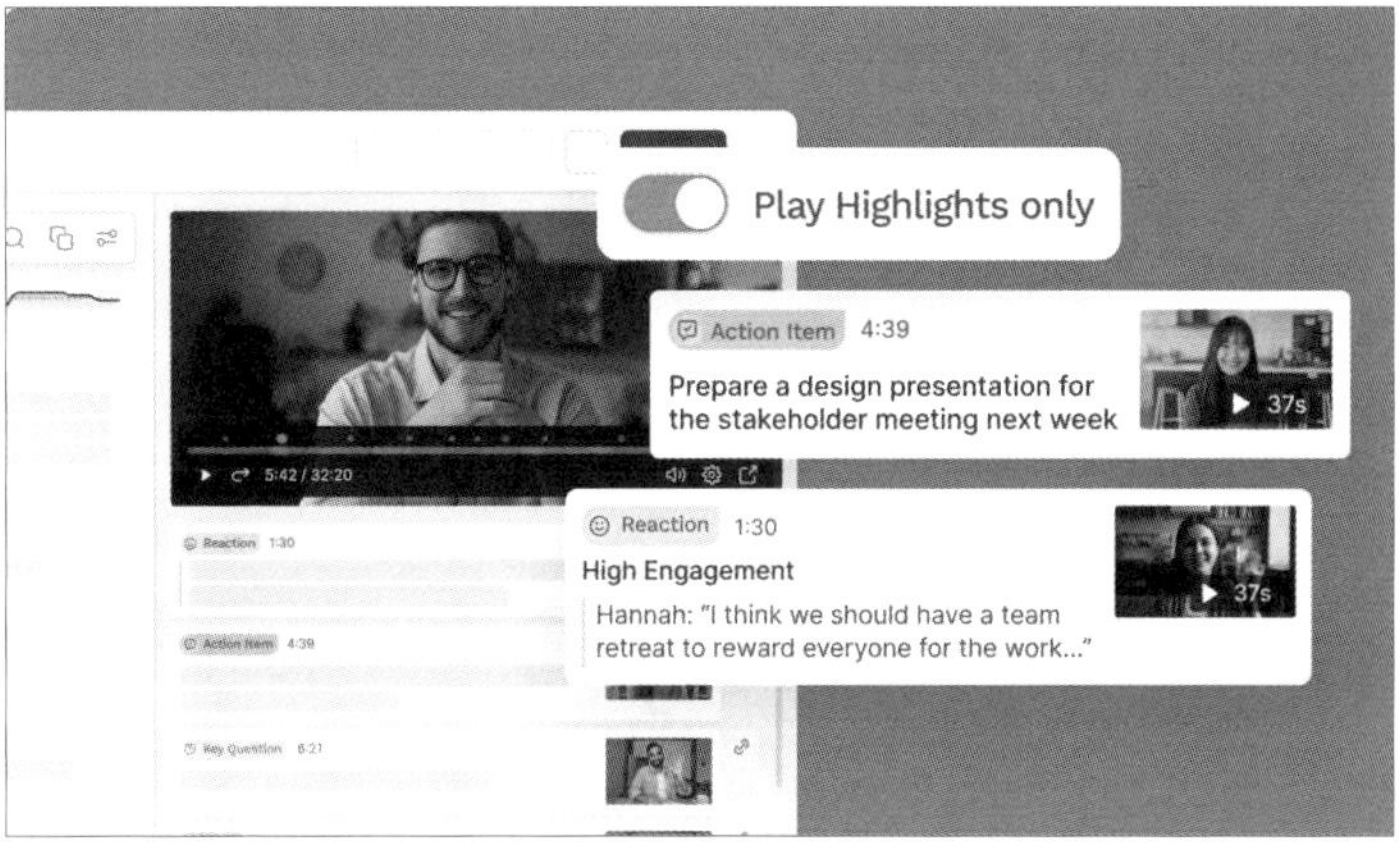


（出所）Techcrunch

図表7-64　Read「1時間の会議内容を2分のビデオクリップに要約」

WHAT：どんなAI？

**会議要点抽出＆反応ハイライトAI**

AIができること

**会議を要約し、参加者の反応をハイライト**

▶

AIによって解決されること

**会議後の作業時間の大幅な短縮。センチメント分析なども**

WHO：誰のためのAI？

- **従業員**（選択）
- 取引先
- 消費者

具体的なターゲット像

**ビジネスパーソン**

WHY：なぜAIが必要？

マイナスを減らす
- 不満・不便を減らす
- コストを減らす
- **作業時間を減らす**（選択）

プラスを増やす
- 満足・便利を増やす
- 売上を増やす
- **付加価値を上げる**（選択）

HOW：どう人と分業して？

- **T型**：人の仕事をAIが一部補助（選択）
- 逆T型：AIの仕事を人が一部補助
- I型：AIが独立して単独タスクを実行
- N型：複数のAIが連携して複数タスクを実行

人中心 ←→ AI中心

業務支援

インパクト
★★★☆☆

# 公認会計士が開発した「ジュリエット」、対話型財務ＡＩで効率的な財務分析

ジュリオ
（日本）

概要

●財務ＡＩアシスタント「ジュリエット」の先行登録を開始
●ＣｈａｔＧＰＴ技術を活用し、対話型で財務データに質問・指示が可能
●たとえば、「売上高の推移を教えて」と質問すれば、表や数値で回答
●経営者やＣＦＯはデータとＡＩに基づく経営を実現し、財務基盤を強化できる
●情報漏洩を防ぐセキュリティ対策も

ココがすごい　「売上高の推移を教えて」と質問すれば、表や数値でＡＩが回答

置き換わる職業　公認会計士・財務担当

キーワード　財務データ、対話型、分析

〈出所〉 https://prtimes.jp/main/html/rd/p/000000004.000079638.html

図表7-65　**財務的な改善策を尋ねてみた**

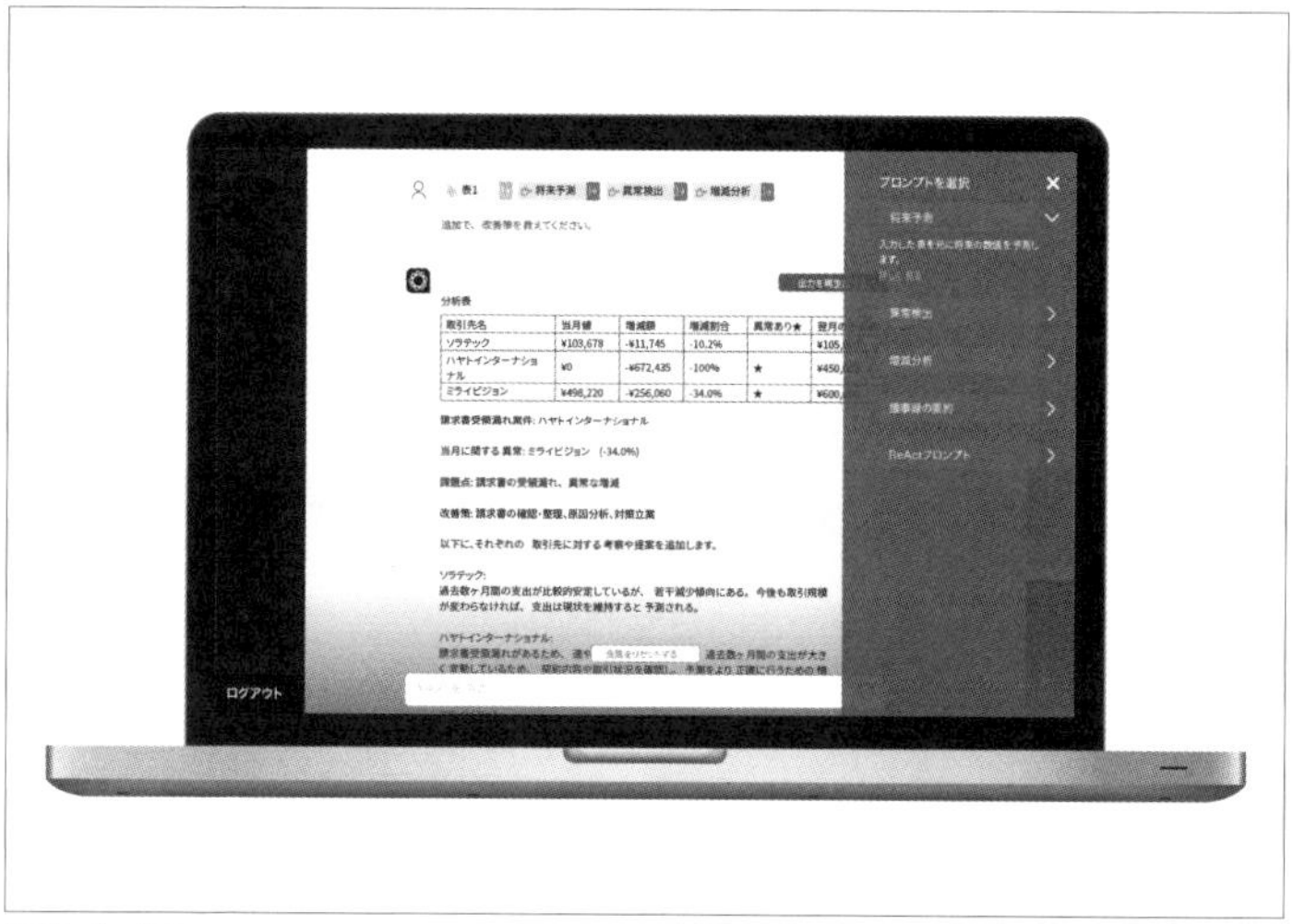


（出所）ジュリオ

図表7-66　**ジュリオ「対話型財務AIで効率的な分析」**

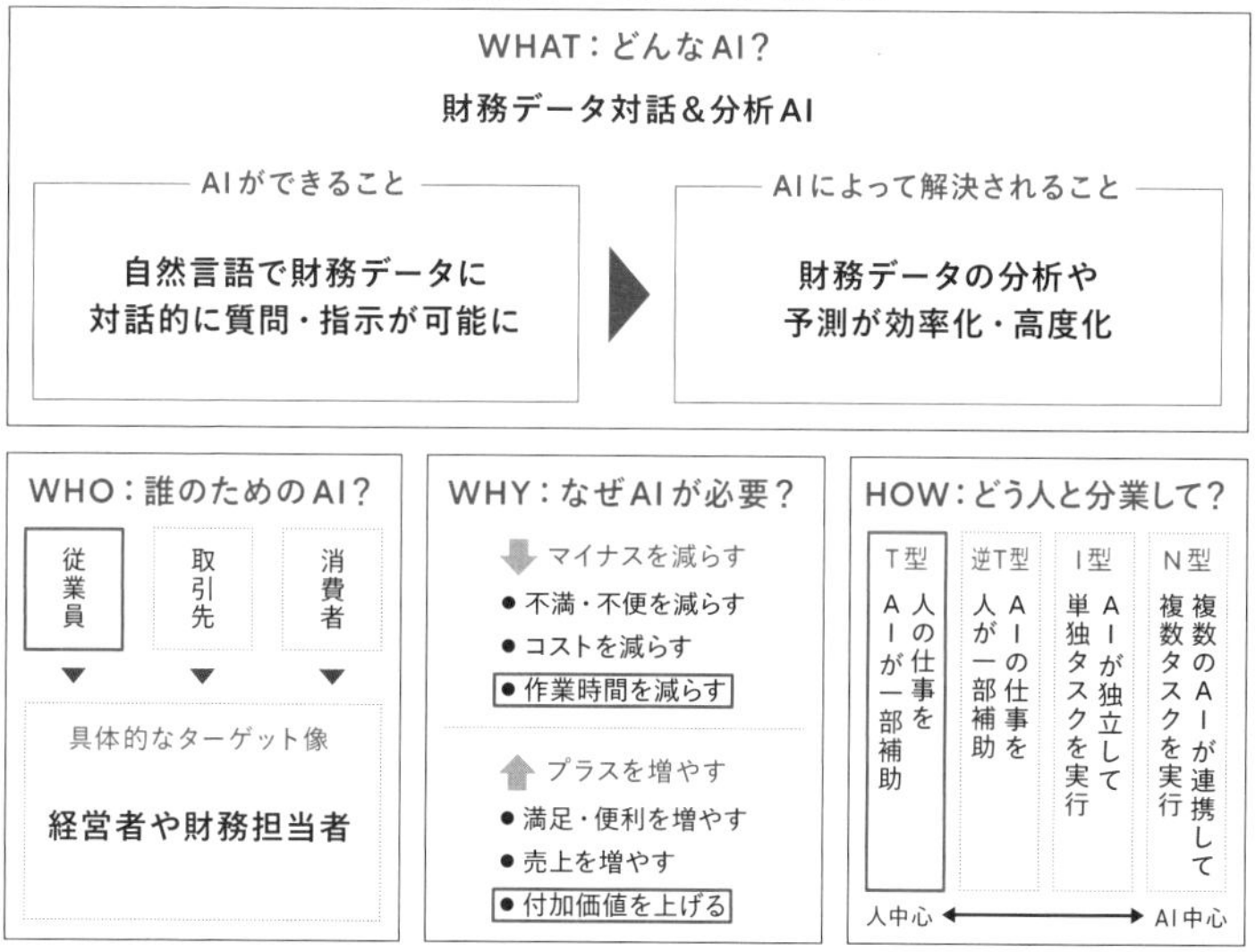

業務支援

インパクト
★★★★☆

# Gatebox、ChatGPTと連携したAIキャラクターで接客支援

Gatebox
（日本）

概要

●法人向けに接客用ＡＩキャラクターを派遣するサービス「ＡＩバイト」を提供開始
●ＣｈａｔＧＰＴと連携した接客用ＡＩキャラクターの派遣サービス
●店舗や展示会場で接客業務担当
●商品説明や接客業務を担当し、お客様に未来のおもてなし体験を提供

ココがすごい　接客・商品説明をＡＩバイトのキャラクターが担う

置き換わる職業　接客員

キーワード　ＡＩキャラクター、接客、バイト

〈出所〉https://prtimes.jp/main/html/rd/p/000000076.000026497.html

図表7-67　接客用AIキャラクターを派遣

（出所）Gatebox

図表7-68　Gatebox「AIキャラクターで接客支援」

WHAT：どんなAI？

接客用AIキャラクター

AIができること

魅力的な商品紹介と
未来のおもてなし

▶

AIによって解決されること

接客業務を効率化し、
顧客満足度を向上

WHO：誰のためのAI？

従業員　取引先　**消費者**

具体的なターゲット像

接客を求める人

WHY：なぜAIが必要？

マイナスを減らす
- 不満・不便を減らす
- コストを減らす
- 作業時間を減らす

プラスを増やす
- **満足・便利を増やす**
- 売上を増やす
- **付加価値を上げる**

HOW：どう人と分業して？

- T型　人の仕事をAIが一部補助
- 逆T型　AIの仕事を人が一部補助
- **I型　AIが独立して単独タスクを実行**
- N型　複数のAIが連携して複数タスクを実行

人中心 ⟷ AI中心

流通・小売

インパクト
★★★★☆

## 仏カルフール、ChatGPTのアバターで質問に回答。新たな接客体験

カルフール
（フランス）

**概要**

- フランスのスーパーマーケットチェーン大手がＣｈａｔＧＰＴ搭載アバターを実験
- ユーザーの質問にＡＩアバターが回答
- カルフールの顧客関係の向上に役立つ技術に

**ココがすごい** ＡＩアバターがリアルタイムで質問に回答

**置き換わる職業** スーパーマーケットの従業員

**キーワード** スーパーマーケット、ＡＩアバター、実験

〈出所〉 https://www.jeuxvideo.com/news/1714094/simplifier-la-vie-du-consommateur-avec-chatgpt-carrefour-a-eu-une-idee-suprenante.htm

図表7-69　AIアバターが対応

（出所）カルフール

図表7-70　カルフール「アバターで質問に回答」

**WHAT：どんなAI？**

人工知能チャットボット

**AIができること**

顧客の質問や
リクエストに回答

▶

**AIによって解決されること**

従業員不要で、顧客に即座に
応えることが可能に

**WHO：誰のためのAI？**

従業員　取引先　**消費者**

具体的なターゲット像

スーパーの顧客

**WHY：なぜAIが必要？**

マイナスを減らす
- 不満・不便を減らす
- コストを減らす
- 作業時間を減らす

プラスを増やす
- **満足・便利を増やす**
- **売上を増やす**
- 付加価値を上げる

**HOW：どう人と分業して？**

| T型 | 逆T型 | **I型** | N型 |
|---|---|---|---|
| AIが人の仕事を一部補助 | 人がAIの仕事を一部補助 | **AIが独立して単独タスクを実行** | 複数のAIが連携して複数タスクを実行 |

人中心 ←→ AI中心

車・交通

インパクト
★★★★★

# メルセデス・ベンツ、ＣｈａｔＧＰＴを90万台に搭載。ＡＩとの対話でドライブが進化

メルセデス・ベンツ
（ドイツ）

**概要**

●メルセデス・ベンツがＣｈａｔＧＰＴを車両に組み込むことを発表
●90万台以上の車両に導入予定
●幅広い内容の対話と直感的な音声コントロールが可能に
●導入はマイクロソフトのクラウドを介して行なわれる
●収集した音声コマンドのデータは匿名化して分析され、システムの改善に活用

**ココがすごい** ＧＰＴによる直感的な音声コントロールの実現

**置き換わる職業** ドライバーアシスタント

**キーワード** カーナビ、音声コントロール、匿名化

〈出所〉https://prebell.so-net.ne.jp/news/pre_23063003.html

図表7-71　メルセデス・ベンツ「AIとの対話でドライブが進化」

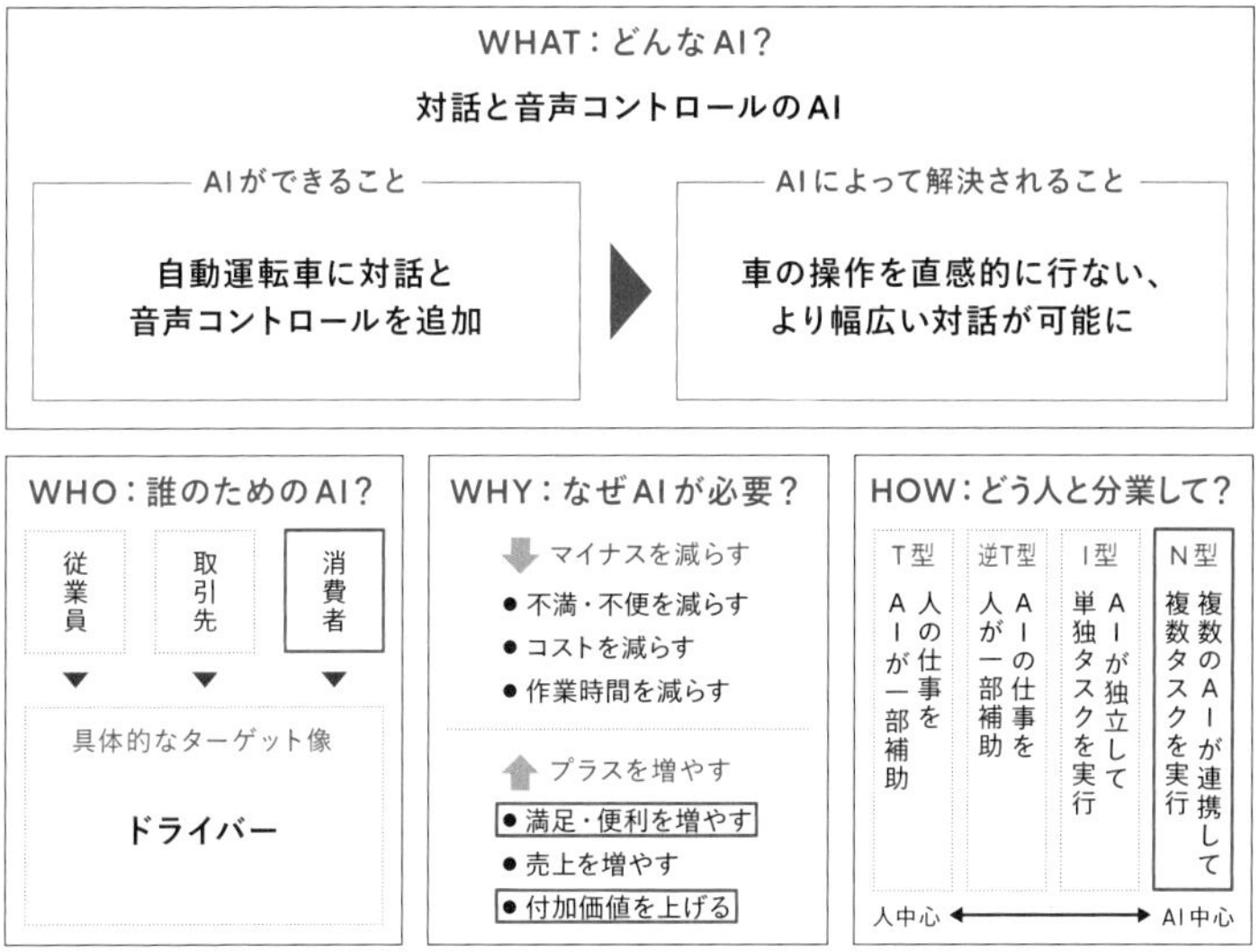

車・交通

インパクト
★★★★☆

## Booking.com、GPT搭載の旅行計画ツールで直接予約も

Booking.com B.V.
（オランダ）

概要

- トラベル支援サイトのBooking.comが「AI Trip Planner」をリリース
- チャットGPTとAPI接続
- 会話形式で旅行関連の質問に加え、利用者のニーズに合わせた旅行の提案も
- 旅程作成や具体的な質問も可能
- 宿泊施設の予約も会話形式で実施ができる

ココがすごい　旅行をAIがトータルサポート

置き換わる職業　旅行代理店スタッフ

キーワード　トラベル、旅程、予約、エージェント

〈出所〉https://www.travelvoice.jp/20230629-153771

## 図表7-72 旅程の提案から宿泊施設の予約まで

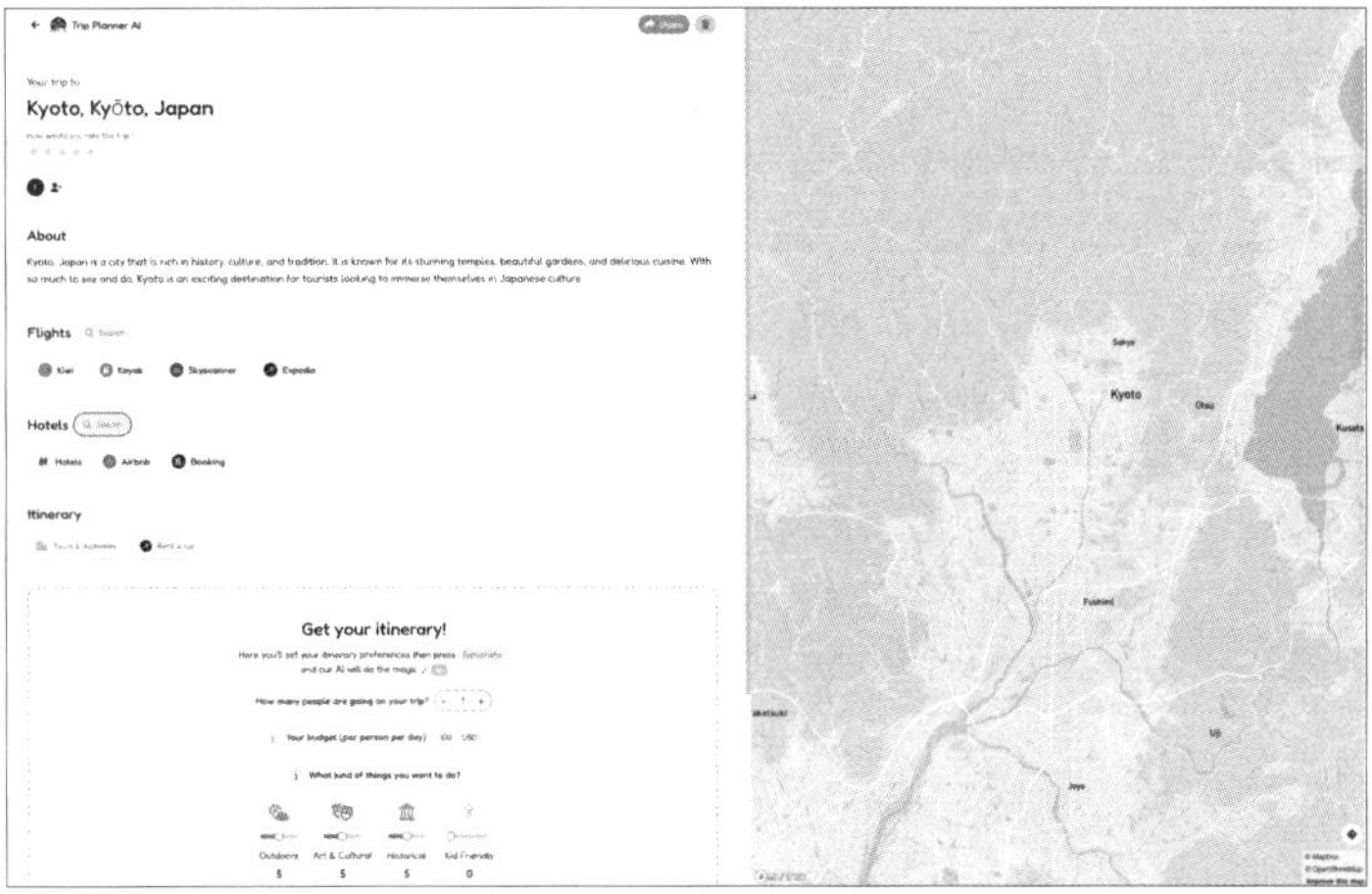


（出所）Booking.com

## 図表7-73 Booking.com「対話形式の旅行計画ツールで予約まで対応」

**WHAT：どんなAI？**

**旅行の相談相手AI**

AIができること

**旅行のプラン作成や予約がAIで簡単にできる**

▶

AIによって解決されること

**会話形式で旅行の計画や予約、相談までがトータルで実行できる**

**WHO：誰のためのAI？**

従業員　取引先　［消費者］

▼

具体的なターゲット像

**旅行好きな人**

**WHY：なぜAIが必要？**

マイナスを減らす
- 不満・不便を減らす
- コストを減らす
- 作業時間を減らす

プラスを増やす
- ［満足・便利を増やす］
- ［売上を増やす］
- 付加価値を上げる

**HOW：どう人と分業して？**

| T型 | 逆T型 | ［I型］ | N型 |
|---|---|---|---|
| 人の仕事をAIが一部補助 | AIの仕事を人が一部補助 | AIが独立して単独タスクを実行 | 複数のAIが連携して複数タスクを実行 |

人中心 ←→ AI中心

車・交通

インパクト

★★★★☆

# トヨタの研究所ＴＲＩが画像生成ＡＩを活用。カーデザインの未来を切り拓く

Toyota Research Institute
（アメリカ）

**概要**

- アメリカのトヨタ自動車の研究所が画像生成ＡＩをカーデザインに活用
- 画像生成ＡＩにエンジニアリング要件を織り込むことで、デザインの具体化に役立てる
- 要件を「暗黙的」に織り込めるように
- 空力の最適化などのデザインに応用
- 画像生成ＡＩをデザイナーの創造性を拡大するツールとして活用

**ココがすごい** 画像生成ＡＩに要件を「暗黙的」に織り込めるようにした

**置き換わる職業** カーデザイナー

**キーワード** カーデザイン、画像生成ＡＩ、研究所

〈出所〉 https://response.jp/article/2023/06/23/372424.html

図表7-74　**空力の最適化を図るデザイン案の例**

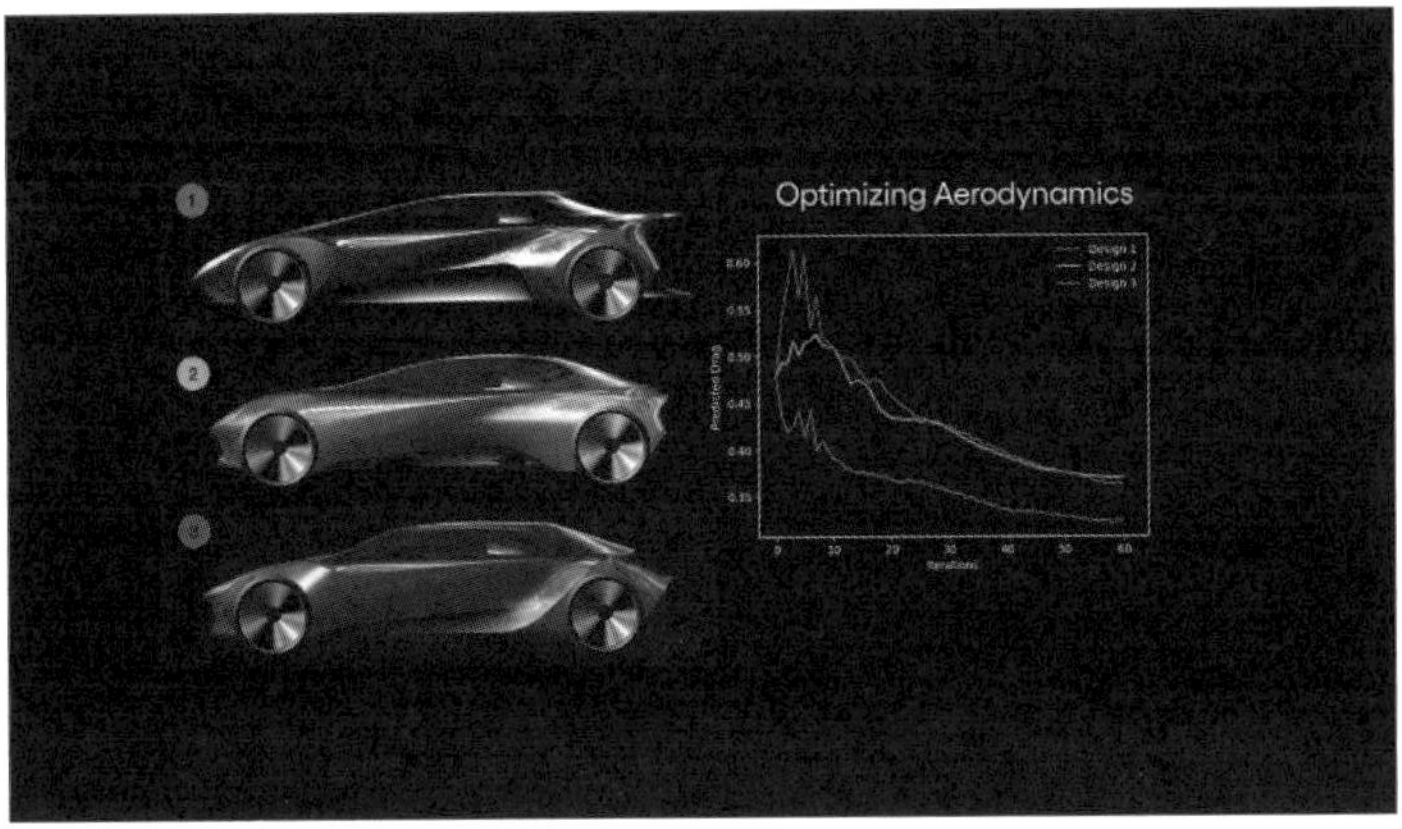


（出所）Toyota Research Institute

図表7-75　**Toyota Research Institute「カーデザインの生成」**

**WHAT：どんなAI？**

**カーデザイン最適化AI**

AIができること

**エンジニアリングの要件に基づいて最適なデザインを生成**

▶

AIによって解決されること

**自動車デザインの最適化や効率化を実現**

**WHO：誰のためのAI？**

- **従業員**
- 取引先
- 消費者

▼

具体的なターゲット像

**自動車デザイナー**

**WHY：なぜAIが必要？**

マイナスを減らす
- 不満・不便を減らす
- コストを減らす
- 作業時間を減らす

プラスを増やす
- 満足・便利を増やす
- 売上を増やす
- **付加価値を上げる**

**HOW：どう人と分業して？**

- T型：人の仕事をAIが一部補助
- **逆T型：AIの仕事を人が一部補助**
- I型：AIが独立して単独タスクを実行
- N型：複数のAIが連携して複数タスクを実行

人中心 ⟷ AI中心

製造・メーカー

インパクト

★★★☆☆

## パナソニック、全社員にAIアシスタント導入。生産性向上に貢献

パナソニックホールディングス
（日本）

概要

- パナソニックが全社員にＧＰＴを搭載したＡＩアシスタント「ＰＸ-ＧＰＴ」を導入
- セキュリティや情報取り扱いに配慮し、社内イントラネットからアクセス可能
- 生産性向上や業務プロセスの進化、新たなビジネスアイデア創出に挑戦
- 技術職だけでなくさまざまな部門にも利用を促進

ココがすごい　有名企業による大規模な従業員数によるＡＩアシスタント利用実験

置き換わる職業　業務アシスタント

キーワード　全社員導入、生産性向上、ＡＩアシスタント

〈出所〉https://www.watch.impress.co.jp/docs/news/1493693.html

### 図表7-76　組織の生産性向上のための従業員向けAI

<PX-GPT トップ画面>

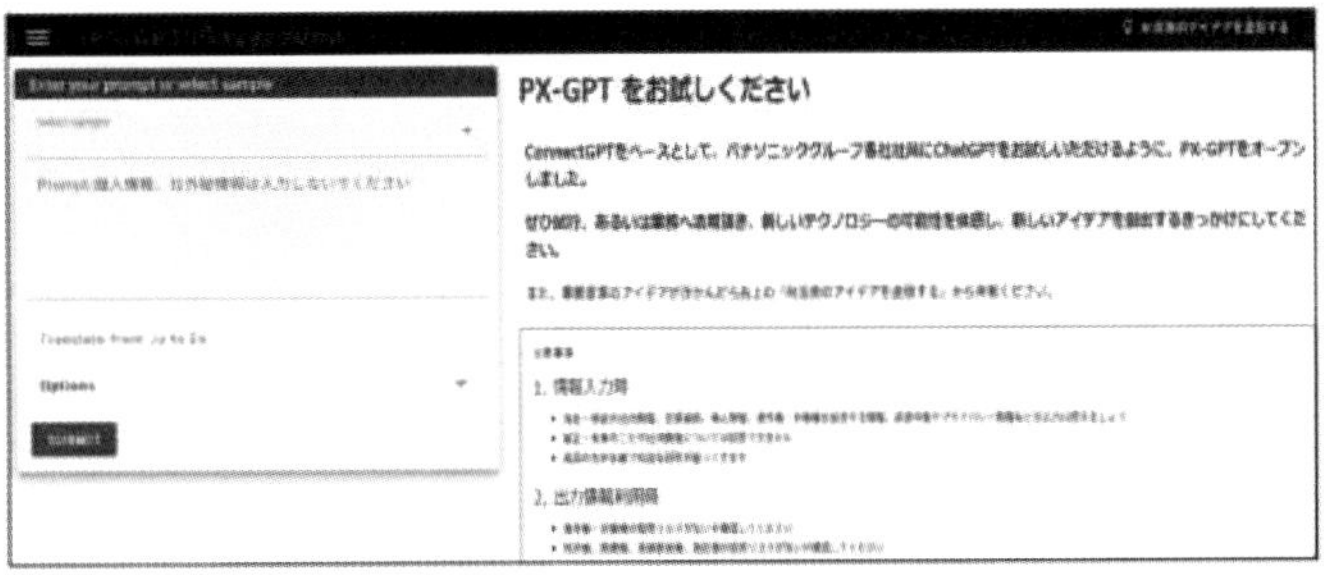


（出所）パナソニック ホールディングス

### 図表7-77　パナソニック「全社員にAIアシスタント導入」

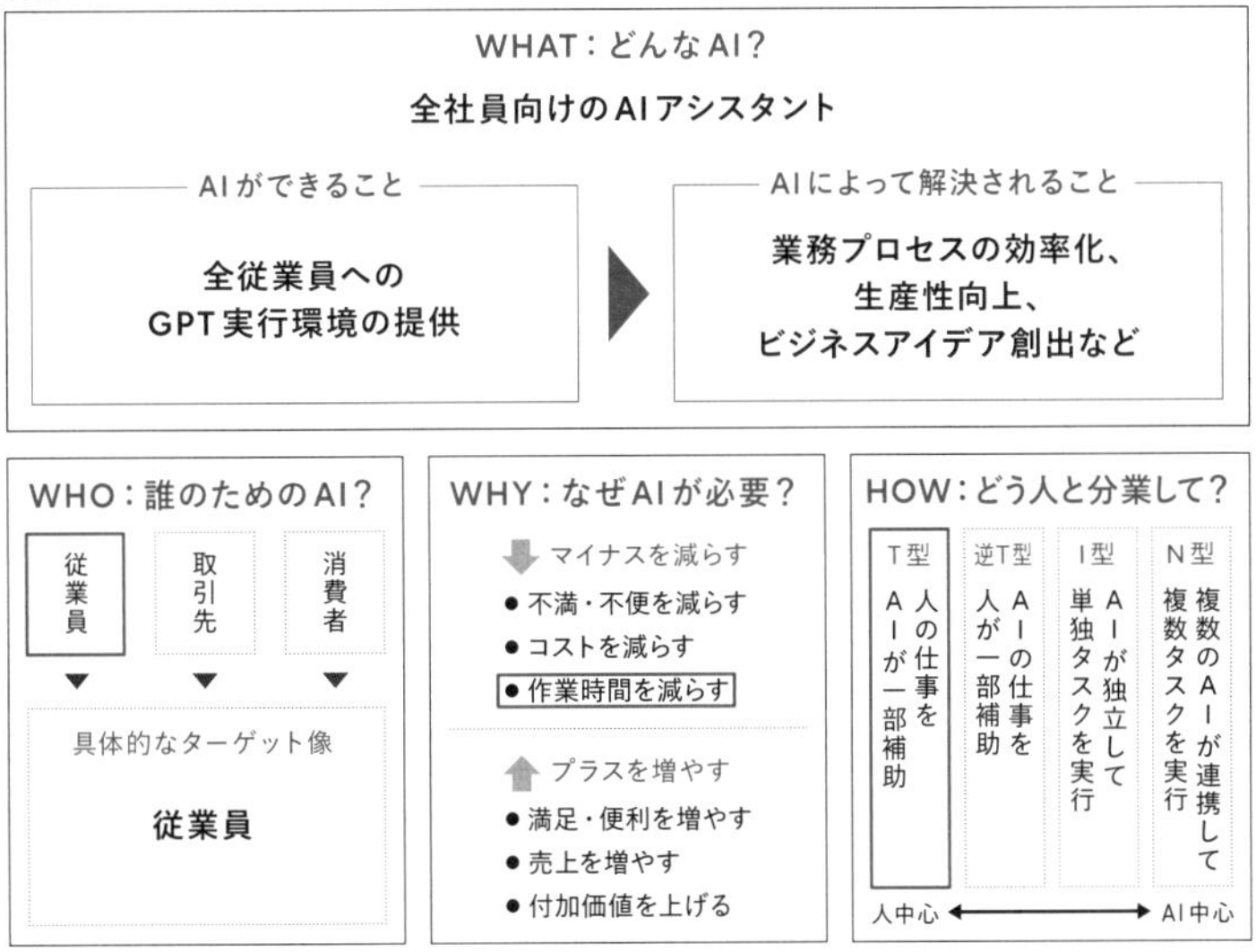

不動産・建設・建築

インパクト
★★★★☆

## オープンハウスグループ、ＧＰＴ利用しオンラインコンシェルジュなどの開発を目指す

オープンハウスグループ（日本）

概要

- オープンハウスグループが生成ＡＩの実証実験開始
- Ｍｉｃｒｏｓｏｆｔ Ａｚｕｒｅの生成ＡＩを使用し、業務課題の改善策を検証
- 物件提案サービス、設計図や物件パース、重要事項説明書、契約書などの作成アシスト
- 入居後の顧客からの問い合わせを自動回答するオンラインコンシェルジュなどを検討
- ＤＸを推進するための共同実証実験を進める
- 業務改善策や顧客サービス向上案を検証

ココがすごい　不動産関連業務のトータルＡＩ活用への挑戦

置き換わる職業　不動産スタッフ

キーワード　不動産、物件提案、コンシェルジュ

〈出所〉https://prtimes.jp/main/html/rd/p/000000380.000024241.html

図表7-78　オープンハウスグループ「オンラインコンシェルジュなどの開発」

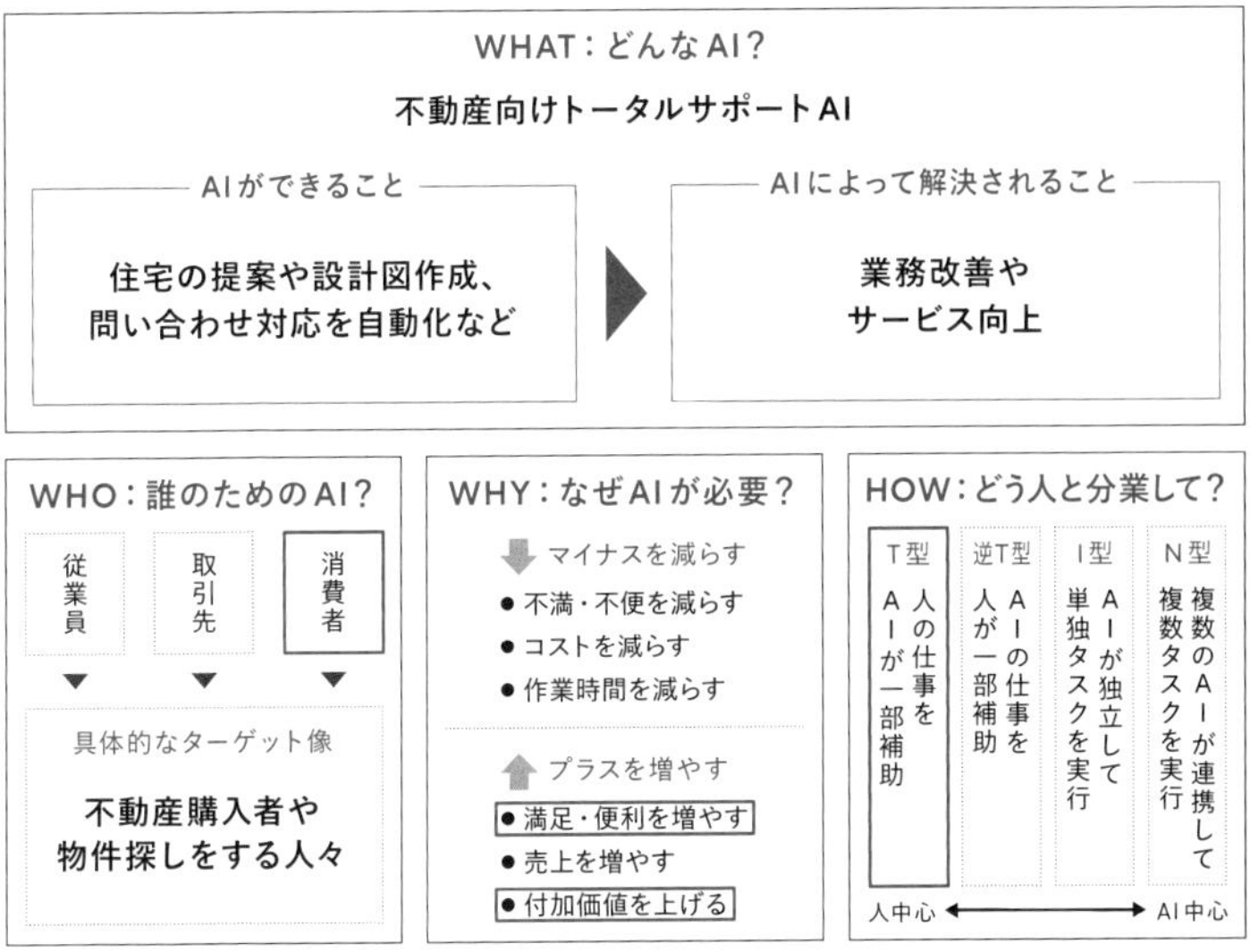

不動産・建設・建築

インパクト
★★★★☆

# 建設現場の安全意識向上を。ChatGPTで事故を防止

スパイダープラス（日本）

概要

●建設ＤＸサービス「ＳＰＩＤＥＲＰＬＵＳ」にＡＩ支援機能を追加
●ＡＩ活用により安全意識の低下を防ぎ、事故防止に貢献
●ＣｈａｔＧＰＴを活用し現場監督は安全対策の提案を得る
●作業者は提案を参考に安全対策を実行
●経験や知見に依存せず安定した品質で安全対策を行なう

ココがすごい　日々の安全対策を形骸化させず、事故を防止

置き換わる職業　建設現場監督

キーワード　建設ＤＸ、安全対策、事故防止

〈出所〉https://prtimes.jp/main/html/rd/p/000000110.000030510.html

図表7-79　作業予定等を入力するとAIが安全指示を提案

（出所）スパイダープラス

図表7-80　スパイダープラス「建設現場の安全意識向上」

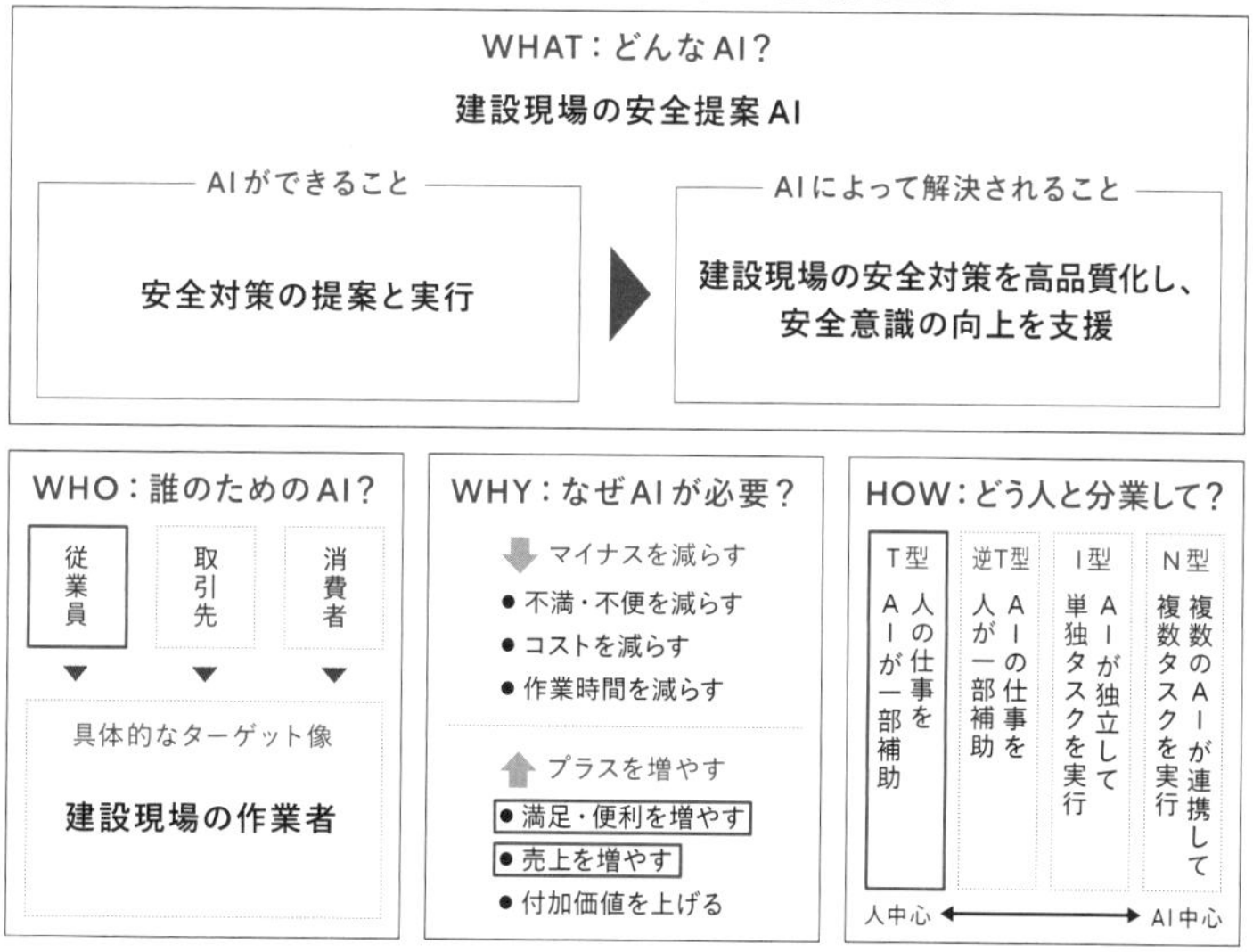

外食・食品・農業

インパクト
★★★☆☆

# コカ・コーラ、生成AIによるクリエイティブキャンペーン

The Coca-Cola Company
（アメリカ）

**概要**

- コカ・コーラが生成ＡＩを利用した参加型キャンペーンを実施
- ＧＰＴと創るＡＩのＤＡＬＬ・Ｅ２を組み合わせ、テキストで画像生成するプラットフォームを用意
- コカ・コーラのブランド要素を用いたアート作品をＡＩで創造できる仕組み
- 30人のクリエイターが参加するワークショップも開催

**ココがすごい** 生成ＡＩを使った世界でも珍しい参加型キャンペーン

**置き換わる職業** クリエイター

**キーワード** クリエイター、ワークショップ、キャンペーン、ＤＡＬＬ・Ｅ２

〈出所〉https://www.coca-colacompany.com/news/coca-cola-invites-digital-artists-to-create-real-magic-using-new-ai-platform

図表7-81　**コカ・コーラのブランド要素を使ったクリエイティブコンテンツ**

（出所）The Coca-Cola Company

図表7-82　**コカ・コーラ「参加型キャンペーン実施」**

WHAT：どんなAI？

**クリエイティブなコンテンツ共同制作AI**

AIができること

**クリエイティブなコンテンツをAIで共同制作**

▶

AIによって解決されること

**ブランド要素をAIで創造し、クリエイターと共創**

WHO：誰のためのAI？

従業員　**取引先**　消費者

▼　▼　▼

具体的なターゲット像

**クリエイター、マーケター**

WHY：なぜAIが必要？

マイナスを減らす
- 不満・不便を減らす
- コストを減らす
- 作業時間を減らす

プラスを増やす
- **満足・便利を増やす**
- 売上を増やす
- **付加価値を上げる**

HOW：どう人と分業して？

T型：人の仕事をAIが一部補助

**逆T型：AIの仕事を人が一部補助**

I型：AIが独立して単独タスクを実行

N型：複数のAIが連携して複数タスクを実行

人中心 ←→ AI中心

インフラ・プラットフォーム

インパクト
★★★☆☆

# Slack、GPTを利用可能に。コミュニケーションがよりスムーズに

Salesforce
（アメリカ）

**概要**

●ＳｌａｃｋユーザーはＣｈａｔＧＰＴアプリをＳｌａｃｋアプリ内で使用可能に
●Ｓｌａｃｋ内のスレッドの要約や、返信文のドラフト作成にＧＰＴを利用できる
●最近のニュースや会社に関連する情報もＡＩが自動でリストアップ
●ＡＩカスタマーサポートチャットボットをＳｌａｃｋ内で利用することもできる

**ココがすごい**　ＳｌａｃｋとＧＰＴのシームレスな連携

**置き換わる職業**　業務アシスタント

**キーワード**　Ｓｌａｃｋ、要約、返信文ドラフト

〈出所〉https://gizmodo.com/slack-salesforce-ChatGPT-open-ai-chatbot-1850194410

### 図表7-83　要約や返信文ドラフトを作成する

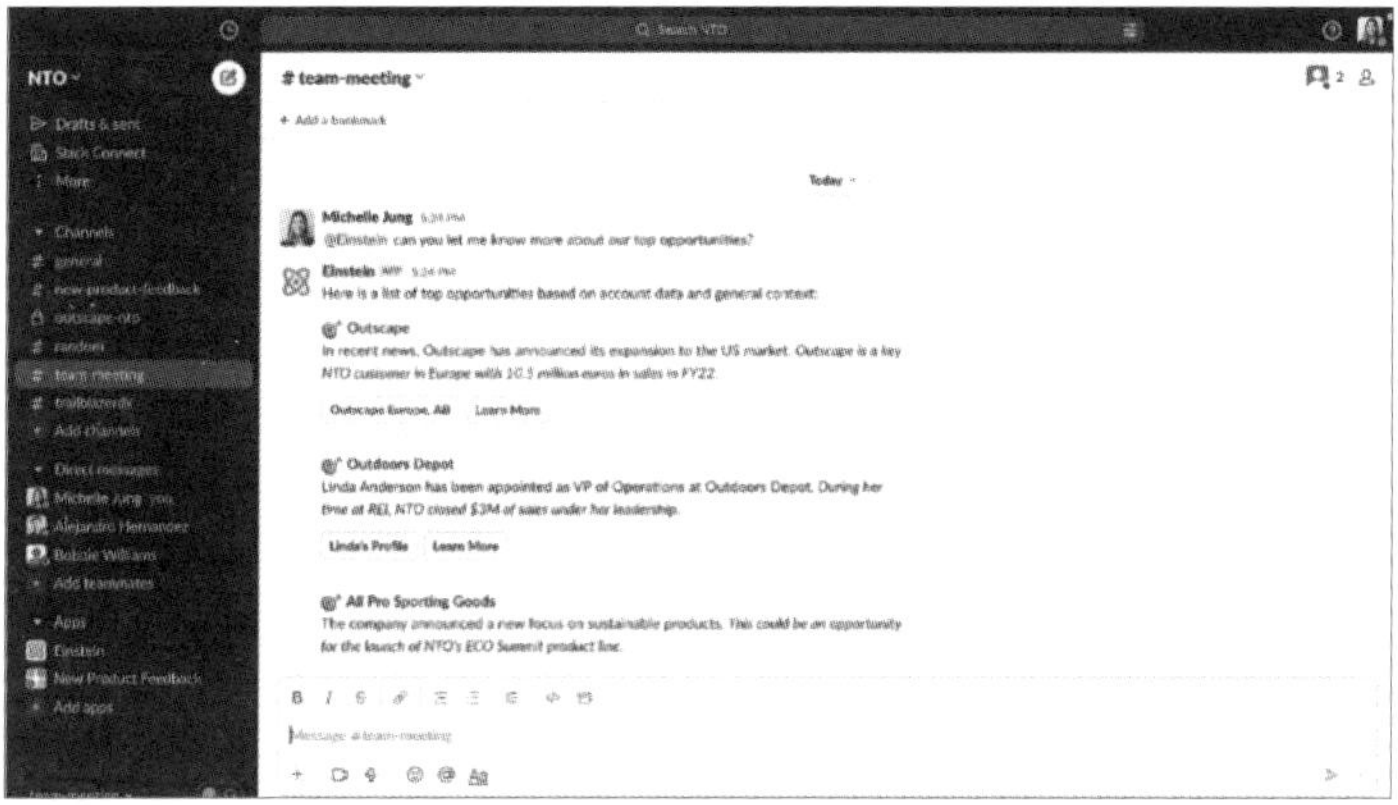


（出所）Slack

### 図表7-84　Slack「アプリ内でChatGPTを使用可能に」

WHAT：どんなAI？

**情報収集&サポートAI**

AIができること

ChatGPTアプリを
Slack内で実行できる

AIによって解決されること

要約や返信文ドラフトなど、
Slack内での生産性向上

WHO：誰のためのAI？

従業員　取引先　消費者

具体的なターゲット像

**Slackユーザー**

WHY：なぜAIが必要？

マイナスを減らす
- 不満・不便を減らす
- コストを減らす
- 作業時間を減らす

プラスを増やす
- 満足・便利を増やす
- 売上を増やす
- 付加価値を上げる

HOW：どう人と分業して？

| T型 | 逆T型 | I型 | N型 |
| --- | --- | --- | --- |
| 人の仕事をAIが一部補助 | AIの仕事を人が一部補助 | AIが独立して単独タスクを実行 | 複数のAIが連携して複数タスクを実行 |

人中心 ←→ AI中心

インフラ・
プラットフォーム

インパクト
★★★★☆

# ＡＩ弁護士等が専門的アドバイス。信頼できるパートナーに

Stork Tech, Inc.
（アメリカ）

概要

●専門家サービスのＳｔｏｒｋはＣｈａｔＧＰＴをベースとしたＡＩペルソナを提供
●ＡＩ弁護士、ＡＩマーケターなど、さまざまなＡＩ専門家を利用可能
●チームが必要とするＡＩプロフェッショナルをマーケットプレイスで提供
●専門的な質問に即座に回答可能

ココがすごい　多様なＡＩ専門家アバターと協働できる

置き換わる職業　専門家・プロフェッショナル

キーワード　ＡＩペルソナ、専門家、マーケットプレイス

〈出所〉https://www.stork.ai/

図表7-85　さまざまな専門家からアドバイスを受けることが可能に

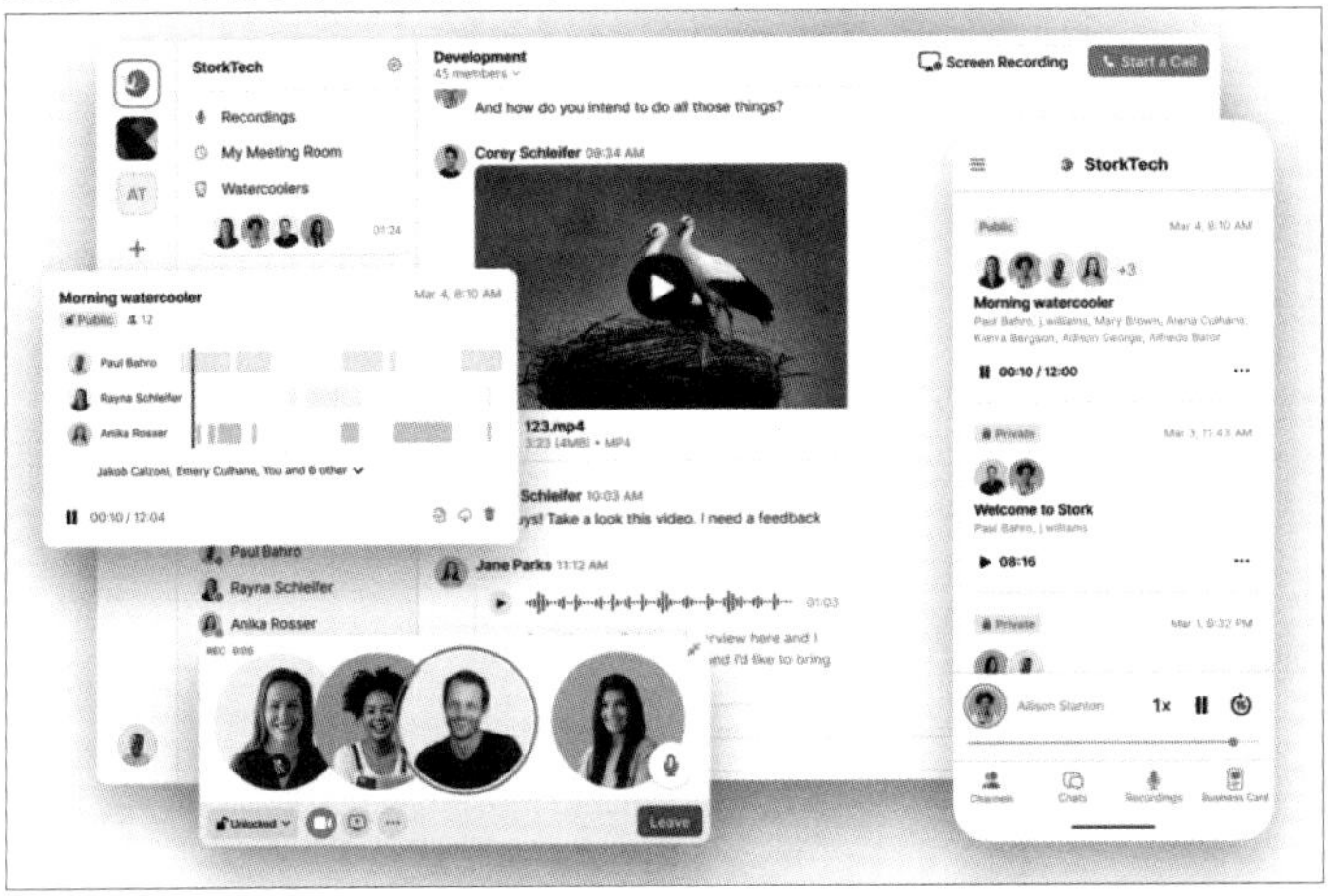


（出所）Stork Tech

図表7-86　Stork Tech「AI弁護士がアドバイス」

**WHAT：どんなAI？**

**専門家と協働するAIアバター**

AIができること：**AIが専門的な質問に即答**

▶

AIによって解決されること：**即時、専門性の高いサービスを得ることができる**

**WHO：誰のためのAI？**

従業員／取引先／**消費者**

▼

具体的なターゲット像

**専門家に相談したい人**

**WHY：なぜAIが必要？**

マイナスを減らす
- 不満・不便を減らす
- コストを減らす
- 作業時間を減らす

プラスを増やす
- **満足・便利を増やす**
- 売上を増やす
- 付加価値を上げる

**HOW：どう人と分業して？**

| **T型** | 逆T型 | I型 | N型 |
|---|---|---|---|
| **人の仕事をAIが一部補助** | AIの仕事を人が一部補助 | AIが独立して単独タスクを実行 | 複数のAIが連携して複数タスクを実行 |

人中心 ←→ AI中心

インフラ・プラットフォーム

インパクト
★★★☆☆

# Ｓｎａｐｃｈａｔ、ＧＰＴ搭載の「Ｍｙ ＡＩ」であなたの相談相手に

Snap Inc.
（アメリカ）

概要

- ●ＳＮＳサービスＳｎａｐｃｈａｔが独自ＡＩチャットボットの「Ｍｙ ＡＩ」を発表
- ●米ＯｐｅｎＡＩの「ＣｈａｔＧＰＴ」をベースに構築
- ●ＡＩチャットボットが誕生日プレゼントや旅行の計画を手伝うことができる
- ●会話は保存・レビューされ、不正確な情報はフィードバックが求められる

ココがすごい　ＡＩチャットボットと友達のように交流

置き換わる職業　接客スタッフ

キーワード　Ｓｎａｐｃｈａｔ、チャットボット、アバター

〈出所〉https://www.itmedia.co.jp/news/articles/2302/28/news095.html

図表7-87　AIチャットボットと会話が可能になる

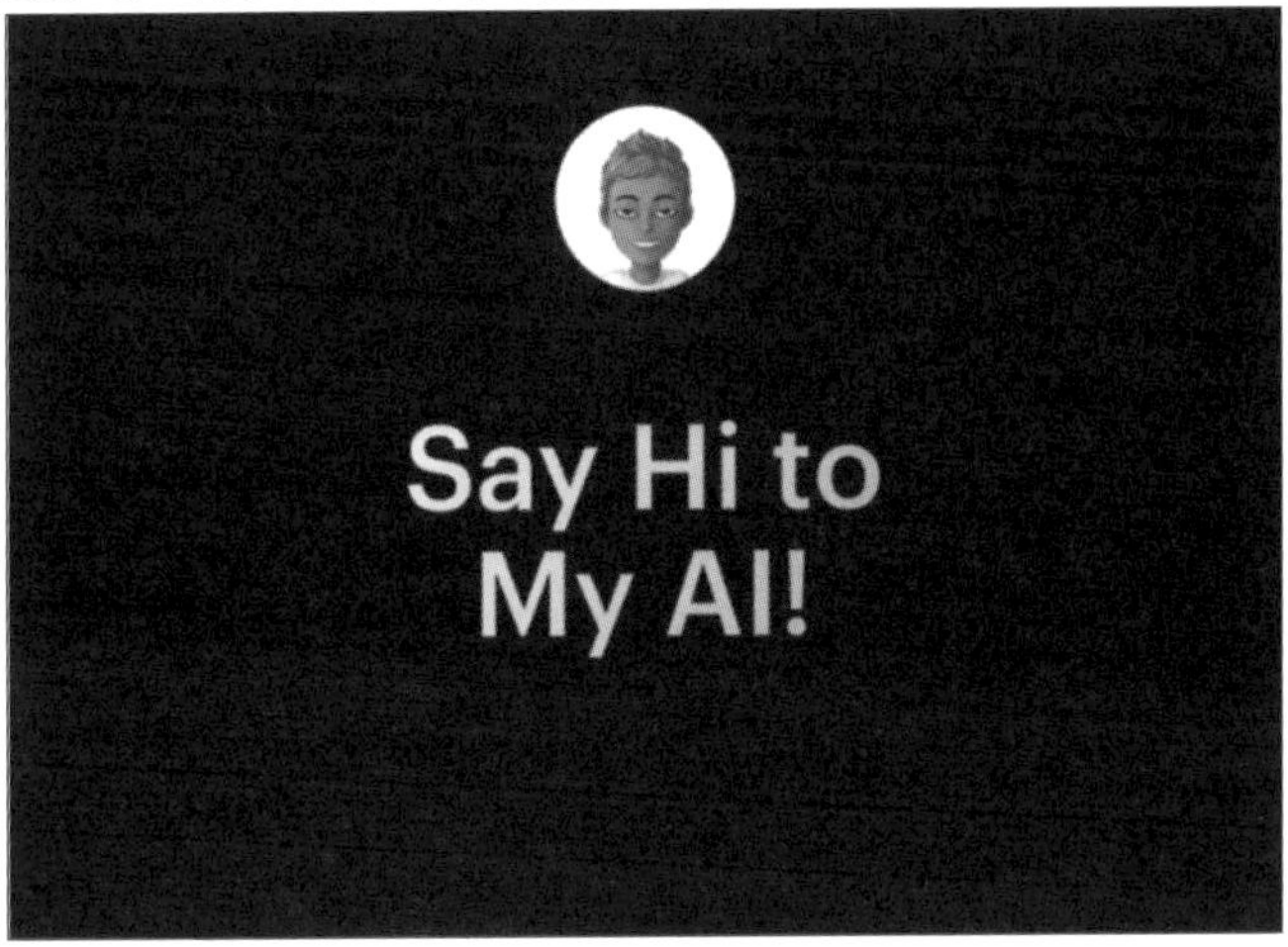


（出所）Snap

図表7-88　Snapchat「My AIであなたの相談相手を生成」

WHAT：どんなAI？

アバターチャットボット

AIができること

Snapchatアプリサービス内で
AIチャットボットと会話が可能

AIによって解決されること

友達のようにチャットで交流し、
誕生日プレゼントの提案や週末旅行
の計画までを手伝ってくれる

WHO：誰のためのAI？

従業員　取引先　**消費者**

具体的なターゲット像

一般消費者

WHY：なぜAIが必要？

マイナスを減らす
- 不満・不便を減らす
- コストを減らす
- 作業時間を減らす

プラスを増やす
- **満足・便利を増やす**
- 売上を増やす
- 付加価値を上げる

HOW：どう人と分業して？

| T型 | 逆T型 | I型 | N型 |
| --- | --- | --- | --- |
| 人の仕事をAIが一部補助 | AIの仕事を人が一部補助 | **AIが独立して単独タスクを実行** | 複数のAIが連携して複数タスクを実行 |

人中心 ←→ AI中心

インフラ・
プラットフォーム

インパクト
★★★★☆

# Ｌａｓｓｏ、Ｇｏｏｇｌｅの大規模言語ＡＩも連携した作業自動化のＲＰＡシステムを提供

Lasso
（アメリカ）

概要

- ＲＰＡとインターフェースを組み合わせたプラットフォームを提供
- 見込み客のメールをスクレイピング、要約された結果を保存するなど多様な用途に対応
- 設立者たちの実績に期待。ＧｏｏｇｌｅでＬａＭＤＡテキスト生成モデルの商用適用を担当

ココがすごい　Ｇｏｏｇｌｅの大規模言語ＡＩをＲＰＡシステムと連携

置き換わる職業　ホワイトカラー従事者

キーワード　ＲＰＡ、プラットフォーム、ＧｏｏｇｌｅのＡＩ

〈出所〉https://techcrunch.com/2023/04/04/these-y-combinator-startups-are-trying-to-build-ChatGPT-for-x/

図表7-89　RPA画面

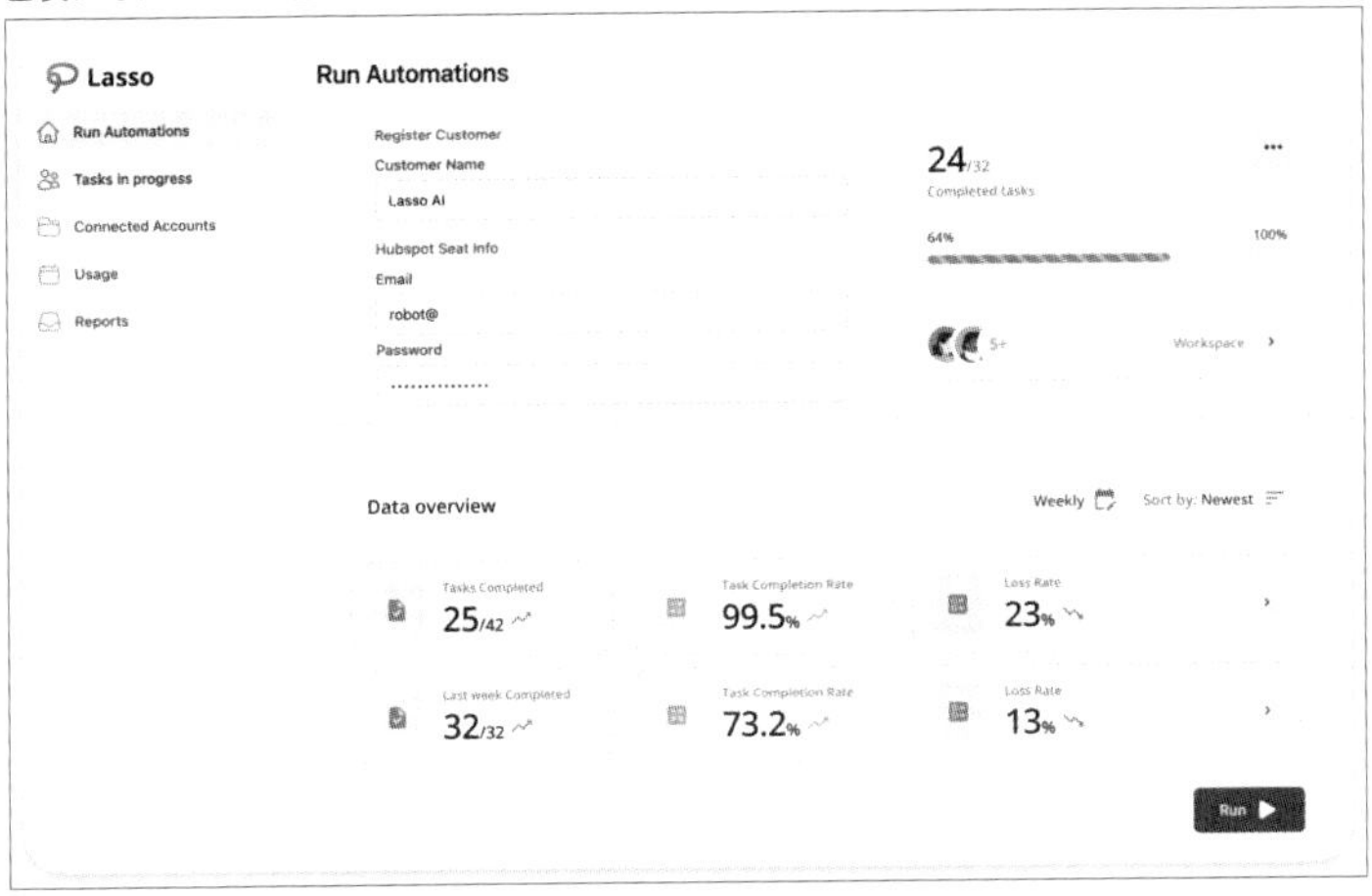


（出所）Lasso

図表7-90　Lasso「作業自動化のRPAシステムを提供」

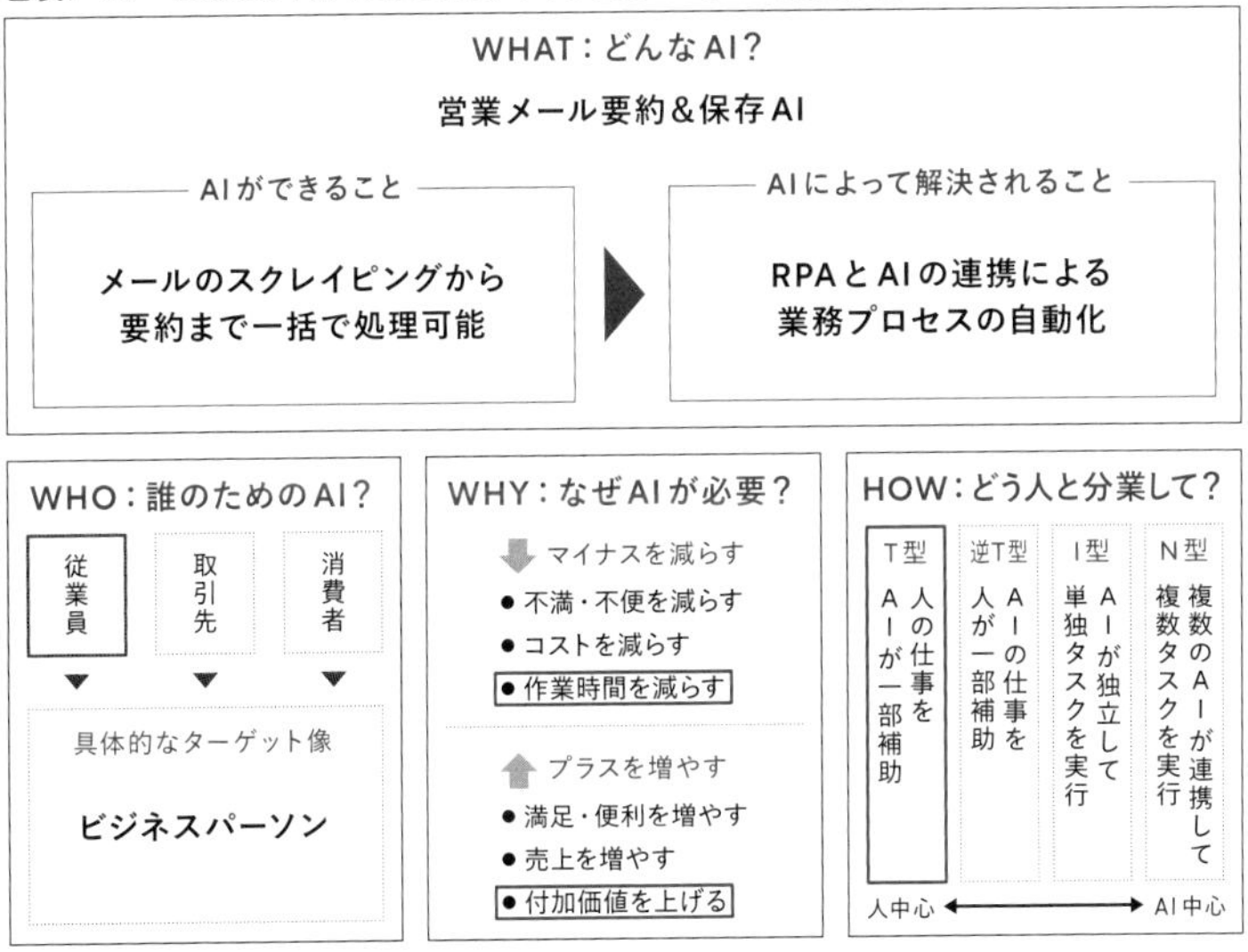

インフラ・
プラットフォーム

インパクト
★★★☆☆

# アドビ、ジェネレーティブAIを搭載しマーケティングを革新

Adobe Inc.
（アメリカ）

概要

●Adobe Sensei GenAIを発表
●マーケティングや営業のタスクを効率化
●大規模言語モデルやMicrosoft Azure OpenAI Serviceを活用
●AIを活用したメールマーケティングの改善などが期待
●ジェネレーティブAI市場をリードすることを目指す

ココがすごい　利用者の多いアドビプラットフォームと生成AIの連携

置き換わる職業　マーケター

キーワード　アドビ、マーケティング、営業タスク

〈出所〉 https://www.adobe.com/jp/news-room/news/202306/20230608_new-adobe-sensei-gen-ai-services.html

図表7-91　Adobe「マーケティングを革新」

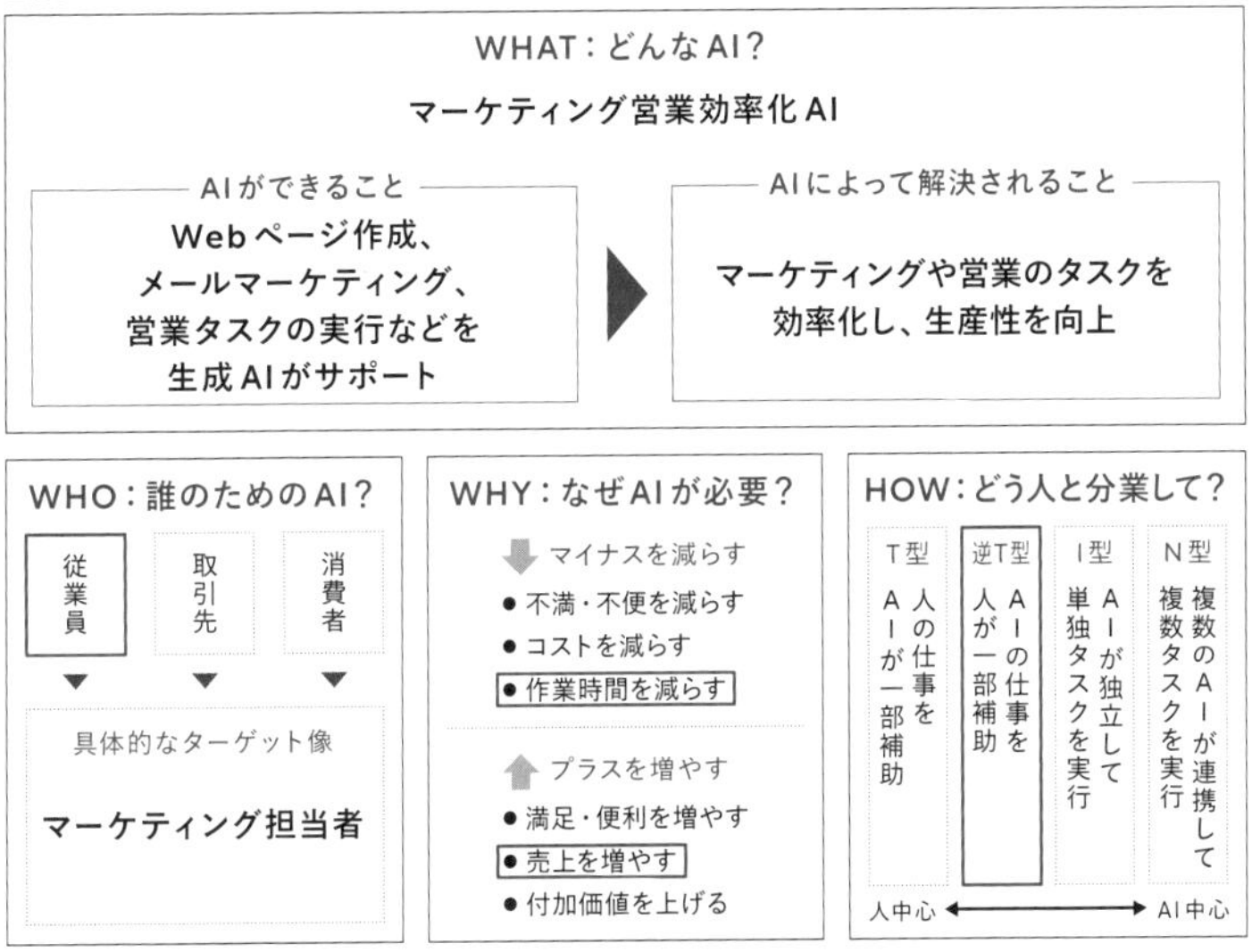

【著者紹介】
**野口竜司**（のぐち　りゅうじ）
株式会社ELYZA 取締役CMO
三井住友カード株式会社 Head of AI Innovation
株式会社カウネット 社外取締役

東京大学・松尾研究室発のELYZAで国産の大規模言語AI開発やAI戦略パートナーシップを推進。また、三井住友カードやコクヨグループをはじめとした大手事業会社でAI活用推進・AI人材育成をリード。日本ディープラーニング協会 人材育成委員、金融データ活用推進協会 顧問、グロースX AI戦略アドバイザーなども務める。テレビ番組・動画での最新AI解説や、講演・社内セミナーなども多数実施。著書に『文系AI人材になる』などがある。

ChatGPT時代の文系AI人材になる
AIを操る７つのチカラ

2023年10月17日発行

著　者——野口竜司
発行者——田北浩章
発行所——東洋経済新報社
〒103-8345　東京都中央区日本橋本石町 1-2-1
電話＝東洋経済コールセンター　03(6386)1040
https://toyokeizai.net/

装　丁………新井大輔
ＤＴＰ………岸　和泉
印　刷………ベクトル印刷
製　本………ナショナル製本
編集担当……黒坂浩一
　Printed in Japan　ISBN 978-4-492-04739-2